Виктор Суворов

ЛЕДОКОЛ

КТО НАЧАЛ ВТОРУЮ МИРОВУЮ ВОЙНУ?

ИЗДАТЕЛЬСТВО
Москва
2000

УДК 882
ББК 84(2Рос-Рус)6-4
С 89

Viktor Suvorov

ICE-BREAKER

Художник Ю.Д. Федичкин

**Печатается с разрешения автора
и его литературного агента
Andrew Nurnberg Associates Limited.**

**Исключительные права на публикацию книги на русском
языке принадлежат издательству АСТ.
Любое использование материала данной книги,
полностью или частично, без разрешения
правообладателя запрещается.**

Суворов В.

С89   Ледокол: Кто начал Вторую мировую войну? – М.:
ООО "Фирма "Издательство АСТ", 2000. – 432 с.

ISBN 5-237-03370-9

«Ледокол» Виктора Суворова, по оценке лондонской газеты
«Таймс», — самое оригинальное произведение современной
истории. Книга переведена на 27 языков, выдержала более 100
изданий. В ней автор предлагает свою версию начала Второй
мировой войны.

УДК 882
ББК 84(2Рос-Рус)6-4

МОНУМЕНТ ЧЕЛОВЕЧЕСКОЙ СЛЕПОТЕ

Когда я впервые встретил Виктора Суворова, он уже бредил этой книгой, сыпал цифрами и фактами, буквально ни о чем другом говорить не мог, но изложить все это на бумаге не решался еще много лет: то ли не до конца верил собственным выводам, то ли боялся испортить идею, не надеясь, что его услышат. Еще не были написаны ни «Аквариум», ни «Спецназ», принесшие ему мировую известность, и только-только вышла его первая книжка, сборник армейских сюжетов «Рассказы Освободителя». Собственно, из-за этой-то книжки мы и встретились. Так случилось, что редакция лондонской «Таймс» прислала мне ее на рецензию, и я оказался чуть ли не единственным, кто похвалил ее в печати.

Смешно вспоминать теперь, но в те далекие годы антикоммунизм, да и просто негативное отношение к Советскому Союзу, был вроде дурной болезни в глазах западной интеллигенции, и честный бытописатель матерого социализма не мог рассчитывать не то что на признание своего таланта, а и просто на рецензию. Лишь немногим из нас удалось к тому времени пробить брешь в стене молчания.

Виктору же было еще труднее, чем нам. Ведь даже мне какая-то левая мразь в одном телевизионном споре осмелилась намекнуть, что, мол, «некоторые люди» могут расценить мои взгляды как «предательство своей страны». Но то было однажды, и мне, с моей биографией,

3

легко было разделаться с той пакостью. Ему же с самого начала пришлось жить с этим бессмысленным клеймом. К тому же, приговоренный заочно к смертной казни, он был вынужден находиться под постоянной охраной, считаться с требованиями своих ангелов-хранителей и соответственно не мог ни отстаивать свои взгляды публично, ни рекламировать свои книги, ни просто встречаться с журналистами. Даже свое настоящее имя не мог он назвать до недавнего времени, чем, разумеется, не преминули воспользоваться советские прихвостни, утверждавшие, что никакого Виктора Суворова не существует в природе, а книги под этой фамилией просто пишет Британская разведка.

Словом, долго не решался он приступить к «Ледоколу», потому что для него это была не просто книжка. А дело всей жизни. И не было бы никакого Виктора Суворова, не было бы ни «Аквариума», ни «Спецназа», ни «Рассказов Освободителя», а был бы всего лишь офицер ГРУ Владимир Резун, свято веривший, что служит своему народу и своей стране, воруя западные секреты, если бы не вот эта книга, которую вы сейчас держите в руках. А точнее сказать, если бы не то потрясающее открытие, которое в ней содержится и которое перевернуло жизнь обычного советского офицера. Воспитанный в семье фронтовика, иначе он и не мог прореагировать, узнавши страшную правду о «священной войне». Из-за этого и убежал, остался на Западе, обрек себя на жизнь с клеймом «предателя», без малейшей надежды когда-либо увидеть своих родных, друзей — все это, чтобы только донести до людей открывшуюся ему правду.

А произошло это, по его словам, совершенно случайно. Уже в академии получилось так, что лекции по военной истории следовали сразу после лекций по стратегии. «И вот, — рассказывал он, — сижу и слушаю о том, что если ваш противник готовится к внезапному нападению, то он должен будет стянуть свои войска к границе и расположить свои аэродромы как можно ближе к линии будущего фронта. А потом, сразу же за этой лекцией, мне рассказывают, что Сталин в 1941 году был к войне не готов, допустил много серьезных ошибок, в частности, расположив свои аэродромы прямо на самой границе с немцами, стянув туда свои лучшие части... Что за наваждение? Не может быть и то, и другое правдой: или историк врет, или стратег ошибается».

Но что бы ни говорил теперь Виктор, то был повод, не причина. Ведь не один же он слушал те лекции, не говоря уж о миллионах участников описываемых событий, а впоследствии — тысячах исследователей Второй мировой войны, авторов бесчисленных диссертаций и монографий. Да ведь и мысль-то эта настолько проста, настолько самоочевидна, что просто диву даешься, как же она не пришла никому раньше?

В самом деле, неужто можно всерьез относиться к официальной версии советских историков, согласно которой получалось, что Сталин, не доверявший собственной тени, так «поверил» Гитлеру, что прозевал войну? Поверил на слово тому, по одному подозрению в связи с которым только что расстрелял свой высший командный состав? Поверил настолько, что полностью демонтировал всю свою линию обороны на западных границах? И, так сильно поверивши, продолжал бешено наращивать темп вооружения, разворачивать все новые и новые дивизии? С кем же он тогда воевать собирался?

А ведь в том, что собирался, ни у кого сомнения вроде бы нет. На это неопровержимо указывают не только факты, собранные в данной книге, не только многочисленные высказывания «вождя народов», но и мельчайшие, вполне общедоступные детали довоенного времени. Например, до войны в парках культуры и отдыха почти каждого советского города в качестве «аттракциона» стояли парашютные вышки, а после войны их, к моему глубокому огорчению, сняли. И мы изумляемся, читая Суворова, что к 1941 году Советская Армия имела 5 корпусов парашютно-десантных войск, около миллиона тренированных парашютистов. Где, когда успел Сталин подготовить такую армаду, да еще незаметно для всех?

Или вот еще деталь, которую я сам недавно вычитал и поразился: ведь не я один прочел, но никто не заметил, не задумался. А дело в том, что согласно мемуарам автора знаменитой патриотической песни «Вставай, страна огромная», той самой, что появилась в первые же дни войны (той самой, что так любят петь теперь с «благородной яростью» на своих сходках «наши»), Сталин лично заказал автору написать ее в... **феврале** 1941-го! Что говорить, мудр был вождь и учитель, даже о песне позаботился. А войны, выходит, не предвидел?

Легко понять, почему советские историки предпочитают выставлять лучшего друга историков наивным дурачком или в крайнем случае безумцем, нежели замечать все эти несоответствия. Иначе им неизбежно пришлось бы признать, что Сталин был не более безумен, чем любой коммунист, начиная с Ленина, а то и Маркса: ведь все они верили, что мировая революция произойдет вследствие мировой войны. Она для них была не катастрофой, не бедствием, а вполне желанной «исторической неизбежностью».

Более того, достаточно проглядеть написанное Лениным в 1920—21 годах, чтобы понять, в каком тупике оказались большевики, понадеявшись на мировую революцию и поторопившись с захватом власти в России. Разумеется, никто из них не собирался строить социализм в «одной отдельно взятой стране», тем более стране аграрной. Победа революции в России была, по выражению Ленина, «меньше, чем полдела». Чтобы эта победа стала окончательной и бесповоротной, «мы должны добиться победы пролетарской революции во всех или по крайней мере в нескольких основных странах капитала». Без их промышленного потенциала нечего было и думать о социализме. Отсюда и ленинский нэп, и новая тактика «осады капиталистической цитадели», использования их противоречий для ускорения пришествия мировой революции, то бишь начала мировой войны. Сталин в этом смысле был всего лишь верным учеником Маркса—Ленина.

Словом, понятно, что наши отечественные историки никак не могли признать изложенных в этой книге фактов, не признав природную агрессивность коммунизма и его ответственность в преступлении против человечества наравне с гитлеризмом. Но что же мешало западным историкам заметить столь очевидную истину?

Да ровно то же, что и их советским коллегам: конформизм. Ведь и здесь, на Западе, существуют могущественные политические силы, которые способны сделать глубоко несчастным любого умника, вылезшего с неугодными им откровениями. Признать, вслед за известным анекдотом, что Гитлер был всего лишь «мелкий тиран сталинской эпохи», здешний истеблишмент и сейчас еще не готов, а до недавнего времени автор такой теории был бы подвергнут остракизму как «фашист». Ни карьеру сделать, ни профессором стать, ни даже опубликовать книгу такой смельчак никогда бы не смог. Оттого-то и на Западе людей, решившихся открыто заявить себя антикоммунистами, нашлось немногим более, чем в бывшем СССР.

Даже сейчас, когда наконец обнажились кровавые коммунистические тайны, мы продолжаем ловить по латиноамериканским джунглям старичков, совершивших свои злодеяния полвека назад, но мы негодуем, видя Эриха Хонеккера на скамье подсудимых. Какая жестокость! Ведь он больной и старый человек! И мы сочувствуем Михаилу Сергеевичу, которого — смотрите, какая наглость! — принуждают предстать перед судом (нет, не Нюрнбергским, а всего лишь Конституционным, и не в качестве обвиняемого, а только лишь свидетеля). Да разве мы смеем назвать КПСС преступной организацией? Ну что вы, она всего лишь «неконституционна»...

Нет, эта книга запомнится нам не глубиной своего анализа, не какими-нибудь потрясающими, доселе неизвестными нам фактами — автор сознательно оперирует лишь общеизвестным и общедоступным материалом.

Она останется в нашей памяти как монумент человеческой слепоте, благодаря которой самый бесчеловечный режим в истории человечества смог просуществовать 74 года. Или, точнее сказать, как монумент той странной болезни уха и глаза, распространенной в коммунистические времена, когда слышали одно, видели другое и ничуть этому не удивлялись.

Автор же, Виктор Суворов, по-прежнему продолжает жить в Англии, как он сам пишет, «между смертным приговором и казнью». Никто так и не догадался отменить вынесенный ему приговор.

Владимир Буковский,
ноябрь 1992 г.,
Кембридж

ЛЕДОКОЛ

Кто начал
Вторую мировую войну?

...Запад с его империалистическими людоедами превратился в очаг
тьмы и рабства. Задача состоит в том,
чтобы разбить этот очаг на радость и
утешение трудящихся всех стран.

И. Сталин, 1918 г.

КТО НАЧАЛ ВТОРУЮ МИРОВУЮ ВОЙНУ?

На этот вопрос отвечают по-разному. Единого мнения нет. Советское правительство, например, по данному вопросу меняло свое мнение многократно.

18 сентября 1939 года советское правительство в официальной ноте объявило, что виновником войны является Польша.

30 ноября 1939 года Сталин в газете «Правда» назвал еще «виновников»: «Англия и Франция напали на Германию, взяв на себя ответственность за нынешнюю войну».

5 мая 1941 года в секретной речи перед выпускниками военных академий Сталин назвал еще одного виновника — Германию.

После окончания войны круг «виновников» расширился. Сталин заявил, что Вторую мировую войну начали все капиталистические страны мира. До Второй мировой войны все суверенные государства мира, кроме СССР, по сталинскому делению, считались капиталистическими. Если верить Сталину, то самую кровавую в истории человечества войну начали правительства всех стран, включая Швецию и Швейцарию, но исключая Советский Союз.

Сталинская точка зрения о том, что виноваты все, за исключением СССР, надолго стабилизировалась в коммунистической мифологии. Во времена Хрущева и Брежнева, Андропова и Черненко обвинения против всего

11

мира неоднократно повторялись. Во времена Горбачева в Советском Союзе изменилось многое, но не сталинская точка зрения о виновниках войны. Так, в горбачевские времена главный историк Советской Армии генерал-лейтенант П.А. Жилин повторяет: «Виновниками войны были не только империалисты Германии, но и всего мира» («Красная звезда», 24 сентября 1985 года).

Имею смелость заявить, что советские коммунисты обвиняют все страны мира в развязывании Второй мировой войны только для того, чтобы скрыть *свою* позорную роль поджигателей.

Давайте вспомним, что после Первой мировой войны Германия потеряла право иметь мощную армию и наступательное вооружение, включая танки, тяжелую артиллерию, боевые самолеты. На своей собственной территории германские командиры были лишены возможности готовиться к ведению агрессивных войн. Германские командиры не нарушали запретов до определенного времени и не готовились к агрессивным войнам на своих полигонах, они делали это... на территории Советского Союза. Сталин предоставил германским командирам все то, чего они не имели права иметь: танки, тяжелую артиллерию, боевые самолеты. Сталин выделил германским командирам учебные классы, полигоны, стрельбища. Сталин открыл доступ германским командирам на самые мощные в мире советские танковые заводы: смотрите, запоминайте, перенимайте.

Если бы Сталин хотел мира, то он должен был всячески мешать возрождению ударной мощи германского милитаризма: ведь тогда Германия оставалась бы слабой в военном отношении страной. Кроме слабой в военном отношении Германии, в Европе была бы Британия, не имеющая мощной сухопутной армии; Франция, которая почти весь свой военный бюджет тратила на сугубо оборонительные программы, возводя подобие Великой Китайской стены вдоль своих границ, и другие более слабые в военном и экономическом отношении страны. В такой ситуации Европа была бы совсем не столь пожароопасной... Но Сталин с какой-то целью не жалеет средств, сил и времени на возрождение германской ударной мощи. Зачем? Против кого? Конечно, не против самого себя! Тогда против кого? Ответ один: против всей остальной Европы.

Но возродить мощную армию в Германии и столь же мощную военную промышленность — это только полдела. Даже самая агрессивная армия сама войн не начинает. Нужен кроме всего фанатичный, безумный лидер, готовый начать войну. И Сталин сделал очень многое для того, чтобы во главе Германии оказался именно такой лидер. Как Сталин создал Гитлера, как помог ему захватить власть и укрепиться — отдельная большая тема. Книгу на эту тему я готовлю. Но об этом речь впереди, а сейчас мы только вспомним, что пришедших к власти нацистов Сталин упорно и настойчиво толкал к войне. Вершина этих усилий — пакт Молотова — Риббентропа. Этим пактом Сталин гарантировал Гитлеру свободу действий в Европе и по существу открыл шлюзы Второй мировой войны. Когда мы недобрым словом поминаем пса, искусавшего пол-Европы, давайте не забудем и Сталина, который пса вырастил, а потом и спустил с цепи.

Еще до прихода его к власти **советские лидеры** нарекли **Гитлера** тайным титулом — **Ледокол Революции**. Имя точное и емкое. Сталин понимал, что Европа уязвима только в случае войны и что Ледокол Революции сможет сделать Европу уязвимой. Адольф Гитлер, не сознавая того, расчищал путь мировому коммунизму. Молниеносными войнами Гитлер сокрушал западные демократии, при этом распыляя и разбрасывая свои силы от Норвегии до Ливии. Ледокол Революции совершал величайшие злодеяния против мира и человечества и своими действиями дал Сталину моральное право в любой момент объявить себя Освободителем Европы, заменив коричневые концлагеря красными.

Сталин понимал, что войну выигрывает не тот, кто в нее вступает первым, а тот, кто вступает последним, и любезно уступил Гитлеру позорное право быть зачинщиком войны, а сам терпеливо ждал момента, «когда капиталисты перегрызутся между собой» (Сталин. Речь 3 декабря 1927 года).

Я считаю Гитлера преступником и мерзавцем. Я считаю его людоедом европейского масштаба. Но если Гитлер был людоедом, из этого совсем не следует, что Сталин был вегетарианцем. Сделано немало для того, чтобы разоблачить преступления нацизма и найти палачей, совершивших тяжкие злодеяния под его флагом. Эта работа должна быть продолжена и усилена. Но разоблачая фашистов, мы обязаны разоблачать и советских коммунистов, которые поощряли нацистов на совершение преступлений и намеревались результатами их преступлений воспользоваться.

В Советском Союзе давно и тщательно почищены архивы, а то, что и осталось, — исследователям почти недоступно. Мне посчастливилось совсем немного поработать в архивах Министерства обороны СССР, но я совершенно сознательно архивные материалы почти не использую. У меня много материалов из германских военных архивов, но и их я практически не использую. **Мой главный источник — открытые советские публикации.** Даже этого вполне достаточно для того, чтобы поставить советских коммунистов к стене позора и посадить их на скамью подсудимых рядом с германскими фашистами, а то и впереди.

Мои главные свидетели: Маркс, Энгельс, Ленин, Троцкий, Сталин, все советские маршалы времен войны и многие ведущие генералы. Коммунисты сами признают, что руками Гитлера они развязали в Европе войну и готовили внезапный удар по самому Гитлеру, чтобы захватить разрушенную им Европу. **Ценность** моих источников в том и заключается, что **преступники сами говорят о своих преступлениях.**

Знаю, что у коммунистов найдется много защитников. Господа, я поймал коммунистов на слове и позвольте им защищаться самостоятельно.

Виктор СУВОРОВ,
декабрь 1987 г., Бристоль

ГЛАВА 1

ПУТЬ К СЧАСТЬЮ

> Мы партия класса, идущего на завоевание мира.
>
> *М. Фрунзе*

1

Маркс и Энгельс предрекали мировую войну и длительные международные конфликты «продолжительностью 15, 20, 50 лет». Такая перспектива их не пугала. Авторы «Коммунистического манифеста» не звали пролетариат предотвратить войну, наоборот, для Маркса и Энгельса грядущая мировая война желательна. Война — мать революции, мировая война — мать мировой революции. Результатами мировой войны, считал Энгельс, будут «всеобщее истощение и создание условий для окончательной победы рабочего класса».

Маркс и Энгельс не дожили до мировой войны, но у них нашелся продолжатель — Ленин. В самом начале Первой мировой войны партия Ленина выступила за поражение своей собственной страны. Пусть враг уничтожит и разорит страну, пусть свергнет правительство, пусть растопчет национальные святыни: у пролетариев, как известно, нет отечества. В разоренной, побежденной стране куда как легче «войну империалистическую превращать в войну гражданскую». Итак, пусть сильнее грянет буря!

Ленин надеялся, что и в других странах найдутся настоящие марксисты, способные подняться «над узконациональными интересами» на борьбу против своих собственных правительств ради превращения мировой войны в мировую гражданскую войну. Но таковых в других странах не нашлось, и потому перспектива мировой революции отодвинулась в недосягаемое будущее. Ничего. Если не мировая революция, так хоть первый шаг к ней. Уже осенью 1914 года Ленин принимает своеобразную программу-минимум: если в результате Первой мировой войны мировая революция не случится, так хоть клок оторвать. Не во всем мире, так хоть в одной стране. Все равно в какой. Сначала захватить одну страну, а потом использовать ее как базу для подготовки новой мировой войны и развития революции в других странах. «Победивший пролетариат этой страны встанет против всего остального мира», разжигая беспорядки и восстания в других странах «или прямо выступая против них с вооруженной силой» («О лозунге Соединенных Штатов Европы»).

Выдвигая программу-минимум о захвате власти в одной стране, Ленин не теряет и перспективы. Для Ленина, как и для Маркса, мировая революция остается путеводной звездой. Но по программе-минимум в результате Первой мировой войны возможна революция только в одной стране. Как же потом произойдет мировая революция? В результате чего? В 1916 году Ленин дает четкий ответ на этот вопрос: в результате ВТОРОЙ ИМПЕРИАЛИСТИЧЕСКОЙ ВОЙНЫ («Военная программа пролетарской революции»).

Может быть, я ошибаюсь, но прочитав многое, что написал Гитлер, я не нашел решительно никаких указаний на то, что Адольф Шикльгрубер в 1916 году мечтал о Второй мировой войне. А вот Ленин мечтал. Мало того, Ленин уже в то время теоретически обосновывал необходимость такой войны для построения социализма во всем мире.

События развиваются стремительно. В следующем году произошла революция в России. Ленин спешит в Россию. Тут, в водовороте неразберихи и вседозволенности, он и его небольшая, но организованная на военный лад партия захватывают внезапным переворотом государственную власть. Ходы Ленина просты, но коварны. В первый момент образования коммунистического государства Ленин объявляет «Декрет о мире». Это очень неплохо для пропаганды. Но мир Ленину нужен не для мира, а для того, чтобы удержаться у власти. После декрета миллионы вооруженных солдат хлынули с фронта домой. Декретом о «мире» Ленин превратил войну империалистическую в войну гражданскую, погрузил страну в хаос, консолидируя власть коммунистов и отвоевывая понемногу территории и подчиняя их себе. Хлынувшие с фронта солдаты сыграли роль ледокола, разломавшего Россию. Результатом гражданской войны было желаемое еще Марксом «всеобщее истощение», которое и позволило Ленину удержать и укрепить власть.

Ходы Ленина во внешней политике не менее коварны. И тут он использует тот же принцип: вы деритесь, а я пока понаблюдаю со стороны, а когда вы друг друга ослабите...

В марте 1918 года Ленин заключает Брестский мир с Германией и ее союзниками. В это время положение Германии уже безнадежно. Понимает ли это Ленин? Конечно. Поэтому и подписывает мир, который:

— развязывает Ленину руки для борьбы за укрепление коммунистической диктатуры внутри страны;

— дает Германии значительные ресурсы и резервы для продолжения войны на западе, истощившей как Германию, так и западных союзников.

Заключив сепаратную сделку с противником, Ленин предал союзников России. Но Ленин предал и саму Россию. В начале 1918 года победа Франции, Великобритании, России, США и других стран над Германией и ее союзниками была уже близка и неизбежна. Россия потеряла в войне миллионы солдат и имела полное право быть в числе победителей наряду со своими западными союзниками. Но Ленину такая победа не нужна, ему нужна мировая революция. Ленин признает, что Брестский «мир» был заключен не в интересах России, а в интересах мировой революции, в интересах установления коммунизма в России и в других странах. Ленин признает, что «поставил всемирную диктатуру пролетариата и всемирную революцию выше всяких национальных жертв» (Отчет ЦК VIII съезду РКП(б)).

Поражение Германии уже было близким, а Ленин заключает «мир», по которому Россия отказывается от своих прав на роль победителя, наоборот, без боя Ленин отдает Германии миллион квадратных километров самых плодородных земель и богатейшие промышленные районы страны, да еще и контрибуцию золотом выплачивает. Зачем?!

А вот зачем. Брестский «мир» сделал ненужными миллионы русских солдат, и эти миллионы никем не управляемых людей пошли по домам, ломая по пути основы государственности и только что рожденную демократию. Брестский «мир» стал началом жесточайшей гражданской войны, гораздо более кровавой и жестокой, чем Первая мировая война. Пока каждый воевал против каждого, коммунисты укрепляли и расширяли свою власть, а потом через несколько лет подчинили себе всю страну.

Брестский «мир» направлен не только против национальных интересов России, но он направлен и против Германии. По смыслу и духу Брестский «мир» — это прообраз пакта Молотова — Риббентропа. Расчет Ленина в 1918 году и расчет Сталина в 1939 году тот же самый: пусть Германия воюет на западе, пусть она истощает себя, а заодно и западных союзников до последней возможности. Мы любой ценой поможем Германии истощать себя до предела, а тогда...

В момент, когда по приказу Ленина в Бресте подписывается «мир» с Германией, в Петрограде идет интенсивная работа по подготовке к свержению германского правительства. В это время в Петрограде полумиллионным тиражом издается коммунистическая газета на немецком языке «Die Fackel», еще до подписания Брестского «мира» в январе 1918 года в Петрограде создана германская коммунистическая группа «Спартак». Газеты «Die Weltrevolution» и «Die Rote Fahne» тоже родились не в Германии, а в коммунистической России по приказу Ленина, который подписал «мир» с Германией. В 20-е годы коммунизм в Германии пустит глубокие корни. Не забудем, что к этому приложил руку Ленин и именно в тот момент, когда Германия вела изнурительную безнадежную войну на западе, а Ленин имел с германским правительством «мирный» договор.

2

Расчет Ленина точен: истощенная войной Германская империя не выдержала напряжения войны. Война завершается крушением империи и революцией. Ленин немедленно аннулирует договор. В разоренной войной Европе на обломках империй возникают коммунистические государства, поразительно похожие на ленинский режим большевиков. Ленин ликует: «Мы на пороге мировой революции!» В это время Ленин отбросил свою программу-минимум. Он больше не говорит о необходимости Второй мировой войны, веря, что мировую революцию можно совершить уже в результате Первой мировой войны.

Ленин создает Коминтерн, который определяет сам себя как Всемирную коммунистическую партию и ставит своей целью создание Мировой советской социалистической республики.

Но мировой революции не последовало. Коммунистические режимы в Баварии, Бремене, Словакии, Венгрии оказались чахлыми и нежизнеспособными, левые партии западных стран проявили слабость и нерешительность в деле захвата и удержания власти, а Ленин мог их поддерживать в то время только морально: все силы большевиков были брошены на внутренние фронты, на борьбу против народов России, не желавших коммунизма.

Только в 1920 году Ленин достаточно укрепил свои позиции внутри России и немедленно бросает огромные силы в Европу, чтобы подтолкнуть революцию.

Благоприятный момент в Германии уже упущен, и все же Германия 1920 года — это вполне подходящее поле для классовых битв. Германия разоружена и унижена. Все идеалы поруганы и оплеваны. В стране жесточайший экономический кризис: в марте 1920 года Германию потрясла всеобщая забастовка, в которой, по некоторым сведениям, участвовало более 12 миллионов человек. Германия — пороховая бочка, и нужна только одна искра... Официальный марш Красной Армии (Марш Буденного)* включает слова: «Даешь Варшаву! Дай Берлин!» Теоретик советских коммунистов Николай Бухарин в газете «Правда» провозглашает более решительный лозунг: «Непосредственно к стенам Парижа и Лондона!»

Но на пути красных легионов — Польша. Между Советской Россией и Германией нет общей границы. Чтобы зажечь пожар революции, нужно сокрушить разделительный барьер — свободную, независимую Польшу. На беду коммунистов, во главе советских войск оказался командир, не понимавший сути стратегии, — М.Н. Тухачевский. Армии Тухачевского были разбиты под Варшавой и позорно бежали. В критический момент у Тухачевского не оказалось стратегических резервов, это и решило исход грандиозного сражения. Поражение Тухачевского не было случайным: за полгода до начала советского «освободительного похода» на Варшаву и Берлин Тухачевский «теоретически обосновал» ненужность стратегических резервов в войне.

Стратегия имеет простые, но неумолимые законы. Главный принцип стратегии — концентрация. Главный «секрет» стратегии — в решающий момент, в решающей точке сконцентрировать подавляющую мощь против самого уязвимого места противника. Чтобы концентрировать мощь, нужно иметь ее в резерве. Тухачевский этого не понимал и поплатился за свое непонимание. А революцию в Германии пришлось отложить до 1923 года...

---

* Имеется в виду широко известный «Марш Буденного» 1919 г. — *Ред.*

3

Разгром орд Тухачевского в Польше имел для большевиков очень неприятные последствия. Россия, которую большевики, казалось бы, полностью утопили в крови и подчинили своему контролю, вдруг встрепенулась в отчаянной попытке сбросить коммунистическую диктатуру. Забастовал рабочий Питер — колыбель революции. Рабочие требуют хлеба. Рабочие требуют свободы. Большевики давят рабочие выступления, но на стороне рабочих вдруг выступает эскадра Балтийского флота. Матросы Кронштадта, те самые, которые подарили власть Ленину и Троцкому, требуют очистить Советы от коммунистов. По стране прокатилась волна крестьянских выступлений. В тамбовских лесах крестьяне создали хорошо организованную, но плохо вооруженную антикоммунистическую армию.

Что ж, Тухачевский, расхлебывай. И Тухачевский чужой кровью смывает позор своего стратегического провала. Зверство Тухачевского в Кронштадте стало легендарным. Чудовищное истребление крестьян в Тамбовской губернии стало одной из самых страшных страниц во всей истории человечества. И автор этой страницы — Тухачевский. XX век знает немало великих злодеев: Ежов, Гиммлер, Пол Пот. По количеству пролитой крови Тухачевский вполне заслужил место в одном ряду с ними, а по времени — Тухачевский был их предшественником.

4

В 1921 году Ленин вводит новую экономическую политику — нэп. В этой политике не было ничего нового — это был старый добрый капитализм. Коммунистам надо было сохранить власть, и они идут на любые послабления, вплоть до введения элементов свободного рынка. Принято считать, что Кронштадт и Тамбов — это главные причины, толкнувшие Ленина ввести элементы свободного рынка и ослабить идеологическую удавку на шее общества. Я думаю, что причины надо искать глубже: в 1921 году Ленин понял, что Первая мировая война не вызвала мировой революции. Надо, по совету Троцкого, переходить к перманентной революции, нанося удар за ударом по слабым звеньям свободного общества и одновременно готовить Вторую мировую войну, которая и принесет окончательное «освобождение». Перед самым введением нэпа в декабре 1920 года Ленин говорил о мировой войне: «...новая такая же война неизбежна».

И снова я вспоминаю Гитлера. Я его не защищаю, я просто отмечаю, что в 1920 году он ничего публично не говорил о неизбежности и желательности Второй мировой войны. А вот заявление Ленина того времени: «Мы кончили одну полосу войн, мы должны готовиться ко второй». Для этого и вводится нэп. Мир — это передышка для войны. Так говорит Ленин, так говорит Сталин, так говорит «Правда». Нэп — это короткая передышка для будущих войн. Коммунистам надо привести свою страну в порядок, укрепить и консолидировать власть, развернуть сверхмощную военную промышленность, подготовить население к будущим войнам, сражениям, «освободительным походам». Этим они и заняты.

Введение элементов свободного рынка совсем не означало отказ от подготовки мировой революции и Второй мировой войны, которая должна такую революцию породить. Уже на следующий год был создан Союз Советских Социалистических Республик — СССР. Декларация об образовании СССР объявляла, что СССР — это только первый решительный шаг в создании *Всемирной* Советской Социалистической Республики: намечалось количество республик увеличивать до тех пор, пока весь мир не войдет в состав СССР.

Декларация об образовании СССР была открытым и прямым ОБЪЯВЛЕНИЕМ ВОЙНЫ ВСЕМУ ОСТАЛЬНОМУ МИРУ. Эта декларация действует до сих пор. Ее никто не отменял. Между книгой Гитлера «Майн кампф» и декларацией есть разница. Гитлер написал свою книгу позже, и она является точкой зрения одного человека: МОЯ борьба. Декларация об образовании СССР — это официальный документ о главной цели огромного государства: разрушить и подчинить все остальные государства мира.

ГЛАВА 2

ГЛАВНЫЙ ВРАГ

> Если с какого-нибудь конца начнется революционная встряска Европы, то это с Германии... и победа революции в Германии есть обеспечение победы международной революции.
>
> *И. Сталин*

1

В 1923 году Германия вновь на пороге революции. Ленин уже не принимает участия в руководстве страной. Бразды правления почти полностью захватил Сталин, хотя ни страна, ни мир, ни даже его соперники в партии этого еще не поняли.

Вот как сам Сталин описывает свою роль в подготовке германской революции 1923 года: «...германская комиссия Коминтерна в составе Зиновьева, Бухарина, Сталина, Троцкого, Радека и ряда немецких товарищей имела ряд конкретных решений о прямой помощи германским товарищам в деле захвата власти» (Речь на пленуме ЦК и ЦКК ВКП(б) 1 августа 1927 г.).

Личный секретарь Сталина Борис Бажанов описал подготовку подробнее. Он говорит, что средства на германскую революцию были отпущены огромные, а затем было принято решение вообще средств не ограничивать. В Советском Союзе были мобилизованы все коммунисты немецкого происхождения и все коммунисты, владеющие немецким языком. Их готовили и отправляли в Германию на подпольную работу. В Германию направлялись не только рядовые советские коммунисты, но и руководители высшего ранга, в том числе нарком В. Шмидт, заместитель председателя ГПУ Уншлихт, члены советского ЦК Радек, Пятаков и другие.

Советский полпред в Германии Крестинский развернул мощную сеть тайной агентуры. Советское полпредство в Германии превратилось в организационный центр революции. Через полпредство шли указания Москвы и потоки денег, которые тут же превращались в вагоны подрывной литературы, в лавины оружия и боеприпасов. «На Уншлихта была возложена организация отрядов вооруженного восстания для переворота, их рекрутирование и снабжение оружием. На него же была возложена обязанность организации германского ЧК для истребления буржуазии и противников революции после переворота» (Б. Бажанов. Воспоминания бывшего секретаря Сталина. С. 67)*. Советское Политбюро разработало и утвердило детальный план переворота и была установлена дата — 9 ноября 1923 года.

Но революция не состоялась.

По многим причинам.

Первая: массы выбирали золотую середину — шли не за коммунистами, а за социал-демократами. Германская компартия не имела необходимой для захвата власти поддержки масс, кроме того, партия раскололась на две фракции, и лидеры обеих фракций не проявляли решительности в духе Ленина и Троцкого.

Вторая: между Советским Союзом и Германией не было общей границы. Как и три года назад, Польша разделяла их. Если была бы общая граница, то Красная Армия могла оказать помощь германской коммунистической партии и ее нерешительным вождям...

Третья причина, пожалуй, самая главная: Ленин уже давно не руководит ни Советским Союзом, ни мировой революцией. Он умирает. У Ленина много наследников: Троцкий, Зиновьев, Каменев, Рыков, Бухарин. Рядом с явными соперниками работает скромный Сталин, которого никто претендентом на власть не считает, но кото-

---

* Здесь и далее см. список цитируемой литературы. — *Ред.*

рый, по словам Ленина, уже «сосредоточил в своих руках необъятную власть».

Германская революция 1923 года управлялась из Кремля, но у руля мировой революции шла жестокая драка. Ни один из явных претендентов на власть не желал видеть своего противника в роли вождя германской и, следовательно, европейской революции. Вожди толкались у руля, давая подчиненным противоречивые указания. Это никак не могло кончиться победой.

Мудрый Сталин в этой ситуации не лез в рулевые. Он решил сначала все внимание уделить вопросам окончательной консолидации своей единоличной власти, а уж потом заниматься всеми остальными проблемами, в том числе и мировой революцией.

В ближайшие годы Сталин опустит всех претендентов на власть этажом ниже, а потом будет их опускать все ниже и ниже — до самых лубянских подвалов. Захватив власть, Сталин устранит все барьеры, мешающие германской революции:

— он наведет порядок в германской компартии и заставит ее беспрекословно выполнять приказы Москвы;

— он установит общие границы с Германией;

— он уничтожит германскую социал-демократию.

Уничтожит социал-демократию не своими руками, конечно. Разве Сталин убивал кого-то своими руками?

2

По Марксу и Ленину, революция возникает в результате войны. Война обостряет противоречия, разоряет хозяйство, приближает нации и государства к роковой черте, за которой ломается привычный уклад жизни. Сталин был настоящим марксистом-ленинцем и занял в вопросах войны и мира принципиальную позицию: если социал-демократы своим пацифизмом отвлекают пролетариат от революции (и от войн, которые порождают революции), значит, надо объявить беспощадную войну социал-демократам. 7 ноября 1927 года Сталин бросил лозунг: «Невозможно покончить с капитализмом, не покончив с социал-демократизмом» («Правда», № 255, 6— 7 ноября 1927 г.). В следующем году Сталин объявил борьбу с социал-демократией главной задачей коммунистов: «Во-первых, неустанная борьба с социал-демократизмом по всем линиям... включая сюда разоблачение буржуазного пацифизма» (Т. 11. С. 202).

В отношении тех, кто хочет реванша и войны, например, в отношении германских фашистов, позиция Сталина столь же проста и принципиальна: их надо поддерживать. Пусть фашисты уничтожают пацифистов и социал-демократов, пусть фашисты начнут новую войну. Всем известно, что следует за большой войной... В 1927 году Сталин предвидит приход фашистов к власти в Германии и считает такое развитие желательным: «Именно тот факт, что капиталистические правительства фашизируются, именно этот факт ведет к обострению внутреннего положения в капиталистических странах и к революционным выступлениям рабочих» (Речь на объединенном пленуме ЦК и ЦКК 1 августа 1927 года. Опубликована впервые только через 25 лет. — Т. 10. С. 49). Режим Гитлера Сталин именовал термином «террористическая диктатура» и подчеркивал, что «революционный кризис будет нарастать тем быстрее, чем больше буржуазия будет запутываться в своих комбинациях, чем чаще она будет прибегать к террористическим методам», и в отчетном докладе XVII съезду партии подчеркивал: «Я говорю не о фашизме вообще, но прежде всего о фашизме германского типа».

И Сталин поддерживает фашистов. Рьяные сталинцы, например, член Политбюро германской компартии Герман Ремелле, совершенно открыто поддерживают германских фашистов, рвущихся к власти. Роль Сталина в захвате власти фашистами в Германии огромна. Книга об этом будет. Сейчас я приведу только мнение Льва Троцкого, высказанное в 1936 году: «Без Сталина не было бы Гитлера, не было бы и Гестапо!» О проницательности Троцкого и знании данного вопроса говорит его другое замечание в ноябре 1938 года: «Сталин окончательно развязал руки Гитлеру, как и его противникам, и подтолкнул Европу к войне». Это сказано, когда Чемберлен радуется, что войны не будет, Муссолини считает себя миротворцем, а Гитлер еще не давал директиву о подготовке нападения на Польшу — и тем более — на Францию.

В момент, когда Европа с облегчением вздохнула и поверила, что войны не будет, Троцкий уже знает, что она скоро будет, и знает, кто в этом виноват. Чтобы окончательно поверить Троцкому, послушаем еще одно его пророчество, высказанное 21 июня 1939 года. В этот момент идут интенсивные переговоры между Великобританией, Францией и СССР против Германии. Ничто не указывает на возможность каких-то неожиданностей и осложнений. А Троцкий говорит: «СССР придвинется всей своей массой к границам Германии как раз в тот момент, когда Третий рейх будет вовлечен в борьбу за новый передел мира». Германия будет воевать во Франции, а Сталин «всей своей массой» будет сокрушать нейтральные государства на своих западных границах, приближаясь к границам Германии.

Читая обобщения и предсказания Троцкого через 50 лет и сейчас оценив их точность, мы задаем вопрос: как же он это мог знать? Троцкий не делал секрета. Он — автор коммунистического переворота, создатель Красной Армии, советский представитель на брестских переговорах, он — первый лидер советской дипломатии и экс-командующий Красной Армии, он бывший вождь СССР и бывший рулевой мировой революции. Уж он-то знает, что такое коммунизм, Красная Армия и кто такой Сталин. Троцкий говорит, что все его предсказания основаны на открытых советских публикациях, в частности на заявлениях секретаря Коминтерна Димитрова.

Троцкий самым **первым** в мире понял игру Сталина, которую не поняли западные лидеры, которую не понял вначале и Гитлер.

А игра Сталина была совсем простой. Троцкий — сам жертва такой игры, потому и понимает ее. Троцкого Сталин отстранил от власти в союзе с Зиновьевым и Каменевым, затем Сталин отстранил Зиновьева и Каменева в союзе с Бухариным, потом Сталин убрал и Бухарина. Поколение чекистов Дзержинского Сталин отстранял от власти руками Генриха Ягоды, затем Генриха Ягоду и его поколение Сталин убрал руками Ежова, затем Ежова и его поколение Сталин убрал руками Берии и т.д. Сталин продолжает свою игру и на международной арене, и Троцкий видит это. Германский фашизм для Сталина — это инструмент.

Германский фашизм — это Ледокол Революции. Германский фашизм может начать войну, а война приведет к революции. Пусть же Ледокол ломает Европу! Гитлер для Сталина — это очистительная гроза Европы. Гитлер может сделать то, что Сталину самому делать неудобно.

В 1927 году Сталин объявил о том, что Вторая империалистическая война совершенно неизбежна, как неизбежно и вступление Советского Союза в эту войну. Но мудрый Сталин не хочет войну начинать и быть ее участником с первого дня: «Мы выступим, но выступим последними, чтобы бросить на чашу весов гирю, которая могла бы перевесить» (Т. 7. С. 14).

Сталину нужны в Европе кризисы, войны, разруха, голод. Все это может сделать Гитлер. Чем больше Гитлер будет творить в Европе преступлений, тем лучше для Сталина, тем больше у Сталина оснований однажды пустить в Европу Красную Армию—освободительницу. Троцкий все это понимает еще до начала Второй мировой войны и даже до прихода Гитлера к власти. В 1932 году Троцкий объяснил отношение Сталина к германским фашистам: «Пусть они придут к власти, пусть скомпрометируют себя, а тогда...»

Начиная с 1927 года Сталин всеми силами (правда, публично этого не показывая) поддерживает фашистов, рвущихся к власти. Когда фашисты придут к власти, Сталин всеми силами будет их толкать к войне. Когда они вступят в войну, Сталин прикажет коммунистам демократических стран временно стать пацифистами, разлагать армии западных стран, требуя прекращения «империалистической войны» и подрывая военные усилия своих правительств и стран.

Но толкая Ледокол на демократическую Европу, Сталин уже вынес ему смертный приговор. За пять лет до прихода фашистов к власти в Германии Сталин уже планирует их уничтожение: «... разгромить фашизм, свергнуть капитализм, установить советскую власть, освободить колонии от рабства» (Т. 11. С. 202).

Фашизм — палач Европы. Сталин поддерживает палача, но еще до того как палач начал свою кровавую работу, Сталин уготовил палачу такую же судьбу, как и его жертвам.

ГЛАВА 3
ЗАЧЕМ КОММУНИСТАМ ОРУЖИЕ

Люди гибнут за металл...

1

В 1933 году германский полковник Гейнц Гудериан посетил советский паровозостроительный завод в Харькове. Гудериан свидетельствует, что кроме паровозов завод выпускал побочную продукцию — танки. Количество выпускаемых танков — 22 в день.

Для того чтобы оценить ПОБОЧНУЮ продукцию ОДНОГО советского завода В МИРНОЕ ВРЕМЯ, надо вспомнить, что в 1933 году Германия вообще танков не выпускала. В 1939 году Гитлер начал Вторую мировую войну, имея 3195 танков, т. е. меньше, чем Харьковский паровозостроительный завод мог выпустить за полгода, работая в режиме мирного времени.

Для того чтобы оценить, что такое 22 танка в день, надо вспомнить, что Соединенные Штаты уже после начала Второй мировой войны, в 1940 году, имели ВСЕГО около 400 танков.

А теперь о качестве танков, которые Гудериан видел на Харьковском паровозостроительном заводе. Это были танки, которые создал американский танковый гений — Дж. У. Кристи. Достижений Кристи не оценил никто, кроме советских конструкторов. Американский танк был куплен и переправлен в Советский Союз по ложным документам, в которых он числился сельскохозяйственным трактором. В Советском Союзе «трактор» выпускался в огромных количествах под маркой БТ — быстроходный танк. Первые БТ имели скорость 100 км в час*. Через 60 лет каждый танкист позавидует такой скорости.

Форма корпусов танков БТ была проста и рациональна. Ни один танк мира того времени, включая и танки, производимые для армии США, не имел такой формы брони. Лучший танк Второй мировой войны Т-34 — прямой потомок БТ. Форма его корпуса — это дальнейшее развитие идей великого американского танкового конструктора. После Т-34 принцип наклонного расположения лобовых броневых листов был использован на германской «Пантере», а потом и на всех остальных танках мира.

В 30-е годы практически все танки мира выпускались по схеме: двигатель — на корме, трансмиссия — в носовой части. БТ был исключением: двигатель и трансмиссия — на корме. Через 25 лет весь мир поймет преимущество компоновки БТ.

Танки БТ постоянно совершенствовались. Их запас хода был доведен до 700 км. Через 50 лет — это все еще мечта для большинства танкистов. В 1936 году серийные танки БТ форсировали по дну под водой глубокие реки. В конце XX века не все танки вероятных противников Советского Союза имеют такую способность. В 1938 году на танках БТ начали устанавливать дизельные двигатели. Остальной мир начнет это делать через 10—20 лет. Наконец, танки БТ имели мощное по тем временам вооружение. Сказав столько положительного о количестве и качестве советских танков, надо справедливости ради отметить совсем небольшой недостаток: эти танки было НЕВОЗМОЖНО ИСПОЛЬЗОВАТЬ НА СОВЕТСКОЙ ТЕРРИТОРИИ.

---

* Советские источники дают цифру 86 км/час, иногда даже 70. Объяснение простое: на советских дорогах слишком мощный двигатель рвал силовую передачу, поэтому приходилось ставить ограничитель мощности. При действии на автострадах ограничитель можно было просто снять... Лучшие западные эксперты считают, что максимальная скорость танков БТ была не 70 км/час, а 70 миль/час.

Основное преимущество танка БТ — скорость. Это качество было доминирующим над остальными качествами настолько, что даже вынесено в название танка — быстроходный.

БТ — это танк-агрессор. По всем своим характеристикам БТ похож на небольшого, но исключительно мобильного конного воина из несметных орд Чингисхана. Великий завоеватель мира побеждал всех своих врагов внезапным ударом колоссальных масс исключительно подвижных войск. Чингисхан уничтожал своих противников в основном не силой оружия, но стремительным маневром. Чингисхану нужны были не тяжелые неповоротливые рыцари, но орды легких, быстрых, подвижных войск, способных проходить огромные пространства, форсировать реки и выходить в глубокий тыл противника.

Вот именно такими были танки БТ. Их было произведено больше, чем ВСЕХ типов во ВСЕХ странах мира на 1 сентября 1939 года. Подвижность, скорость и запас хода БТ были куплены за счет рациональной, но очень легкой и тонкой брони. БТ можно было использовать только в агрессивной войне, только в тылах противника, только в стремительной наступательной операции, когда орды танков внезапно врывались на территорию противника и, обходя очаги сопротивления, устремлялись в глубину, где войск противника нет, но где находятся его города, мосты, заводы, аэродромы, порты, склады, командные пункты и узлы связи.

Потрясающие агрессивные характеристики танков БТ были достигнуты также за счет использования уникальной ходовой части. БТ на полевых дорогах двигался на гусеницах, но, попав на хорошие дороги, он сбрасывал тяжелые гусеницы и дальше несся вперед на колесах как гоночный автомобиль. Но хорошо известно, что скорость противоречит проходимости: или — скоростной автомобиль, который ходит только по хорошим дорогам, или —

тихоходный трактор, который ходит где угодно. Эту дилемму советские маршалы решили в пользу быстроходного автомобиля: танки БТ были совершенно беспомощны на плохих дорогах советской территории. Когда Гитлер начал операцию «Барбаросса», практически все танки БТ были брошены. Даже на гусеницах их использовать вне дорог было почти невозможно. А на колесах они не использовались НИКОГДА. Потенциал великолепных танков БТ не был реализован, но его и НЕЛЬЗЯ БЫЛО РЕАЛИЗОВАТЬ НА СОВЕТСКОЙ ТЕРРИТОРИИ.

БТ создавался для действий только на иностранных территориях, причем только таких, где были хорошие дороги. Посмотрим на советских соседей. Тогда, как и сейчас, Турция, Иран, Афганистан, Китай, Монголия, Маньчжурия, Северная Корея хороших дорог не имели. Жуков использовал танки БТ в Монголии, но использовал их только на гусеницах и остался недоволен: гусеницы вне дорог часто слетали, а из-за относительно большого давления колес вне дорог и даже на полевых дорогах танки проваливались в грунт и буксовали.

На вопрос, где же можно было успешно реализовать потенциал танков БТ, есть только один ответ — в Центральной и Южной Европе. А после сброса гусениц танки БТ могли успешно использоваться только на территории Германии, Франции, Бельгии.

На вопрос, что является главным для танков БТ — колеса или гусеницы, советские учебники тех лет дают четкий ответ: колеса. Главное качество БТ — скорость, а она достигается на колесах. Гусеницы — это только средство попасть на чужую территорию, например, на гусеницах преодолеть Польшу, а попав на германские автострады, сбросить гусеницы и действовать на колесах. Гусеницы рассматривались как вспомогательное средство, которое в войне предполагалось использовать только однажды, а затем их сбросить и забыть о них. Точно так же парашютист использует парашют только для того, чтобы попасть на территорию противника. Там он парашют сбрасывает и действует в тылу, не обременяя себя тяжелым и больше не нужным грузом. Именно такое отношение было и к гусеницам танков. Советские дивизии и корпуса, вооруженные танками БТ, не имели в своем составе автомобилей, предназначенных для сбора и перевозки гусеничных лент: танки БТ после сброса гусениц должны были завершить войну на колесах, уйдя по отличным дорогам в глубокий тыл противника.

3

Некоторые типы советских танков имели названия в честь коммунистических лидеров: КВ — Клим Ворошилов, ИС — Иосиф Сталин, но большинство типов советских танков получали названия, в которых содержался индекс «Т». Иногда этот индекс кроме «Т» содержал букву «О» (огнеметный), «Б» (быстроходный), «П» (плавающий). Кстати, Советский Союз был единственной страной мира, которая в массовых количествах производила плавающие танки. В оборонительной войне танку никуда плавать не надо, поэтому, когда Гитлер начал операцию «Барбаросса», советские плавающие танки пришлось бросить из-за непригодности в оборонительной войне, а их производство немедленно прекратить, как и производство БТ.

Но это отступление. Главное в другом. В 1938 году в Советском Союзе начаты интенсивные работы по созданию танка с совершенно необычным индексом «А-20». Что есть «А»? Ни один советский военный учебник на этот вопрос не отвечает. Возможно, после публикации моей книги коммунисты задним числом придумают некое толкование этого индекса, но пока для многих экспертов мира индекс остается нерасшифрованным. Я долго искал ответ на вопрос и нашел его на заводе № 183. Это все тот же локомотивный завод, который, как и раньше, кроме локомотивов, дает побочную продукцию. Не знаю, правильно ли объяснение, но ветераны говорят, что изначальный смысл индекса «А» — автострадный. Объяснение лично мне кажется убедительным. Танк А-20 — это дальнейшее развитие семейства БТ. Если у БТ главная характеристика вынесена в название, почему у А-20 главная характеристика не может быть вынесена в название? Главное назначение А-20 — на гусеницах добраться до автострад, а там, сбросив гусеницы, превратиться в короля скорости.

А теперь вспомним, что и в конце XX века Советский Союз не имеет ни одного километра дороги, которую можно было бы определить термином — автострада. 50 лет назад автострад на советской территории и подавно не было. И ни одно сопредельное государство не имело в 1938 году автострад. А вот в следующем, 1939 году Сталин пактом Молотова—Риббентропа расколол Польшу и установил общие границы с государством, которое имело автострады. Это государство называлось Германия.

Говорят, что сталинские танки были не готовы к войне. Это не так. Они были не готовы к оборонительной войне на своей территории. Их просто готовили для войны на других территориях.

4

Количеству и качеству советских танков соответствовало количество и качество советских самолетов. Коммунистические фальсификаторы теперь говорят: да, было много самолетов, но это были плохие самолеты. Это были устаревшие самолеты, и их не надо принимать во внимание, давайте считать только новейшие советские самолеты: МиГ-3, Як-1, Пе-2, Ил-2 и другие, а те, что производились за несколько лет до войны, в расчет принимать не будем — старье.

А вот что думает по поводу «старья» британский летчик Альфред Прайс, который в своей жизни летал на сорока типах самолетов и провел в воздухе более 4000 часов. Его мнение об «устаревшем» советском истребителе: «Наиболее мощное вооружение среди серийных истребителей мира в сентябре 1939 года имел русский И-16 конструктора Поликарпова...

По огневой мощи И-16 в два раза превосходил «Мессершмидт-109Е» и почти в три раза «Спитфайр-1». Среди всех предвоенных истребителей мира И-16 был уникален в том смысле, что только он один имел броневую защиту вокруг пилота. Те, кто думает, что русские были отсталыми крестьянами перед Второй мировой войной и двинулись потом вперед только под влиянием использования германского опыта, должны вспомнить о фактах» (A. Price. World War II Fighter Conflict. P. 18—21).

К этому надо добавить, что в августе 1939 года советские истребители **впервые в мире** в качестве оружия использовали в боевой обстановке ракеты. Надо добавить еще, что советские конструкторы уже создавали единственный в мире самолет с бронированным корпусом — настоящий летающий танк Ил-2, который имел сверхмощное, по любым стандартам, вооружение, включая 8 реактивных снарядов.

Так в чем же дело? Отчего во время войны советская авиация с первого дня уступила господство в воздухе? Ответ простой: большую часть советских летчиков, включая летчиков-истребителей, НЕ УЧИЛИ ВЕДЕНИЮ ВОЗДУШНЫХ БОЕВ. Чему же их учили? Их учили наносить удары по наземным целям. Уставы советской истребительной и бомбардировочной авиации ориентировали советских летчиков на проведение одной грандиозной внезапной наступательной операции, в которой советская авиация одним ударом накроет всю авиацию противника на аэродромах и захватит господство в воздухе. Еще в 1929 году советский журнал «Война и революция» в фундаментальной статье «Начальный период войны» сделал вывод, который затем повторили советские авиационные уставы, включая уставы 1940 и 1941 годов: «Весьма выгодным представляется проявить инициативу и первыми напасть на врага. Проявивший инициативу нападением воздушного флота на аэродромы и ангары своего врага может потом рассчитывать на господство в воздухе».

Советские теоретики авиации имели в виду не какого-то вообще врага, а весьма определенного. Главный теоретик советской авиационной стратегии А.Н. Лапчинский свои книги иллюстрировал подробнейшими картами стандартных объектов бомбардировок, среди них Лейпцигский железнодорожный узел, Фридрихштрассе и Центральный вокзал Берлина и т.д. Лапчинский объяснил, как надо оборонять советскую территорию: «Решительное наступление на земле притягивает к себе, как магнит, неприятельские воздушные силы и служит лучшим средством обороны страны от воздушного противника... Воздушная оборона страны осуществляется не маневром из глубины, а маневром в глубину».

Вот именно для этого вся советская авиация в 1941 году была сосредоточена у самых границ. Полевой аэродром 123-го истребительного авиационного полка, например, находился в двух километрах от германских границ. В боевой обстановке это экономит топливо при взлете самолета в сторону противника. В 123-м полку, как и во многих других, набор высоты должен был осуществляться уже над германской территорией.

Советский Союз до войны и в ходе ее создал немало великолепных и в то же время удивительно простых самолетов. Но лучшие достижения советской авиации — не в области создания самолетов, которые уничтожают самолеты противника в воздухе, а в области создания самолетов, которые уничтожают самолеты и другие цели противника **на земле**. Высшее советское достижение в области авиационной техники того периода — это Ил-2, и он предназначался для поражения противника на земле. Аэродромы были его важнейшей целью. Создав этот самолет-агрессор, конструктор Ильюшин предусмотрел небольшую оборонительную деталь. В начальном варианте Ил-2 был двухместным: летчик ведет самолет и поражает цели, а за его спиной стрелок прикрывает заднюю полусферу от атак истребителей противника. Ильюшину позвонил лично Сталин и приказал стрелка с пулеметом убрать. Ил-2 выпускать одноместным. Ил-2 нужен был Сталину **для ситуации, в которой ни один истребитель противника не успеет подняться в воздух...**

После начала «Барбароссы» Сталин снова позвонил Ильюшину и приказал выпускать Ил-2 двухместным: в оборонительной войне даже самолету-агрессору нужно иметь оборонительное вооружение.

5

1927 год — это год, когда Сталин окончательно и прочно занял место на самой вершине власти. С этого момента внимание Сталина сосредоточено не только на укреплении своей диктатуры, но и на проблемах всего коммунистического движения и мировой революции.

1927 год — это тот год, когда Сталин сделал окончательный вывод о неизбежности Второй мировой войны, о решительной борьбе с социал-демократическим пацифизмом, который тормозит начало войны, о поддержке рвущихся к власти фашистов, которых следует затем уничтожить.

1927 год — это начало индустриализации СССР. Сверхиндустриализации. Супериндустриализации. Индустриализация планировалась пятилетиями, и первая пятилетка началась именно в 1927 году. Зачем пятилетки были нужны, можно судить по такому факту. В начале первой пятилетки в Красной Армии было 92 танка, а в конце ее — более 4000. Но все же военный крен в первой пятилетке еще не так заметен. Главное внимание уделялось не производству вооружения, но созданию индустриальной базы, которая затем будет вооружение выпускать.

Вторая пятилетка — это продолжение развития индустриальной базы. Это создание коксовых батарей и мартеновских печей, гигантских электростанций и кислородных заводов, прокатных станов и блюмингов, шахт и рудников. Производство вооружения — пока не главное. Хотя и о нем не забывает товарищ Сталин: за первые две пятилетки было произведено 24 708 боевых самолетов.

А вот третья пятилетка, которая должна была завершиться в 1942 году, — это выпуск продукции. Военной продукции. В гигантских количествах и очень высокого качества.

Индустриализация была куплена большой ценой. За индустриализацию Сталин платил жизненным уровнем населения, опустив его весьма низко. Сталин продал на внешнем рынке титанические запасы золота, платины, алмазов. Сталин за несколько лет продал то, что нация накопила за сотни лет. Сталин ограбил церкви и монастыри, императорские хранилища и музеи. В ход пошли иконы и драгоценные книги. На экспорт были брошены картины великих мастеров Возрождения, коллекции бриллиантов, сокровища музеев и библиотек. Сталин гнал на экспорт лес и уголь, никель и марганец, нефть и хлопок, икру, пушнину, хлеб и многое-многое другое. Но этого было недостаточно. И тогда в 1930 году Сталин начал кровавую коллективизацию. Крестьян загоняли силой в колхозы, чтобы потом у них даром забирать хлеб. Весь хлеб. На коммунистическом жаргоне это называлось «перекачать средства из сельского хозяйства в тяжелую индустрию».

Результат коллективизации и последовавшего за ней голода — это 10—16 миллионов убитых, растерзанных, погибших в лагерях. Над страной во весь свой огромный рост поднялся призрак людоедства. А Сталин в эти страшные времена продавал за рубеж по 5 миллионов тонн хлеба каждый год.

Для чего нужна коллективизация? Для индустриализации. А для чего нужна индустриализация? Поднимать жизненный уровень народа? Никак нет. До индустриализации и коллективизации жизнь во времена нэпа была вполне сносной. Если жизненный уровень народа интересует товарища Сталина, то не надо ни индустриализации, ни коллективизации — надо сохранять нэп.

Индустриализация и коллективизация никак не предназначались для поднятия жизненного уровня народа. Наоборот, этот уровень опустился на такую жуткую глубину, на которой он не был и во времена Чингисхана. Недавно Роберт Конквест выпустил страшную книгу о тех кровавых пятилетках с жуткими фотографиями детей-скелетов. Страшнее коммунистической Эфиопии и коммунистической Камбоджи времен Пол Пота.

Итак, индустриализация и коллективизация проводились не для повышения жизненного уровня, а для того, чтобы производить оружие в гигантских количествах. Зачем же коммунистам оружие? Защищать людей? Тоже нет. Если бы Сталин платил за автострадные танки, за парашютный шелк, за западную военную технологию не по пять миллионов тонн хлеба в год, а только по четыре, то миллионы детей остались бы живы. Во всех странах оружие служит для того, чтобы защитить население, и прежде всего детей — будущее нации — от страшных бедствий. В Советском Союзе дело обстояло наоборот: население, в том числе и детей, подвергли страшным бедствиям, чтобы получить оружие.

Вся Первая мировая война была веселым пикником в сравнении со сталинской индустриализацией. За четыре года все участвовавшие в этой войне страны потеряли 10 миллионов человек, Россия — 2,3 миллиона. А в МИРНОЕ время ради автострадных танков и самолетов-агрессоров Сталин истребил во много раз больше людей. КОММУНИСТИЧЕСКИЙ МИР ОКАЗАЛСЯ ВО МНОГО РАЗ СТРАШНЕЕ ИМПЕРИАЛИСТИЧЕСКОЙ ВОЙНЫ.

Наращивание советской военной мощи никак не диктовалось внешней угрозой, ибо началось ДО прихода Гитлера к власти. Уничтожение миллионов детей ради производства оружия проходило одновременно с гигантскими усилиями Сталина подавить западных пацифистов и возвысить фашистов.

Могут возразить, что Сталин пожертвовал миллионами людей, но создал оружие, чтобы защитить остальных людей. Нет, мы уже видели и впереди еще не раз увидим, что создаваемое оружие для обороны своей территории и для защиты своих людей никак не подходило, и его пришлось или применять не по назначению, или вообще выбросить.

Если коммунисты создавали гигантские арсеналы оружия не для защиты своей территории и своего населения, то тогда — для чего?

Товарищи коммунисты, вам слово.

ГЛАВА 4

ЗАЧЕМ СТАЛИН РАЗДЕЛИЛ ПОЛЬШУ

> Мы делаем дело, которое в случае
> успеха перевернет весь мир и освобо-
> дит весь рабочий класс.
>
> *И. Сталин*

1

22 июня 1941 года Германия внезапно и вероломно напала на Советский Союз. Это исторический факт. Однако это очень странный факт. До Второй мировой войны Германия не имела общих границ с Советским Союзом и потому не могла напасть, тем более — внезапно.

Германия и Советский Союз были разделены сплошным барьером нейтральных государств. Для того чтобы советско-германская война могла состояться, необходимо было создать соответствующие условия: сокрушить барьер нейтральных государств и установить общие советско-германские границы.

Каждый, кого интересует дата 22 июня 1941 года, перед тем как проклинать Гитлера и обвинять его в вероломстве, обязан хотя бы самому себе дать честный ответ на два вопроса:

— кто сокрушил разделительный барьер нейтральных государств между Германией и Советским Союзом?

— зачем?

2

Барьер между Германией и СССР был двойным и лишь в одном месте — одинарным. Польша — единственная страна, которая имела одновременно границы и с

Советским Союзом, и с Германией. Польша — самый короткий, самый прямой, самый удобный путь между СССР и Германией. Польша — самая тонкая часть разделительной стены. Понятно, что потенциальный агрессор, который желал, чтобы советско-германская война состоялась, должен был пытаться прорубить коридор именно здесь.

Наоборот, та страна, которая советско-германской войны не желала, должна была всей мощью своих вооруженных сил, всей своей государственной мудростью, всей силой своего международного авторитета не допустить своего противника на польскую территорию, в крайнем случае начать войну против него еще в Польше, не допуская к своим границам.

Представьте себе, что за стенкой живет людоед, который громогласно объявил о своем намерении вас сожрать.

Убедившись в том, что вы совершенно четко уяснили его людоедские намерения, он начал разделительную стену ломать. Какова будет ваша реакция? Представьте себе, что людоед, ломая стену, встретил определенную трудность и просит вас помочь ему в его трудном деле. Без вашей помощи он просто не может сделать пролом в стене, а следовательно, не сможет вас сожрать. Как вы будете реагировать на такие предложения?

Гитлер объявил о своих намерениях совершенно открыто. Сталин его публично называл людоедом. Но Гитлер не мог напасть на Сталина, т. к. не было общих границ.

Гитлер обратился к Сталину с предложением совместными усилиями сделать пролом в разделительной стене. Сталин с восторгом принял такое предложение и с огромным энтузиазмом ломал польскую стену, прорубая коридор навстречу Гитлеру. Мотивы Гитлера понятны. А чем объяснить действия Сталина?

Коммунистические историки придумали объяснения действиям Советского Союза.

Объяснение первое: растерзав и утопив в крови Польшу, мы двинули наши границы на запад, т. е. укрепили нашу безопасность. Странное объяснение. Советские границы были действительно отодвинуты на 200—300 километров, но при этом Германия продвинулась на 300—400 километров на восток. От этого безопасность Советского Союза не повысилась, а наоборот, понизилась. Но кроме этого возник совершенно новый фактор: общая советско-германская граница. И как следствие этого — возможность войны, в том числе и внезапной.

Объяснение второе: ударив топором в спину Польше в момент ее отчаянной борьбы против фашистов, мы пытались оттянуть момент начала советско-германской войны... Это объяснение из цикла: мы устроили пожар в доме соседа, в этом случае пожар в нашем собственном доме будет позже, чем у других.

Объяснение третье: Франция и Великобритания не хотели с нами заключать договор, поэтому... Какая чепуха! Почему Франция и Великобритания должны защищать Советский Союз, если Советский Союз провозгласил своей целью свержение демократии повсеместно, в том числе во Франции и Великобритании? Западу по крайней мере было наплевать, пойдет Гитлер на восток или нет. А вот странам Восточной Европы было совсем не наплевать. Если Гитлер повернет на восток, они — первые жертвы. Поэтому страны Восточной Европы были естественными союзниками СССР. С ними нужно было искать союза против Гитлера. Но Сталин такого союза не искал, а в случаях, когда договоры существовали, Советский Союз не выполнял своих союзнических обязательств. Сталин мог бы оставаться нейтральным, но он вместо этого бил топором в спину тех, кто воевал против фашизма.

Подобных объяснений действий Сталина коммунистические историки придумали много. Но каждое из этих объяснений несет в себе два порока:

— оно придумано задним числом;

— оно полностью игнорирует позицию советских руководителей, хотя эта позиция изложена более четко и понятно, чем позиция Гитлера в его сочинениях и речах.

Проломав коридор в разделительной стене, Гитлер посчитал это достаточным и занялся своими западноевропейскими, африканскими, средиземноморскими, атлантическими проблемами.

Что должен был делать Сталин, имея перед собой пролом шириной 570 км и некоторое время в резерве? Правильно. Он должен был спешно укреплять оборону именно на этом участке. Вдоль старых границ существовала мощная линия укрепленных районов. Ее нужно было срочно укреплять и совершенствовать. А кроме нее создавать вторую линию обороны, третью... пятую. Нужно было срочно минировать дороги, мосты, поля, рыть противотанковые рвы, прикрывать их противотанковой артиллерией... Несколько позже, в 1943 году на Курской дуге, Красная Армия готовилась к отражению наступления противника. За короткий срок на огромном фронте советские войска создали шесть непрерывных полос обороны протяженностью в сотни километров каждая и общей глубиной 250—300 километров. Каждый километр был перенасыщен окопами, траншеями, ходами сообщения, укрытиями, огневыми позициями. Средняя плотность минирования была доведена до 7000 противотанковых и противопехотных мин на километр фронта обороны, а противотанковые плотности доведены до чудовищного уровня: 41 орудие на каждый километр, не считая полевой и зенитной артиллерии и врытых в землю танков. Так в чистом поле в очень короткое время была создана поистине непреодолимая оборона.

В 1939 году условия для обороны были гораздо лучшими: леса, реки, болота. Мало дорог и много времени. Советские войска могли создать мощный рубеж на новой советско-германской границе, благо пролом был неширок.

Но в этот момент Советский Союз прекратил производство противотанковых и зенитных пушек. Вместо того, чтобы местность сделать непроходимой, ее срочно делали более доступной. Тут строились дороги и мосты, железнодорожная сеть расширялась, усиливалась и совершенствовалась. Ранее существующие укрепления разрушались, засыпались землей.

Один из участников тех событий полковник ГРУ И.Г. Старинов довольно откровенно описывает это так: «Глупое создавалось положение. Когда мы соприкасались со слабыми армиями относительно небольших государств, наши границы действительно были на замке. А когда нашим соседом стала фашистская Германия, инженерные оборонительные сооружения вдоль прежней границы оказались заброшенными и частично даже демонтированными» (Мины ждут своего часа. С. 176). «Инженерное управление Красной Армии направило заявку на 120 000 железнодорожных мин замедленного действия. Этого количества вполне бы хватило для того, чтобы в случае вторжения германской армии парализовать все железнодорожное сообщение в ее тылах, от которого она полностью зависела. Но вместо заказанного количества было получено... 120 мин» (Там же. С. 186). А между тем мина — самое простое, самое дешевое и очень эффективное оружие.

Производство мин в Советском Союзе было огромным, но после того как был проделан проход в стене, их производство было свернуто...

Чем занимался Сталин кроме разрушения своей собственной обороны? Он занимался разрушением барьера нейтральных государств. Гитлеру одного пролома в стене было достаточно. Сталину — нет. Гитлер (с помощью Сталина) уничтожил государственную власть только в одном из государств разделительного барьера. Сталин (без посторонней помощи) сделал это в трех государствах (Эстонии, Латвии, Литве), пытался это сделать в четвертой стране (Финляндии) и активно готовился это сделать в пятой стране (Румынии), предварительно оторвав от нее огромный кусок территории. Гитлер стремился сделать только один пролом в стене, Сталин — сокрушить всю стену.

И Сталин своего добился. Всего через десять месяцев после подписания пакта «О ненападении» усилиями Сталина разделительный барьер был полностью сокрушен от Ледовитого океана до Черного моря. Нейтральных государств между Сталиным и Гитлером больше не осталось, и тем самым были созданы условия для нападения.

Все западные соседи Сталина за это короткое время стали его жертвами. Кроме стран, имевших границу с Советским Союзом, в рабство к Сталину попала и Литва, которая вообще границ с Советским Союзом ранее не имела. Появление советских войск в Литве означало, что они вышли теперь уже к настоящим границам Германии. Ранее советско-германская граница проходила по покоренным польским территориям. Теперь советские войска вышли к границам Восточной Пруссии. Тут уж никак нельзя сказать, что людоед Гитлер рубил коридоры на восток, а глупый Сталин ему помогал. Нет, Сталин сам рубил коридоры на запад без посторонней помощи.

На вопрос: «Зачем Сталин согласился помогать Гитлеру рубить относительно узкий коридор через Польшу?» — коммунистические историки пытались придумать ответы, хотя и неудачно. Но более неудобный вопрос, зачем Сталин сокрушил весь барьер, они предпочитают не поднимать. Не будем и мы ломать голову. Слово Сталину. Он один ответил на этот вопрос четко и ясно: «История говорит, что когда какое-либо государство хочет воевать с другим государством, даже не соседним, то оно начинает искать границы, через которые оно могло бы добраться до границ государства, на которое оно хочет напасть» («Правда», 5 марта 1936 г.).

Вопрос: «Собиралась ли Красная Армия остановиться на достигнутых рубежах?»

Ответ Маршала Советского Союза С.К. Тимошенко: «В Литве, Латвии, Эстонии уничтожена ненавистная для трудящихся власть помещиков и капиталистов. Советский Союз значительно вырос и продвинул свои границы на запад. Капиталистическому миру пришлось потесниться и уступить. Но не нам — бойцам Красной Армии зазнаваться и успокаиваться на достигнутом!» (Приказ Народного Комиссара обороны № 400, 7 ноября 1940 г.).

Это не речь и не Сообщение ТАСС. Это — приказ Красной Армии. Но западнее советских границ — только Германия или союзные ей страны. Продвигать дальше границы на запад? За счет Германии? Но с ней же подписан пакт...

ГЛАВА 5
ПАКТ И ЕГО РЕЗУЛЬТАТЫ

Сталин был хитрее Гитлера. Хитрее и коварнее.

А. Антонов-Овсеенко

1

Внешне все кажется поровну: часть Польши — Гитлеру. Часть Польши — Сталину. Однако уже через неделю после подписания пакта Молотова—Риббентропа Сталин сыграл первую злую шутку. Гитлер начал войну против Польши, а Сталин объявил, что его войска еще не готовы. Он мог бы об этом сказать Риббентропу перед подписанием договора, но он этого не сделал. Гитлер начал войну и оказался в одиночестве.

Вот и первый результат для Гитлера: он, и только он, виновник Второй мировой войны.

Начав войну против Польши, Гитлер тут же получил войну против Франции, т. е. войну на два фронта. Каждый германский школьник знал, чем в конечном итоге для Германии кончаются войны на два фронта.

Тут же войну Германии объявила Великобритания. С Францией можно было справиться, но Великобритания — на островах. Для того чтобы туда попасть, нужна длительная и серьезная подготовка, нужен мощный флот, примерно равный британскому, нужно господство в воздухе. Война таким образом превращалась в затяжную. Каждый знает, чем кончаются затяжные войны для стран с ограниченными ресурсами.

За спиной Великобритании стояли Соединенные Штаты, и в самый драматический момент (как в Первой мировой войне) они могли бросить на чашу весов свою поистине неисчерпаемую мощь. Весь Запад стал врагом Гитлера. А на дружбу Сталина Гитлер мог рассчитывать только, пока он имел силы. В затяжной войне против Запада он эти силы должен был растратить, и тогда...

А вот положение Сталина:

Польшу делили не в Имперской канцелярии, а в Кремле. Гитлер при этом не присутствовал, присутствовал Сталин. Но Гитлер виновен в начале войны, а Сталин — нет. Сталин — невинная жертва. Сталин — освободитель Восточной Европы.

Войска Сталина творили на территории Польши такие же, а может быть, и большие преступления, но Запад ему войну по какой-то причине не объявил.

Сталин получил войну, которую он желал: западные люди убивали друг друга и разрушали друг у друга города и заводы, а Сталин оставался нейтральным, в ожидании удобного момента.

Но попав в тяжелое положение, Сталин немедленно получил помощь Запада.

В конечном счете Польша, ради свободы которой Запад вступил в войну, свободы не получила, а была отдана в рабство Сталину вместе со всей Восточной Европой, в том числе и с частью Германии. При этом некоторые люди Запада продолжают верить в то, что они были победителями во Второй мировой войне.

В результате Гитлер покончил самоубийством, а Сталин стал неограниченным властелином огромной антизападной империи, созданной с помощью Запада. При всем этом Сталин сумел сохранить репутацию наивного доверчивого простака, а Гитлер вошел в историю как коварный злодей! На Западе выпущено множество книг с идеей: Сталин был к войне не готов, а Гитлер — готов. А на мой взгляд, готов к войне не тот, кто об этом громко заявляет, а тот, кто ее выигрывает, разделив своих врагов и столкнув их лбами.

2

Собирался ли Сталин соблюдать пакт?

Слово Сталину: «Вопрос о борьбе... нужно рассматривать не под углом зрения справедливости, а под углом зрения требований политического момента, под углом зрения политических потребностей партии в каждый данный момент» (Речь на заседании исполкома Коминтерна, 22 января 1926 г.).

«Война может перевернуть вверх дном все и всякие соглашения» (Иосиф Сталин. «Правда», 15 сентября 1927 г.).

Партия, на съездах которой выступал Сталин, правильно понимала своих руководителей и дала им соответствующие полномочия: «Съезд особо подчеркивает, что Центральному Комитету дается полномочие во всякий момент разорвать все союзы и мирные договоры с империалистическими и буржуазными государствами, а равно объявить им войну» (Резолюция VII съезда партии). Кстати, это решение партии не отменено и сегодня...*

Когда же этот момент должен был наступить?

Сталин: «Очень многое зависит от того, удастся ли нам оттянуть войну с капиталистическим миром, которая неизбежна... до того момента, пока капиталисты не передерутся между собой...» (Т. 10. С. 288). «Решительное сражение можно считать вполне назревшим, если все враждебные нам классовые силы достаточно обессилили себя борьбой, которая им не по силам» (Т. 6. С. 158).

Сталину нужна была ситуация, в которой «капиталисты грызутся как собаки» («Правда», 14 мая 1939 г.).

Пакт Молотова—Риббентропа и создал именно эту ситуацию. «Правда» захлебывалась от восторга: «Дрожат устои света, почва ускользает из-под ног людей и народов. Пылают зарева, и грохот орудий сотрясает моря и материки. Словно пух на ветру разлетаются державы и государства... Как это великолепно, как дивно прекрас-

---

* Советский Союз рассыпался, а эту резолюцию так и не отменили. — *В.Є.*

но, когда весь мир сотрясается в своих основах, когда гибнут могущества и падают величия» («Правда», 4 августа 1940 года). «Каждая такая война приближает нас к тому счастливому периоду, когда уже не будет больше убийств среди людей» («Правда», 18 августа 1940 г.).

Эти настроения с самого верха распространялись по Красной Армии и партии. Генерал-лейтенант С.М. Кривошеин описывает разговор со своим заместителем П.М. Латышевым (в тот момент Кривошеин командовал 25-м механизированным корпусом, несколько ранее он вместе с генералом Г. Гудерианом командовал совместным советско-фашистским парадом в Бресте по случаю кровавого раздела Польши):

«— С немцами мы заключили договор, но это ничего не значит... Сейчас самое распрекрасное время для окончательного и конструктивного решения всех мировых проблем...» (Ратная быль. С. 8). Кривошеин (задним числом) все обращает в шутку. Интересно, что в его корпусе, как и во всей Красной Армии, были в ходу только такие шутки. По поводу того, как корпус и вся Красная Армия подготовлены к обороне, никто серьезных разговоров не вел и даже не шутил.

О том, как советские коммунисты верили в пакт о ненападении и как его собирались соблюдать, говорит Маршал Советского Союза Л.И. Брежнев. Он описывает собрание партийных агитаторов в Днепропетровске в 1940 году:

«— Товарищ Брежнев, мы должны разъяснять о ненападении, что это всерьез, а кто не верит, тот ведет провокационные разговоры. Но народ-то мало верит. Как же нам быть? Разъяснять или не разъяснять?

Время было довольно сложное, в зале сидело четыре сотни человек, все ждали моего ответа, а раздумывать долго возможности не было.

— Обязательно разъяснять, — сказал я. — До тех пор будем разъяснять, пока от фашистской Германии не останется камня на камне» (Л.И. Брежнев. Малая земля. С. 16).

Ситуация, когда «от Германии не останется камня на камне», виделась Сталину в 1942 году. Но быстрое падение Франции и отказ Гитлера от высадки в Великобритании (об этом советская военная разведка знала в конце 1940 года) спутали все карты Сталина. Освобождение Европы было передвинуто с лета 1942 года на лето 1941-го. Новый, 1941, год поэтому был встречен под лозунгом «Увеличим количество республик в составе СССР!».

Мы в Сорок Первом свежие пласты
Земных богатств лопатами затронем.
И, может, станет топливом простым
Уран, растормошенный циклотроном.
Наш каждый год — победа и борьба
За уголь, за размах металлургии!..
А может быть — к шестнадцати гербам
Еще гербы прибавятся другие...

(«Правда», 1 января 1941 г.)

Нет! Они не думали об обороне. Они к ней не готовились и не собирались готовиться. Они знали точно, что Германия уже воюет на западе и потому не начнет войны на востоке. Они знали точно, что война на два фронта — это самоубийство для Гитлера. Так оно и было. Но Гитлер, зная, что делается у него за спиной, вынужден был начать войну на два фронта, хотя она и вправду завершилась его самоубийством.

Перед войной «Правда» совсем не призывала советский народ крепить оборону. Тон «Правды» был другим: пакт остается пактом, но скоро вся земля будет принадлежать нам. «Велика наша страна: самому земному шару нужно вращаться девять часов, чтобы вся огромная наша советская страна вступила в новый год своих побед. Будет время, когда ему потребуется для этого не девять часов, а круглые сутки... И кто знает, где придется нам встречать новый год через пять, через десять лет: по какому поясу, на каком новом советском меридиане?» («Правда», 1 января 1941 г.).

Чем ближе была дата советского вторжения в Европу (июль 1941 года), тем более откровенной становилась «Правда»: «Разделите своих врагов, временно удовлетворите требования каждого из них, а затем разбейте их поодиночке, не давая им возможности объединиться» («Правда», 4 марта 1941 г.).

Гитлер решил, что ждать больше не стоит. Он начал первым, не дожидаясь удара освободительного топора в спину. Но даже начав войну в самой благоприятной обстановке, которая когда-либо существовала для нападающего, он эту войну выиграть не смог. Даже в самой неблагоприятной обстановке Красная Армия сумела «освободить» пол-Европы и хозяйничала в ней полвека. Интересно, как бы сложилась ситуация, если бы лучшие германские силы ушли с материка в Африку и на Британские острова, а за их спиной Красная Армия уничтожила единственный для Германии источник нефти в Румынии?

ГЛАВА 6

КОГДА СОВЕТСКИЙ СОЮЗ ВСТУПИЛ ВО ВТОРУЮ МИРОВУЮ ВОЙНУ

> Лишь одна страна — Советская Россия — может в случае общего конфликта выиграть.
>
> *Гитлер, 19 ноября 1937 г.*

1

Все, что относится **к началу** Второй мировой войны, в Советском Союзе покрыто непроницаемым мраком государственной тайны. Среди многих страшных тайн войны есть одна особо охраняемая — дата вступления СССР во Вторую мировую войну.

Для того чтобы скрыть правду, коммунисты пустили в оборот фальшивую дату — 22 июня 1941 года. Коммунистические борзописцы придумали множество легенд про 22 июня. Я слышал даже такую: «Мы жили мирной жизнью, а на нас напали...» Если верить выдумкам коммунистических пропагандистов, то выходит, что Советский Союз не сам добровольно начал Вторую мировую войну, а его чуть ли не насильно втянули.

Чтобы версия про 22 июня казалась более правдоподобной, советская пропаганда укрепила эту дату специальными подпорками: с одной стороны, придуман «предвоенный период», в который включены два года, предшествующие 22 июня; с другой стороны, выдумана цифра 1418 дней войны. Это на тот случай, если некто л.обопытствующий решит сам вычислить дату начала войны. Начав отсчет назад с момента окончания войны в Европе, он непременно (по расчетам советских фальсификаторов) должен упереться в «то роковое воскресенье».

Но развенчать миф о 22 июня очень просто. Для этого нужно легонько стукнуть по одной подпорке: по «предвоенному периоду», например. И вся конструкция рухнет вместе с «роковой» датой и 1418 днями «великой отечественной войны».

«Предвоенный период» никогда не существовал. Его придумали. Достаточно вспомнить, что за «предвоенный период» ВСЕ европейские соседи СССР стали жертвами советской агрессии. Красная Армия совсем не намеревалась на этом ограничивать или прекращать кровавые «освободительные походы» на запад, а западнее СССР находилась только Германия (Приказ Народного Комиссара Обороны СССР № 400 от 7 ноября 1940 г.).

В сентябре 1939 года СССР объявил себя нейтральным и за «предвоенный период» захватил территории с населением более 23 миллионов человек. Не много ли для нейтрального государства?

На захваченных территориях Красная Армия и НКВД творили страшные злодеяния. Советские концлагеря были забиты пленными солдатами и офицерами европейских стран. Пленных офицеров (не только польских) истребляли тысячами. Будет ли нейтральная страна истреблять пленных офицеров? И откуда у нейтральной страны тысячи пленных офицеров, да еще и в «предвоенный период»?

Интересно получается: Германия напала на Польшу, значит, Германия — инициатор и участник европейской, а следовательно, и мировой войны. Советский Союз сделал то же самое и в том же самом месяце — но он инициатором войны не числится. И участие в мировой войне Советского Союза исчисляют лишь с 22 июня 1941 года. А почему?

Польский солдат, убитый в бою против Красной Армии, считается участником Второй мировой войны и ее жертвой, а советский солдат, убивший его, считается «нейтральным». Если в том же бою на польской территории убит советский солдат, то считается, что он убит не во время войны, а в мирное время, в «предвоенный период».

Германия захватила Данию — и это акт войны, хотя больших сражений и не было. Советский Союз захватил тоже без боя три Прибалтийских государства, очень похожих на Данию по географическому положению, количеству населения, культуре, традициям. Но действия СССР актом войны не считаются.

Германия захватила Норвегию — это дальнейшее развитие агрессии, а Советский Союз перед этим пролил реки крови в соседней Финляндии. Но кровавый список преступлений Германии в войне начинается с 1 сентября 1939 года, а список преступлений Красной Армии во Второй мировой войне начинается почему-то только с 22 июня 1941 года. Почему?

За «предвоенный период» Красная Армия в ожесточенных сражениях потеряла сотни тысяч своих солдат. Потери германской армии за тот же период были гораздо меньшими. Если судить по потерям, то Германия имеет больше оснований считаться нейтральной в 1939—1940 годах.

Действия Красной Армии в «предвоенный период» официально именуются термином «укрепление безопасности западных рубежей». Это неправда. Рубежи были в безопасности, когда соседями СССР были нейтральные государства Европы, пока не было общих границ с Германией, и, следовательно, Гитлер не мог вообще напасть на СССР, не говоря уже о внезапном нападении. Но Сталин планомерно уничтожал нейтральные государства Европы, устанавливая общую границу с Германией. От этого безопасность советских границ никак не могла повыситься.

Но если даже мы и назовем агрессию против шести нейтральных государств Европы термином «укрепление безопасности границ», почему же мы не используем тот же термин и в отношении Гитлера? Разве захватывая соседние страны, он не укреплял безопасность своих границ?

Мне возражают: в «предвоенный период» Советский Союз не вел одну непрерывную войну, это была серия войн и вторжений с перерывами между ними. Но ведь и

Гитлер тоже вел серию войн с перерывами. Почему мы используем по отношению к нему другие стандарты?

Утверждают, что Советский Союз в «предвоенный период» никому формально войну не объявлял, поэтому его нельзя считать участником войны. Позвольте, но и Гитлер не всегда формально объявлял войну. По заявлениям советской пропаганды, 22 июня 1941 года тоже никто никому формально войну не объявлял. Почему же эта дата считается разделом между войной и миром?

22 июня — просто день начала наступления вооруженных сил одного государства против вооруженных сил другого государства уже в ходе войны, в которой оба государства давно участвуют.

Пойманный преступник начинает излагать случившееся с момента, когда кто-то дал ему по морде, упуская из виду, что сам он до этого грабил и убивал людей на улице. Красная пропаганда, подобно пойманному преступнику, начинает изложение истории войны с момента, когда иностранные войска появились на советской территории, и изображает Советский Союз невинной жертвой. Давайте перестанем изображать себя **невинной** жертвой.

Давайте вспомним действительно невинных, погибших в «предвоенный период» под штыками армии-«освободительницы». Давайте писать историю войны не с 22 июня, а с момента, когда коммунистические орды без объявления войны ударили в спину истекающей кровью Польше, героическая армия которой в неравной борьбе пыталась остановить движение Гитлера на восток. Давайте писать историю войны не с 22 июня, а с того дня, когда Сталин принял решение начать войну.

2

1 сентября 1939 года, на рассвете, германская армия начала войну против Польши. Но в XX веке война в Европе автоматически означает мировую войну. Война действительно быстро захватила и Европу, и почти весь мир.

По странному стечению обстоятельств именно в этот день — 1 сентября 1939 года — 4-я внеочередная сессия Верховного Совета СССР приняла закон о всеобщей воинской обязанности. Такого закона во всей истории СССР не было.

Удивительное дело: пока Гитлером пугали детей (и взрослых), пока Гитлер считался извергом и людоедом — обходились без всеобщей. Но вот подписан договор о ненападении — и срочно потребовалась всеобщая воинская обязанность.

Сентябрь 1939 года — начало «странной войны» на западе. На востоке в том же месяце начался не менее странный мир.

Зачем же Советскому Союзу всеобщая воинская обязанность? Коммунисты в один голос отвечают: в этот день началась Вторая мировая война, мы в ней участия принимать не хотели, но приняли меры предосторожности. Маршал Советского Союза К.А. Мерецков один из многих, кто утверждает, что закон имел огромное значение и был принят «в условиях уже начавшейся Второй мировой войны» (На службе народу. С. 181).

Но давайте представим польско-германскую границу в то трагическое утро: мрак, туман, стрельба, рев моторов. Мало кому в Польше понятно, что же происходит: провокация или несанкционированный конфликт, возникший сам собой. А вот депутаты Верховного Совета СССР (чабаны на заоблачных пастбищах и знатные оленеводы на заполярных стойбищах) уже знают: не провокация, не конфликт, не германо-польская и даже не европейская война, а начало мировой войны. Надо нам — депутатам — в Москве собраться срочно (сессия внеочередная!) да принять соответствующие законы. Только непонятно, отчего эти самые депутаты не реагировали так борзо, когда подобное случилось на советско-германской границе в 1941-м?

Утром 1 сентября не только правительство Польши, не только правительства западных стран не знали, что началась новая мировая война, но и сам Гитлер не знал об этом.

Он начал войну против Польши в надежде на то, что это будет локальная акция, как захват Чехословакии. И это не пропаганда Геббельса. Советские источники говорят о том же.

Генерал-полковник авиации А.С. Яковлев (в то время личный референт Сталина): «Гитлер был уверен, что Англия и Франция воевать за Польшу не станут» (Цель жизни. С. 212).

Итак, Гитлер не знает, что он начинает Вторую мировую войну, а вот товарищи в Кремле это отлично знают! И еще момент: путь до Москвы не близок. Некоторым депутатам нужно 7 — 10, а то и 12 дней до Москвы добираться. Это означает, что, для того чтобы обсудить **начавшуюся** в Европе войну, кто-то **до начала войны** дал сигнал депутатам собраться в Кремле. Скажу больше: **до подписания пакта Молотова—Риббентропа.**

Любая попытка установить точную дату начала Второй мировой войны и время вступления СССР в нее неизбежно приводит нас к дате **19 августа 1939 года.**

Сталин неоднократно и раньше на секретных совещаниях высказывал свой план «освобождения» Европы: втянуть Европу в войну, оставаясь самому нейтральным, затем, когда противники истощат друг друга, бросить на чашу весов всю мощь Красной Армии (Т. 6. С. 158; Т. 7. С. 14).

19 августа 1939 года на заседании Политбюро было принято бесповоротное решение осуществить этот план.

Сведения о заседании Политбюро и принятых решениях почти немедленно попали в западную печать. Французское агентство Гавас опубликовало сообщение о принятых решениях.

Как совершенно секретный протокол Политбюро мог попасть в западную прессу? Я не знаю. Однако могло быть несколько путей. Один из наиболее вероятных мог быть таким: один или несколько членов Политбюро, напуганные планами Сталина, решили его остановить.

Протестовать открыто они не могли. Был только один путь заставить Сталина отказаться от своих планов: опубликовать эти планы на Западе. Члены Политбюро, особенно те, которые контролировали Красную Армию, военную промышленность, военную разведку, НКВД, пропаганду, Коминтерн, вполне имели такую возможность. Этот вариант не так фантастичен, как может показаться на первый взгляд.

В 1917 году члены Политбюро Зиновьев и Каменев, чтобы сорвать Октябрьский переворот, опубликовали планы Ленина и Троцкого в «буржуазной» печати. Должен повторить, что не знаю, как документ попал на Запад, я только подчеркиваю, что существовали пути, по которым он мог туда попасть.

Сталин реагировал на сообщение агентства Гавас молниеносно и совершенно необычно. Он выступил в газете «Правда» с опровержением. Сталинское опровержение — очень серьезный документ, который нужно читать только полностью. Вот он:

О ЛЖИВОМ СООБЩЕНИИ АГЕНТСТВА ГАВАС

Редактор «Правды» обратился к тов. Сталину с вопросом: как относится т. Сталин к сообщению агентства Гавас о «речи Сталина», якобы произнесенной им «в Политбюро 19 августа», где проводилась якобы мысль о том, что «война должна продолжаться как можно дольше, чтобы истощить воюющие стороны».

Тов. Сталин прислал следующий ответ:

«Это сообщение агентства Гавас, как и многие другие его сообщения, представляет вранье. Я, конечно, не могу знать, в каком именно кафе-шантане сфабриковано это вранье. Но как бы ни врали господа из агентства Гавас, они не могут отрицать того, что:

а) не Германия напала на Францию и Англию, а Франция и Англия напали на Германию, взяв на себя ответственность за нынешнюю войну;

б) после открытия военных действий Германия обратилась к Франции и Англии с мирными предложениями, а Советский Союз открыто поддержал мирные предложения Германии, ибо он считал и продолжает считать, что скорейшее окончание войны коренным образом облегчило бы положение всех стран и народов;

в) правящие круги Англии и Франции грубо отклонили как мирные предложения Германии, так и попытки Советского Союза добиться скорейшего окончания войны.

Таковы факты.

Что могут противопоставить этим фактам кафе-шантанные политики из агентства Гавас?»

И. Сталин

(«Правда», 30 ноября 1939 г.).

Пусть читатель сам решает: что есть «вранье» — сообщение агентства Гавас или сталинское опровержение. Я думаю, что сам Сталин через некоторое время вряд ли повторил бы свои собственные слова.

Откровенная лживость сталинского опровержения и небывалая для Сталина потеря хладнокровия говорят в пользу агентства Гавас. В данном случае задета струна необычайной чувствительности, оттого такой резонанс. За десятилетия советской власти западная печать о Советском Союзе и лично о Сталине писала много. Большевиков и Сталина лично обвиняли во всех смертных грехах. О Сталине писали, что он провокатор полиции, что он убил свою жену, что он деспот, садист, диктатор, людоед, палач и пр. и пр. Но обычно Сталин не ввязывался в полемику с «буржуазными писаками». Отчего же молчаливый, хладнокровный Сталин унизился до базарной ругани и дешевых оскорблений? Ответ один: агентство Гавас раскрыло самые сокровенные намерения Сталина. Именно поэтому Сталин так необычно реагирует. Ему все равно, что подумают о его опровержении будущие поколения (кстати, они о нем ничего не думают), Сталину важно в данный момент сохранить в тайне свой план на ближайшие 2—3 года, пока европейские страны не ослабят друг друга в истребительной войне.

Давайте на несколько минут согласимся с аргументами Сталина: да, сообщение Гавас — это просто «вранье, сфабрикованное в кафе-шантане». В этом случае мы должны выразить наше восхищение журналистами агентства Гавас. Если действительно они придумали свое сообщение, то это было сделано на основе глубокого знания марксизма-ленинизма, характера Сталина и тщательного научного анализа военно-политической ситуации в Европе. Журналисты агентства Гавас, конечно, понимали ситуацию гораздо лучше, чем Гитлер и лидеры западных демократий. Если сообщение агентства Гавас было просто придумано, то это именно тот случай, когда выдумка полностью соответствует действительности.

Через много лет, когда все давно забыли про сообщение агентства Гавас и опровержение Сталина, в Советском Союзе были опубликованы 13 томов сочинений Сталина. Среди сталинских работ есть его речи на секретных заседаниях ЦК. В 1939 году журналисты агентства Гавас к этим речам доступа не имели. Но публикация сталинских сочинений подтверждает, что план Сталина был прост и гениален и он был именно таким, как его описали французские журналисты. Еще в 1927 году на закрытом заседании ЦК Сталин высказал мысль о том, что необходимо в случае войны сохранять нейтралитет до момента, пока «враждующие стороны не истощат друг друга взаимной борьбой, которая им не по силам». Эта мысль затем повторялась неоднократно на закрытых заседаниях. Сталин считал, что в случае войны в Европе Советский Союз неизбежно станет участником войны, но он должен вступить последним, со свежими силами прямо в финал игры против всех, кто уже изнемог в борьбе.

Но и предшественники Сталина говорили о том же. Обосновывая свой план в тесном кругу соратников, Сталин просто цитировал Ленина, подчеркивая, что идея принадлежит Ленину. Но и Ленин не оригинален. Он в свою очередь черпает идеи из бездонной бочки марксизма. В этом отношении интересно письмо Ф. Энгельса Э. Бернштейну от 12 июня 1883 года: «Все эти разного рода бездельники должны сперва перегрызться друг с другом, изничтожить и скомпрометировать друг друга и тем подготовить почву для нас».

Сталин отличался от своих предшественников и последователей тем, что меньше говорил, а больше делал

3

Очень важно знать, что говорил Сталин на заседании Политбюро 19 августа 1939 года. Но если бы мы и не знали его слов, мы видим его дела, и они гораздо более ясно показывают сталинский замысел. Уже через четыре дня после заседания Политбюро в Кремле был подписан пакт Молотова—Риббентропа, самое выдающееся достижение советской дипломатии за всю ее историю и самая блистательная победа Сталина во всей его необычайной карьере. После подписания договора Сталин радостно кричал: «Обманул! Обманул Гитлера!» Сталин действительно обманул Гитлера так, как никто никого в XX веке не обманывал. Уже через полторы недели после подписания пакта Гитлер имел войну на два фронта, т. е. Германия с самого начала попала в ситуацию, в которой она могла только проиграть войну (и проиграла).

Другими словами, уже 23 августа 1939 года **Сталин выиграл Вторую мировую войну — еще до того, как Гитлер в нее вступил.**

Только летом 1940 года Гитлер понял, что его обманули. Он попытался переиграть Сталина, но было слишком поздно. Гитлер мог рассчитывать только на блестящие тактические победы, но стратегическое положение Германии было катастрофическим. Она снова оказалась между двумя жерновами: с одной стороны — Великобритания на своих недоступных островах (и США за ее спиной), с другой стороны — Сталин. Гитлер повернулся лицом на запад, но отчетливо осознал, что Сталин готовит нападение, что Сталин одним ударом может перерезать нефтяную аорту в Румынии и парализовать всю германскую промышленность, армию, авиацию и флот. Гитлер повернулся лицом на восток, но получил стратегические бомбардировки, а затем и вторжение с запада.

Говорят, что Сталин победил только благодаря помощи и содействию Великобритании и США. Святая правда! В том и состоит величие Сталина, что он, главный враг Запада, сумел использовать Запад для защиты и укрепления своей диктатуры. В том и заключается гениальность Сталина, что он сумел разделить своих противников и столкнуть их лбами. Именно о таком развитии событий предупреждала западная свободная пресса еще в 1939 году, когда Сталин на словах разыгрывал нейтралитет, а на деле был самым главным и самым коварным зачинщиком и участником войны.

ГЛАВА 7
«РАСШИРЕНИЕ БАЗИСА ВОЙНЫ»

Национальное освобождение Германии — в пролетарской революции, охватывающей Центральную и Западную Европу и объединяющей ее с Восточной Европой в виде Советских Соединенных Штатов.

Л. Троцкий

1

После изгнания Бонапарта из России Русская армия победоносно пришла в Париж. Не застав там Бонапарта, Русская армия с песнями ушла домой. Для России целью войны являлся разгром армии противника. Если никто больше Москве не угрожает, то и Русской армии нечего делать в Западной Европе.

Разница между Россией и Советским Союзом — в целях войны. В 1923 году М.Н. Тухачевский, уже прославившийся массовым истреблением мирного населения Центральной России, Северного Кавказа, Урала, Сибири, Польши, теоретически обосновал цель войны — «обеспечить себе свободное применение насилия, а для этого нужно в первую очередь уничтожить вооруженные силы противника» (Война и революция. Сборник, № 22. С. 188). Разгром армии противника и «поголовное ее истребление» — это не конец войны и насилия, а только предварительная стадия, только первый шаг к «свободному применению насилия». «Каждая занятая нами территория является после занятия уже советской территорией, где будет осуществляться власть рабочих и крестьян» (Маршал Советского Союза М.Н. Тухачевский. Избранные произведения. Т. 1. С. 258).

В своей работе «Вопросы современной стратегии» Тухачевский обращает внимание на то, что советские штабы «должны вовремя давать указания политическому управлению и соответствующим органам о подготовке ревкомов и прочих местных административных аппаратов для тех или иных районов» (Там же. С. 196). Другими словами, советские штабы готовят операцию по «освобождению» в глубокой тайне, но при подготовке обязаны предупредить комиссаров и «соответствующие органы» о подготовке коммунистического административного аппарата для «освобожденных» районов: Красная Армия на своих штыках принесет соседям счастливую жизнь вместе с заранее созданными органами местной власти.

Советизация захваченных территорий методом «свободного применения насилия» и эксплуатации всех ресурсов «освобожденных» районов для новых «освобождений» получила у Тухачевского «научное» название — «расширение базиса войны». Этот термин Тухачевский вводит даже в Большую советскую энциклопедию 1928 года.

Адольф Гитлер в речи 30 марта 1941 года объявил своим генералам цель войны на Востоке: разбить вооруженные силы, уничтожить коммунистическую диктатуру, установить настоящий социализм и превратить Россию в базу для продолжения войны. Разницы между Гитлером и Тухачевским практически нет. Оба — социалисты, оба бредят захватом мира, оба покоренные территории планируют использовать для «расширения базиса войны». Готовя вторжение, Гитлер заранее формировал административный аппарат для своих новых территорий, но и Тухачевский предлагал делать то же самое еще в 1923 году.

Идеи те же, только высказали их советские социалисты задолго до Адольфа Гитлера. Из Тухачевского получился бы знатный гауляйтер, но он не был стратегом.

Метод «таранной стратегии» Тухачевского даже при теоретическом рассмотрении обнаруживает полную несостоятельность. Стратегия Тухачевского — это метод шахматиста, который стремится к захвату максимального количества пустых клеток на шахматной доске, считая уничтожение фигур противника делом второстепенным. Попробуйте на шахматной доске (это самая примитивная модель войны двух мини-армий, которые не требуют ни денег, ни хлеба и покорны вам вплоть до самоубийственного исполнения любых ваших приказов) применить метод Тухачевского. Что получится? Получится именно то, что получилось у Тухачевского на Висле в 1920 году.

Коммунисты уверяют нас, что, уничтожив Тухачевского, Сталин полностью отверг его методы. Нет. Сталин отверг только неприемлемый, заведомо ведущий к поражению стратегический метод Тухачевского, сохранив и позволив другим развить идеи «расширения базиса войны».

2

Кроме Тухачевского и ему подобных у Сталина были настоящие стратеги. Первым и самым блистательным из них был Владимир Триандафиллов — отец оперативного искусства. Именно он в 1926 году дал первую приближенную формулировку теории «Глубокой операции» в книге «Размах операций современных армий». Далее Триандафиллов в книге «Характер операций современных армий» развил свои идеи. Эти книги и сейчас остаются фундаментом советского военного искусства. В.К. Триандафиллов нашел людей, которые поняли его идеи, и продвинул их в Генеральный штаб. Среди учеников Триандафиллова был и будущий начальник Генштаба Маршал Советского Союза А.М. Василевский.

Идеи Триандафиллова были использованы Г.К. Жуковым во всех его операциях, начиная с Халхин-Гола.

Понятно, что Триандафиллов не мог иметь нормальных отношений с «гениальным» Тухачевским. Триандафиллов открыто высмеивал убожество «старой стратегии», указывая на шарлатанский подход Тухачевского к вопросам военного искусства и на его полную безграмотность в вопросах военного дела. Мужеству Триандафиллова можно удивиться: Тухачевский был его прямым и непосредственным начальником. Ревность и месть Тухачевского не могли обойти строптивого теоретика, и Триандафиллов знал, что от судьбы и ненависти Тухачевского ему не уйти.

Отвергая военный метод Тухачевского, Триандафиллов, однако, полностью принял и развил идеи Тухачевского о быстрой советизации «освобожденных» территорий. «...Надо в короткий срок (2—3 недели) справиться с советизацией целых государств или по отношению к более крупным государствам — с советизацией в течение 3—4 недель весьма крупных областей». «При организации ревкомов очень трудно будет рассчитывать на местные силы. Только часть технического персонала и наименее ответственных работников можно будет найти на месте. Все ответственные работники и даже часть технического персонала должны быть приведены с собой... Число этих работников, требуемых для проведения советизации вновь отвоеванных областей, будет огромно» (Характер операций современных армий. С. 177—178).

Триандафиллов обратил внимание на то, что было бы неправильным отвлекать боевые части Красной Армии на советизацию. Совсем неплохо иметь для этого какие-то особые части. Красная Армия пусть наносит противнику поражение, а особые части в отвоеванных тылах устанавливают настоящий социализм.

Гитлер, правда, позже встал на ту же точку зрения: Вермахт сокрушает противника, СС — устанавливает «новый порядок».

Триандафиллов поднял военное искусство на уровень точных наук. Он разработал формулы математического расчета наступательной операции миллионных армий на огромную глубину. Эти формулы столь же изящны, как теоремы геометрии. Триандафиллов предложил свои формулы для всех этапов наступления, включая и расчет

70

количества советских политических лидеров на каждую административную единицу захваченных территорий.

В качестве примера Триандафиллов приводит расчет количества административного состава в пяти польских воеводствах от советской границы до реки Сан. Триандафиллов рекомендует для проведения советизации использовать иностранных коммунистов, живущих в СССР: захваты предстоят до самой Атлантики и одними советскими коммунистами не обойдешься.

Коммунистические историки уверяют нас, что Сталин разделил Польшу, т. к. боялся Гитлера, хотел мира и т.д. и т.п. Но коммунисты «забывают», что до пакта Молотова — Риббентропа и даже до прихода Гитлера к власти в советских штабах на математической основе были отработаны планы советизации Европы. Причем польская территория от границы до реки Сан, которая отошла к Советскому Союзу по пакту Молотова—Риббентропа, рассматривалась просто в качестве небольшого примера того, как надо дальше советизировать Европу.

3

Пакт Молотова—Риббентропа открыл ворота советизации. У Сталина все было готово не только в теории. Советские штабы разработали операции в глубокой тайне, но не забыли дать указания политическим комиссарам и «соответствующим органам» быть в полной готовности к советизации.

Ночью 17 сентября 1939 года комбриг НКВД И.А. Богданов отдал приказ чекистам: «Армии Белорусского фронта с рассветом 17 сентября 1939 года переходят в наступление с задачей содействовать восставшим рабочим и крестьянам Белоруссии...» Итак, революция в Польше началась, рабочие и крестьяне справятся сами, а Красная Армия и НКВД им будут только содействовать... Результаты известны. Катынь — это тоже из области «содействия». Кстати сказать, Сталин не так уж боялся Гитлера, как это пытаются представить коммунисты. Если бы Сталин Гитлера боялся, то он сохранил бы польских офицеров и в случае германского вторжения бросил их во главе десятков тысяч польских солдат партизанить на польской территории. Но оборона против Гитлера в сталинские планы не входила. Сталин не только не использовал польский потенциал, но и разогнал свои партизанские отряды, созданные заранее на случай войны.

Советизация Финляндии готовилась еще более тщательно. В момент, когда «финская военщина начала вооруженные провокации», у Сталина уже находились в резерве финский коммунистический «президент», «премьер-министр» и целое «правительство», включая и главного чекиста «свободной демократической Финляндии». В Эстонии, Литве, Латвии, в Бессарабии и на Буковине тоже нашлись «представители народа», требовавшие присоединения к «братской семье», нашлись (удивительно быстро) председатели революционных комитетов, народные заседатели, депутаты и пр. и пр.

Советизация набирает силу, а Сталин наращивает резерв партийных администраторов для новых походов. 13 марта 1940 года Политбюро приняло решение об аттестовании всех номенклатурных работников партии и присвоении всем им воинских званий. **Вся партия из полувоенной становится чисто военной.** Наркомату обороны Политбюро ставит задачу практически осуществить аттестование всей номенклатуры и присвоение воинских званий. Было решено, что «работники партийных комитетов обязаны систематически проходить военную переподготовку, с тем чтобы они в любой момент призыва в РККА и РККФ могли выполнять работу на должностях, соответствующих их квалификации» (постановление Политбюро «О военной переподготовке, переаттестовании работников партийных комитетов и о порядке их мобилизации в РККА» от 13 марта 1940 года). Обратим внимание на слова: «работу на должностях, соответствующих их квалификации». Какая у партийного воротилы квалификация, кроме секретаря райкома? Так вот их и намечают использовать секретарями райкомов (горкомов, обкомов и пр.) и после призыва в армию.

С мая 1940 года по февраль 1941-го были переаттестованы (т. е. прошли экзамены и комиссии) 99 тысяч политработников запаса, включая 63 тысячи руководящих «работников партийных комитетов». Переподготовка номенклатуры идет усиленным темпом. И не только переподготовка. Идет призыв. 17 июня 1941 года еще 3700 номенклатурных чинов получают приказ поступить в распоряжение армии.

Готовится новая советизация?

4

Не только партийные боссы советизировали Эстонию, Литву, Латвию, Западную Украину и Западную Белоруссию, Бессарабию и Буковину, но приложили руку и «соответствующие органы». За спинами «народных представителей» и «слуг народа» НКВД «содействует восставшим рабочим и крестьянам укрепить власть пролетариата».

Первыми границы переходили пограничники НКВД. «Действуя небольшими группами, они захватывали и удерживали речные переправы и узлы дорог» (ВИЖ*. 1970. № 7. С. 85). В Зимней войне отряд пограничников НКВД тайно проник на территорию Финляндии, совершил бросок через тундру и внезапным ударом захватил город Петсамо и порт. Через 5 лет в войне с Японией из состава пограничников было сформировано «320 отрядов нападения численностью от 30 до 75 человек каждый, вооруженных пулеметами, автоматами, винтовками и гранатами. Отдельные отряды имели до 100—150 человек». «Подготовка осуществлялась на основе ранее разработанных и уточненных планов внезапного нападения...

---

* ВИЖ — Военно-исторический журнал. — *Ред.*

73

Первостепенную роль в достижении успеха должна была сыграть внезапность действий» (ВИЖ. 1965. № 8. С. 12).

Но и в войне с Германией пограничные войска НКВД действовали тем же образом. Там, где германские войска не перешли границу, советские пограничные войска по своей инициативе нарушили государственную границу: к этому они были готовы. Пример: 25 июня 1941 года на румынской границе советские пограничные катера высадили десант в районе города Килия. Десант захватил плацдарм, при этом десантникам оказали помощь огнем разведчики НКВД, высадившиеся на берег заранее (Часовые советских границ. С. 141).

Интересная вещь. Такие же отборные и отлично тренированные пограничники НКВД в момент нападения Германии находились на пограничных мостах, но они не были готовы к отражению нападения и защите мостов и отдавали их почти без боя. Когда надо было **захватывать** западную часть пограничного моста, пограничники демонстрировали отменную выучку, смелость, храбрость. Когда надо было восточную часть моста **защищать,** те же люди демонстрировали полную неготовность — их просто этому никто не учил и задач на оборону никто перед ними не ставил.

5

Но главная сила НКВД все же не в пограничных войсках. Кроме пограничных войск в составе НКВД имелось большое количество полков и дивизий оперативных, конвойных, охранных войск. Все они интенсивно занимались истреблением «вражеских элементов» и «очисткой территорий». В Зимней войне этим занимались восемь полков НКВД, помимо отдельных батальонов и рот и формирований пограничников. Размах действий НКВД по «очистке тыла» может прокомментировать хотя бы операция, проведенная в 1944 году в тылу 1-го Белорусского фронта. В операции участвовало пять пограничных полков НКВД, семь полков оперативных войск НКВД, четыре кавалерийских полка, отдельные батальоны, разведывательная авиация. Общая численность войск — 50 000 человек. «Обрабатываемая площадь» — 30 тысяч квадратных километров (Там же. С. 181). Но и до нападения Гитлера НКВД работал с не меньшим размахом, просто данные по операциям, проводимым в 1940 году в Эстонии, Литве, Латвии, в Западной Украине и Белоруссии, на Буковине и в Бессарабии, нигде не публикуются. Но разве мало опубликовано материалов на эту тему не о палачах, а об их жертвах?

1940 год по интенсивности действий НКВД превосходил и 1944-й, и 1945-й, и многие последующие. Достаточно вспомнить, что 1940 год — это год Катыни. Но польских офицеров истребляли не только в Катыни, а по крайней мере в двух других местах, причем жертв было не меньше, чем в Катыни. Но ведь и литовских офицеров тогда же истребляли, и латвийских, и эстонских. И не только офицеров, но и учителей, священников, полицейских, писателей, юристов, журналистов, трудолюбивых крестьян, предпринимателей и все другие слои населения, точно так же, как и во время Красного террора против русского народа. Масштабы действий НКВД нарастали... но вдруг что-то изменилось: с февраля 1941 года боевые подразделения НКВД во все возрастающих количествах начали тайное сосредоточение у государственных границ...

6

Коммунистические профессора всеми силами пытаются сейчас преуменьшить мощь Красной Армии и преувеличить мощь Вермахта. При этом они идут на самые грубые подделки и фальсификации. В Германии учитываются все дивизии: Вермахт и СС. В Советском Союзе учитываются только дивизии Красной Армии, но отборные, отлично подготовленные, полностью укомплектованные и вооруженные дивизии НКВД совершенно не учитываются, они «забыты». Коммунисты объявили, что непосредственно на границах находилось 47 сухопутных и 6 морских пограничных отрядов (численностью около полка каждый) и 11 полков оперативных войск НКВД общей численностью около 100 000 человек. Это правда. Но не вся. В момент германского вторжения непосредственно на границах находились не только полки, но и отдельные батальоны НКВД внушительной численностью, а кроме того, целые дивизии НКВД. Пример: 4-я дивизия НКВД (командир — полковник НКВД Ф.М. Мажирин) находилась на румынской границе, при этом подразделения 57-го полка НКВД этой дивизии — прямо на пограничных мостах. Вблизи границ находилась 8-я мотострелковая дивизия НКВД. В районе Рава-Русская находилась 10-я дивизия НКВД, а 16-й кавалерийский полк НКВД из состава этой дивизии был рассредоточен непосредственно по пограничным заставам. 21-я мотострелковая дивизия НКВД находилась на финской границе. 1-я дивизия НКВД (полковник НКВД С.И. Донсков) находилась там же. 22-я мотострелковая дивизия НКВД появляется в германских сводках на 7-й день вторжения в Литву.

Части НКВД были придвинуты к границам невероятно близко. Некоторые находились буквально в нескольких метрах от границ. Пример: 132-й отдельный батальон НКВД находился в Тираспольском укреплении Брестской крепости. Для обороны? Нет. Крепость для обороны не готовилась, в ней предполагалось в случае войны оставить один стрелковый батальон обычных войск. А может, батальон НКВД предназначен охранять границу? Да нет же, для этого рядом, в тех же казармах, находится 17-й пограничный отряд (полк), а 132-й батальон НКВД не пограничный, а КОНВОЙНЫЙ. Он использовался для конвоирования «врагов» из Западной Белоруссии, но вот его поместили на ЗАПАДНОМ берегу Западного Буга.

Батальон пока ничего не делает — очень трудная дорога в Советский Союз: нужно на лодках чекистов переправлять в старую цитадель через Буг, там надо пройти через множество ворот и мостиков, через рвы, перейти Мухавец и снова — рвы, валы и бастионы. Врагов в крепости нет, а до города неблизко. Так что батальон пока отдыхает. Тираспольское укрепление (Пограничный остров) — это вообще-то уже на польской, точнее, в то время — на германской территории, и в Германию попасть — только мостик перейти.

Любого исследователя ждут великие открытия, если он только займется серьезным изучением состава и дислокации войск НКВД накануне германского вторжения. А мы поспешим вперед, нет времени на этом останавливаться, тут материалов на многие тома. Скажу только, что 132-й конвойный батальон был не один.

Я нашел точные данные, что на самой границе были не только конвойные батальоны и полки НКВД, но и конвойные дивизии. Вот, например, уже упомянутая 4-я дивизия НКВД оседлала пограничные мосты на реке Прут. Наверное, чтобы взорвать их в случае обострения обстановки? Никак нет. Мосты были заминированы, но потом их разминировали и посадили рядом дивизию НКВД. По одним данным, 4-я дивизия НКВД вроде бы охранная (по аналогии с СС, попытайтесь понять значение слова «охранная»), но по многим другим данным (например, ВИЖ. 1973. № 10. С. 46), 4-я дивизия НКВД проходит как конвойная. Да и полковник Ф.М. Мажирин, командир дивизии, — старый гулаговский волк, прослуживший в конвое всю свою карьеру.

Кого же гулаговская охрана намеревалась конвоировать через пограничные мосты?

ГЛАВА 8

ЗАЧЕМ ЧЕКИСТАМ ГАУБИЧНАЯ АРТИЛЛЕРИЯ

> Будем громить зверя в его собственной берлоге.
>
> *Л. Берия,*
> *генеральный комиссар*
> *государственной безопасности,*
> *февраль 1941 г.*

1

Карательная машина коммунистов имеет два основных механизма: органы и войска. Имеются в виду, конечно, не войска Красной Армии, а особые войска ЧК — ГПУ — НКВД. Красная Армия воюет против внешнего врага, карательные войска — против внутреннего и потому так и называются — внутренние.

Во времена утверждения коммунистической диктатуры карательные войска играли более важную роль, чем карательные органы. Главное оружие карателей в те славные времена — броневик, трехдюймовая пушка, пулеметы. Внутренняя война против собственного народа по зверству и числу жертв ничем не отличалась от обычной захватнической войны. Для координации действий всех карательных войск было создано Главное управление. Время от времени карательная машина меняла свои названия так же просто, как змея свою шкуру, оставаясь при этом все той же змеею. Но орган, координирующий действия карательных войск, оставался неизменным — Главное управление. Эта организация и подчиненные ей войска совершили страшные злодеяния против всех народов, населяющих Советский Союз.

По мере укрепления коммунистической диктатуры органы занимали все более важное место. Главным оружием террора становится скрипучее перо в руке доносчика, напильник для спиливания зубов в руке следователя и револьвер системы «наган» в руке палача. Карательные войска не уменьшаются количественно, и их роль становится обеспечивающей: обыски, облавы, аресты, конвоирование, охрана карательных и «исправительных» учреждений. А кроме того, карательные войска охраняют вождей, правительственную связь, государственные границы. Образ бойца-карателя изменился. Теперь это не уголовник в матросском тельнике, а охранник в тулупе на полярном ветру: штык вперед и верный пес рядом. Броневиков у карателей больше нет. Они не нужны.

Террор разгорается, угасает и вновь разгорается. Вот и 37-й. Коммунисты уверяют, что 37-й год — начало террора. Нет. Начало — в 17-м. Вершина — в 30-м. Просто в 37-м террор, следуя своей логике, добрался до верхов, под топор пошли и коммунисты, потому тот год они и помнят. А когда Якиры и Тухачевские кровью заливали целые губернии, то это террором не считалось. 37-й — не начало, а скорее, победный финал террора. Еще год и чистки из всеобщих превратятся в выборочные. На этом этапе карателям даже и пулеметы вроде не очень нужны стали: их коллеги, попав под ножи собственной мясорубки, не особенно сопротивлялись.

Итак, великая чистка успешно завершена, террор резко пошел на спад, из тюрем и лагерей выпускают часть зеков и планируют выпустить еще. Что в этой ситуации должно произойти с карательными войсками и Главным управлением, которому они подчинены? Правильно. Главное управление надо ликвидировать. Так оно и было. Чистка завершена в конце 1938 года. В начале следующего года исчезает Ежов, и тут же, 2 февраля 1939 года, постановлением СНК Главное управление пограничных и внутренних войск НКВД СССР ликвидируется.

Резонно предположить, что вместо уничтоженного ГУ будет создан некий новый орган того же назначения, но рангом поменьше. Логика так подсказывает. Но в данной ситуации происходило нечто логике вопреки.

2 февраля 1939 года вместо одного Главного управления было создано ШЕСТЬ самостоятельных Главных управлений НКВД, ведающих войсками и военными вопросами:

— ГУ пограничных войск НКВД;

— ГУ охранных войск НКВД;

— ГУ конвойных войск НКВД;

— ГУ железнодорожных войск НКВД;

— ГУ военного снабжения НКВД;

— ГУ военного строительства (Главвоенстрой) НКВД.

После завершения великой чистки произошло не только резкое количественное увеличение карательных войск, но и качественный скачок: карательные войска решением советского правительства вновь занимают ведущее место, оттеснив карательные органы на вспомогательную роль. Завершение великой чистки — это начало небывалого наращивания мощи карательных войск. На их вооружение вновь поступают бронепоезда, броневики (БА-10) новейшей конструкции, гаубичная артиллерия и, наконец, танки и авиация.

Начинается рост карательных войск всех видов, всех назначений. В составе НКВД войск становится так много, что для управления ими вводится особая должность — заместитель наркома по войскам (генерал-лейтенант НКВД И.И. Масленников).

Но странная вещь: НА СОВЕТСКОЙ ТЕРРИТОРИИ КАРАТЕЛЬНЫЕ ВОЙСКА БОЛЬШЕ НЕ НУЖНЫ. Новая чистка в 1939 году в СССР явно не намечается — страна поставлена на колени и полностью подчинена Сталину. Если бы и намечалась еще одна чистка, то револьверов, напильников, кнутов и плетей было бы достаточно. Зачем чекистам гаубицы?

Развитие войск НКВД идет по многим направлениям. В 1939 году создана заградительная служба НКВД. Можно возразить, что заградительные отряды были созданы в июле 1942 года приказом НКО № 227. Изучение открытых советских источников приводит нас к простому заключению: товарищи Троцкий, Тухачевский, Якир, Егоров и многие другие войны без заградительной службы не мыслили и использовали ее широко и постоянно в годы Гражданской войны. Задача заградительных отрядов — повышать устойчивость войск в бою, особенно наступательном. Развернувшись позади войск, заградительный отряд «подбадривает» свои наступающие цепи пулеметными очередями в затылок, задерживает войска в случае самовольного отхода, истребляя на месте непокорных. Понятно, что в мирное время заградительная служба не нужна. Сразу после Гражданской войны заградительные отряды перековали в карательные, охранные, конвойные.

А вот в июле 1939 года заградительные отряды тайно возродились.

Известно, что до подписания пакта Молотова—Риббентропа Советский Союз начал тайно формировать армии в западных районах страны. Составным элементом каждой армии был отдельный мотострелковый полк НКВД, состоящий не из батальонов, а из заградительных отрядов.

Кроме полков, входящих в состав армий, существовали отдельные мотострелковые полки НКВД, входящие в состав фронтов. Пример: в июне 1941 года только позади Южного фронта находилось девять полков, отдельный отряд и отдельный батальон НКВД (ВИЖ. 1983. № 9. С. 31).

Помимо мотострелковых полков НКВД создавались отдельные заградительные отряды НКВД, которые немедленно вводились в состав вновь формируемых корпусов и армий.

В советских источниках мы найдем множество указаний на активные действия заградотрядов не с июля 1942 года, но с самых первых часов войны. Вот вполне стандартные строки о первых трех днях войны. Генерал-полковник Л.М. Сандалов: «Я тут ставлю армейский заградительный отряд»... «Их останавливали заградительные отряды» (Пережитое. С. 108, 143).

Удивительно: нападения Германии мы не ждали, а создать и развернуть заградотряды у самых границ не забыли.

3

С начала 1939 года резко возрастает количество пограничных войск НКВД. До этого, начиная с ленинских времен, в Советском Союзе было шесть пограничных округов. Теперь их стало восемнадцать, и численность каждого нового округа значительно возросла в сравнении со старым. В каждой стране пограничные войска — это нечто оборонительное, но Советский Союз — не обычное государство, и мы уже имели возможность наблюдать агрессивные наклонности советских пограничников. Пограничные войска СССР не только способны самостоятельно вести наступательные бои, но кроме того, и это главное, всегда служили базой для создания формирований Осназ (ОН). Смотришь на иную пограничную заставу: фуражки зеленые, совесть чистая, собачки брешут, граница на замке, вьется дымок мирный и льется песня задушевная. Все как положено. По форме — вроде пограничники, а вот по содержанию — Осназ.

Осназ — наиболее агрессивные ударные формирования советской карательной машины. Части Осназ прославились жестокостью (даже по стандартам ВЧК) в Гражданской войне. После нее Осназ был резко сокращен. Оставалась только одна дивизия Осназ в районе Москвы (1-я ДОН НКВД, командир дивизии — комбриг НКВД Павел Артемьев).

Но вот в начале августа 1939 года Г.К. Жуков готовит внезапный удар по японским войскам. В подчинение Жукова поступает отдельный батальон особого назначения (Осназ) НКВД численностью 502 человека. Немного, но батальон укомплектован отборными ребятами, для которых вполне привычны убийства. Главная задача батальона Осназ — «очистка прифронтового тыла» (Часовые советских границ. С. 106). Осназ поработал славно, и Жуков остался доволен.

Этот батальон, видимо, и был первой ласточкой, за которой последовали стаи новеньких осназовских формирований. Они пошли целыми косяками и формировались из числа отборных пограничных частей там, где скоро готовилось очередное «освобождение» и «коренные социально-политические преобразования». Вот из донесения политотдела пограничных войск Киевского округа от 17 сентября 1939 года мы, например, узнаем о том, что батальоны Осназ только что сформированы и к выполнению любой задачи готовы.

Батальоны Осназ первыми переходили границу во время «освобождения» Польши, Бессарабии, Буковины, Эстонии, Латвии, Литвы, Финляндии. Их задача: внезапным ударом обезвредить пограничные посты противника, далее, действуя впереди наступающих войск, захватывать мосты, резать связь, уничтожать небольшие группы противника, терроризировать население. После того как части Красной Армии обгоняют батальоны Осназ, последние переходят к чистке территории, изъятию нежелательного элемента и его уничтожению. Упоминание о батальонах Осназ НКВД мы можем найти в официальной истории погранвойск (Документы № 185, 193). А вот результаты работы: «Через границу проконвоировано около 600 пленных, в числе которых офицеры, помещики, попы, жандармы, полицейские...» (Там же. Документ № 196). В современной публикации предложение оборвано на половине, и мы не знаем, какого сорта еще там были «пленные». («Попов» и «помещиков» современная советская цензура не стесняясь оставила в числе «пленных», а вот кого-то пришлось в современном тексте срезать, дабы не развеять героический ореол вокруг зеленой фуражки человека с собакой.) Документ датирован 19 сентября 1939 года и описывает ситуацию только на одной маленькой пограничной заставе НКВД. Это третий день советского «освободительного похода» в Польшу. (В настоящее время это освобождение объясняется как стремление обезопасить свои границы против Гитлера. Если так, то надо как минимум местное население против себя не настраивать. Зачем же гнать «помещиков» и «попов» через границы в Союз и объявлять их пленными? Кстати, Осназ большую часть «пленных» не передавал в ГУЛАГ, а оставлял в своем распоряжении. Например, лагерь эстонских офицеров, захваченных частями Осназ, имел в своем индексе буквы «О» и «Н». Этого вполне достаточно для заключения: товарищ Сталин не планировал этих людей когда-либо выпустить живыми).

Но вернемся к 19 сентября 1939 года на польскую границу. 600 «пленных» — это только одна капля в огромном потоке, который шел не через одну пограничную заставу — через все, и хлынул он в первый день «освобождения», постоянно набирая силу. Пик работы осназовских батальонов — 14 июня 1941 года. В тот страшный день была проведена депортация мирных жителей из приграничных районов. Большинство из них так никогда больше и не увидели родного неба. Это был тот самый день, когда ТАСС передавало такое наивное, такое успокаивающее сообщение о том, что войны не будет. К слову сказать, по ту сторону границы батальоны СС провели точно такую же операцию по выселению жителей из приграничной полосы. Каждый агрессор перед введением войск в приграничную полосу выселяет оттуда жителей. Германское вторжение готовилось на две недели раньше советского и потому операция по выселению по ту сторону границы пришлась не на 14, а на 2 июня.

После 14 июня произошло событие, значение которого историки нам стесняются объяснить. Карательные батальоны Осназ НКВД «вычистили» всю приграничную полосу и ОСТАЛИСЬ в ней. Зачем? Понятно присутствие карателей там, где может найтись им работа. Понятно присутствие гитлеровских карателей в приграничной полосе, они готовятся чистить Россию. А вот наши родные советские каратели, они-то что делают в приграничной полосе? После выхода этой книги коммунисты задним числом объяснят, что карателей Сталин собирал на границах для обороны. Если так, не лучше ли держать в приграничной полосе обыкновенную пехоту? А если ее не хватает, то и карателей в пехоту перековать? Но Сталин не распускает ранее созданные батальоны Осназ НКВД, а формирует новые батальоны, а кроме батальонов — полки Осназ. И вот появилась 2-я дивизия Осназ (ДОН-2), а за ней и целый корпус Осназ НКВД (командир — комдив НКВД Шмырев, комиссар— Чумаков, начальник штаба — полковник НКВД Виноградов).

Товарищ Сталин, какие еще территории вы решили «почистить»? Кроме Германии и ее союзников. впереди никого нет. Неужели Германию?

4

Во второй половине 41-го года, когда нужда заставила, Сталин создал не просто саперные батальоны и полки, и даже не бригады, не дивизии и не корпуса, а ДЕСЯТЬ САПЕРНЫХ АРМИЙ, которые перекопали страну от моря до моря, создав заграждения и препятствия, непреодолимые для любой армии мира. А вот в первой половине того же года Сталин саперных армий не формировал и не планировал формировать, как не формировал ни саперных корпусов, ни дивизий, ни бригад. В первой половине 41-го товарищ Сталин был занят другими проблемами и формировал войска совсем не оборонительного назначения.

В первой половине 41-го в составе НКВД создается еще одно ГУ, на этот раз чисто военное: Главное управление оперативных войск НКВД. Главой ГУОВ Сталин ставит ветерана Осназа Павла Артемьева, который к этому моменту уже дослужился до звания генерал-лейтенанта НКВД. Новое ГУ немедленно включается в бессонный сталинский ритм. Идет развертывание войск. Основная боевая единица в подчинении ГУОВ — мотострелковая дивизия НКВД. Счет дивизий пошел на десятки, а численность личного состава — на сотни тысяч. Состав каждой МСД: танковый полк (или батальон), два-три мотострелковых полка, гаубичный артиллерийский полк и другие части. Численность каждой МСД НКВД — более 10 000 человек. Каждая из вновь созданных МСД перебрасывается на границу. Только на западную. Может, для обороны? Нет. Если теннисист ждет удара противника, то лучше ждать не у самой сетки, а подальше от нее, чтобы лучше видеть, куда удар направлен, чтобы иметь время правильно отреагировать. Так и подвижное соединение: для отражения удара надо держаться подальше от границы, чтобы иметь время и пространство для проведения оборонительного маневра. А если теннисист стремительно пошел к сетке (мотострелковая дивизия — к границе), то это никак не для обороны. У самой сетки — лучшее положение для нанесения удара, но самое худшее для отражения удара противника.

О наступательных намерениях чекистов говорят и гаубичные артиллерийские полки в составе войск НКВД. Пушки малого и среднего калибра стреляют настильно и потому хороши в обороне: настильным огнем мы заставляем наступающего противника остановиться, лечь, врыться в землю. А вот когда мы поменяемся ролями — мы наступаем, а противник в траншеях обороняется, пушки нам мало помогут: траектории настильные, снаряды летят над траншеями противника, вреда ему не причиняя, и тогда наступающему нужны гаубицы. Гаубица отличается от пушки крутой навесной траекторией. Гаубица хороша для выкуривания из окопов и траншей обороняющихся войск противника. Если готовимся к наступательной войне производим гаубицы, к оборонительной — пушки, и уж, конечно, в предвидении оборонительной войны вооружаем пушками боевые войска, а не карательные.

На советской территории карательные дивизии с тяжелым наступательным оружием не нужны: мятежи и восстания давно подавлены; Махно и Антонов не грозят всероссийским пожаром. На новых землях, захваченных в соответствии с пактом Молотова—Риббентропа, два года творился террор, но тоже обходились без танков и гаубиц, а в случае крайней нужды просили Красную Армию. Смею предположить, что мотострелковые дивизии НКВД создавались в первой половине 1941 года для вторжения в Германию, для ситуации, когда войска Красной Армии стремительно уходят вперед, не ввязываясь в затяжные бои и оставляя позади себя целые гарнизоны и недобитые части сильного противника, вот против них и нужны мощные, хорошо вооруженные карательные дивизии. Если есть другие мнения, готов выслушать и опровергнуть. Оборонительную версию прошу не выдвигать. В оборонительной войне мощные, мобильные, заботливо укомплектованные и великолепно вооруженные мотострелковые дивизии НКВД совершенно не нужны, как ненужными оказались в самом конце войны карательные дивизии СС после вступления Красной Армии на территорию Германии. Своим вторжением 22 июня 1941 года Гитлер сделал бериевских танкистов, мотострелков и артиллеристов безработными. Главное управление оперативных войск НКВД в оборонительной войне оказалось вообще бесполезным. Оно увяло как цветочек, посаженный не в ту почву. Уже на четвертый день войны (по некоторым сведениям — на второй) Сталин забирает П. Артемьева из ГУОВ, оставив главк без головы. После 41-го года МСД НКВД больше не создавались, а все существующие переделаны в обычные стрелковые дивизии Красной Армии. Вот 8-я МСД НКВД превращена в 63-ю СД РККА (далее 52-я гвардейская), 13-я

МСД НКВД становится 95-й СД РККА (впоследствии 75-я гвардейская), 21-я МСД НКВД превращена в 109-ю СД РККА. Всего из состава НКВД в РККА было передано 29 дивизий (Генерал-майор В. Некрасов. ВИЖ. 1985. № 9. С. 29). В оборонительной войне нужна простая пехота, а не карательная.

А вот в 1944 году Красная Армия, а за ней и НКВД наконец появились в Центральной Европе и установили власть рабочих и крестьян, социальную справедливость и прочие блага. И не надо думать, что механизм построения счастливой жизни создавался и отлаживался в 1944 году. Нет, Сталин создавал его до германского вторжения. Просто Адольф Гитлер не позволил Иосифу Сталину этим механизмом воспользоваться до 44-го года, да и потрепал механизм так, что счастливую жизнь удалось установить только в некоторых странах Европы, отнюдь не главных, и ненавечно.

ГЛАВА 9

ПОЧЕМУ ПОЛОСА ОБЕСПЕЧЕНИЯ БЫЛА УНИЧТОЖЕНА НАКАНУНЕ ВОЙНЫ

> Мины — мощная штука, но это средство для слабых, для тех, кто обороняется. Нам не так мины нужны, как средства разминирования.
>
> *Маршал Советского Союза Г.И. Кулик,*
> *начало июня 1941 г.*

1

Страна, которая готовится к обороне, располагает свою армию не на самой границе, а в глубине территории. В этом случае противник не может одним внезапным ударом разгромить главные силы обороняющихся. Обороняющаяся сторона в приграничных районах заранее создает полосу обеспечения, т. е. полосу местности, насыщенную ловушками, заграждениями, препятствиями, минными полями. В этой полосе обороняющаяся сторона преднамеренно не ведет никакого индустриального и транспортного строительства, не содержит тут ни крупных воинских формирований, ни больших запасов. Наоборот, в этой полосе заблаговременно готовят к взрывам все существующие мосты, тоннели, дороги.

Полоса обеспечения — своеобразный щит, который обороняющаяся сторона использует против агрессора. Попав в полосу обеспечения, агрессор теряет скорость движения, его войска несут потери еще до встречи с главными силами обороняющейся стороны. В полосе обеспечения действуют только небольшие, но очень подвижные отряды обороняющейся стороны. Эти отряды действуют из засад, совершают внезапные нападения и быстро отходят на новые, заранее подготовленные рубежи. Легкие отряды стараются выдать себя за главные силы. Агрессор вынужден останавливаться, развертывать свои войска, тратить снаряды по пустым площадям, в то время как легкие отряды уже скрытно и быстро отошли и готовят засады на новых рубежах.

Попав в полосу обеспечения, агрессор теряет свое главное преимущество — внезапность. Пока агрессор ведет изматывающую борьбу против легких отрядов прикрытия, главные силы обороняющейся стороны имеют время привести себя в готовность и встретить агрессора на удобных для обороны рубежах.

Чем глубже полоса обеспечения, тем лучше. Кашу маслом не испортишь. Прорываясь через глубокую полосу, агрессор невольно показывает главное направление своего движения. Теряя преимущества внезапности, агрессор сам становится ее жертвой: глубина полосы обеспечения ему не известна, поэтому встреча с главными силами обороняющихся происходит в момент, не известный заранее агрессору, но известный обороняющейся стороне.

На протяжении веков и даже тысячелетий, с доисторических времен славянские племена создавали мощные полосы обеспечения колоссальной протяженности и огромной глубины. Использовались различные способы создания заграждений. Главным из них был — засека. Засека — это полоса леса, в которой деревья рубят на высоте выше человеческого роста так, чтобы ствол оставался соединенным с пнем. Верхушки деревьев валят крест-накрест в сторону противника и прижимают к земле кольями. Тонкие ветви обрубают, а толстые заостряют. Глубина засеки — несколько десятков метров там, где появление противника почти исключено. Но на вероятных путях движения противника глубина засек доходила до чудовищных размеров: 40—60 километров непроходимых завалов, усиленных частоколами, надолбами, волчьими ямами, страшными капканами, способными переломать лошадиные ноги, ловушками самого хитроумного устройства. Засечные черты Русского государства тянулись на сотни километров, а Большая засечная черта, созданная в XVI веке, — более 1500 километров. За засечными чертами строились крепости и города-крепости. Засеки тщательно охранялись легкими подвижными отрядами. Легкие отряды наносили внезапные удары по противнику и, не ввязываясь в затяжные бои, тут же исчезали в многочисленных лабиринтах. Попытки их преследовать дорого обходились агрессору: в засеках создавались проходы, которыми мог воспользоваться только их создатель, непосвященного лабиринты в засеках заводили в зоны засад и ловушек.

В районах засек запрещалось рубить лес и прокладывать дороги. При продвижении границ Русского государства на юг старые полосы не уничтожались, но полностью сохранялись и усиливались, а на новых границах возводилась новая линия укреплений, крепостей, укрепленных городов, впереди которой создавалась новая засечная черта. К концу XVII века противник, который решился бы напасть на Москву с юга, должен был преодолеть одну за другой восемь засечных черт общей глубиной 800 километров. Ни одной армии мира, даже современной, такой труд непосилен. Но если бы противник и прошел весь этот почти тысячекилометровый путь, то внезапного нападения все равно не получилось бы: слишком много сил и времени пришлось бы отдать на прогрызание пути, слишком много жертв понесла бы любая армия от внезапных нападений легких отрядов обороняющихся. Но если бы противник и преодолел все это, то в конце многострадального пути его ждала бы полностью отмобилизованная, свежая, готовая к бою русская армия.

Полосы обеспечения не потеряли своего значения и в двадцатом веке, даже в самом его конце: вдоль советско-китайской границы создана линия укрепленных районов и заграждений — «Стальной пояс» — протяженностью в несколько тысяч километров и глубиной от 1—2 до 20 и более километров, где используются заграждения от тех, что были известны тысячи лет назад, до ядерных фугасов.

Перед Второй мировой войной командиры Красной Армии отлично понимали значение полос обеспечения и имели горький опыт действий в таких полосах. Один из примеров: в 1920 году Красная Армия попала в полосу обеспечения, подготовленную польской армией. Вот как это описывает главный маршал артиллерии Н.Н. Воронов: «Польские войска по пути своего отступления разрушали все: станции, железнодорожные пути, мосты, жгли деревни, посевы, стога сена. Продвижение вперед стоило нам огромного труда. Каждую речку приходилось форсировать вброд или на подручных средствах. Все труднее становилось с боеприпасами (На службе военной. С. 34).

Имея такой опыт, Красная Армия сама создала мощные полосы обеспечения на своих границах, особенно западных. Специальные правительственные комиссии обследовали западные районы и определили наиболее и наименее проходимые для противника зоны. Затем ВСЕ мосты в западных районах государства были подготовлены к взрывам. Команды охраны мостов были обучены подрывным работам и были готовы поднять их на воздух. Например, шестидесятиметровый железнодорожный мост под Олевском мог быть готов к взрыву при дублированной системе взрывания через две с половиной минуты (И.Г. Старинов. Мины ждут своего часа. С. 24). Кроме мостов к взрывам готовились большие трубы, депо, водокачки, водонапорные башни, высокие насыпи и глубокие выемки (Там же. С. 18). Уже в конце 1929 года только в Киевском военном округе было подготовлено 60 подрывных команд общей численностью 1400 человек. Для них было приготовлено «1640 вполне готовых сложных зарядов и десятки тысяч зажигательных трубок, которые можно было привести в действие буквально мгновенно» (Там же. С. 22). Подобная работа проводилась и в других военных округах.

Кроме команд подрывников в западных районах страны были сформированы железнодорожные заградительные батальоны, в задачу которых входило полное разрушение крупных железнодорожных узлов в случае отхода и проведение заградительных работ на главных магистралях: разрушение путей, установка мощных фугасов замедленного действия на случай, если противник попытается восстанавливать дороги. На Украине уже в 1932 году было четыре таких батальона (Там же. С. 175).

Кроме того, к эвакуации готовились железнодорожные стрелочные переводы, аппаратура связи, телеграфные провода, а в некоторых случаях и рельсы.

Советская полоса обеспечения постоянно совершенствовалась. Количество объектов, подготовленных к взрывам и эвакуации, возрастало. Создавались новые труднопроходимые препятствия и заграждения, лесные завалы, искусственные водоемы перед оборонительными сооружениями, участки местности готовились к затоплению и заболачиванию.

Осенью 1939 года Советскому Союзу крупно повезло: по пакту Молотова—Риббентропа были присоединены новые территории глубиной 200—300 км. Ранее созданная полоса обеспечения стала гораздо глубже. Новые территории самой природой были созданы именно для оборудования тут такой полосы: леса, холмы, болота, полноводные реки с топкими берегами, а на Западной Украине — бурные горные реки с крутыми берегами. «Местность благоприятствовала обороне и созданию заграждений» (Маршал Советского Союза А.И. Еременко. В начале войны. С. 71).

Вдобавок ко всему дорожная сеть была развита слабо. Из 6696 км железнодорожных путей только 2008 были двухпутными, но и они имели низкую пропускную способность. Превратить их в случае необходимости в вообще непроходимые было совсем легко.

Тут же Красная Армия получила блестящее подтверждение, что подготовка полосы обеспечения может очень облегчить положение обороняющейся стороны. Осенью Советский Союз совершил агрессию против Финляндии, но внезапного нападения не получилось: основные финские силы находились далеко от границы за полосой обеспечения. Красная Армия попала в финскую полосу обеспечения. Необходимо отметить, что неудачи Красной Армии — это не только результат просчетов советского командования, более важны готовность финской армии к обороне, готовность к жертвам. Одним из элементов этой готовности была полоса обеспечения **перед** главной линией обороны. Эта полоса имела глубину 40—60 км (Советская военная энциклопедия. Т. 6. С. 504). Полоса была насыщена минными полями и заграждениями. Очень активно действовали снайперы, саперы и легкие подвижные отряды. Результат: эту полосу Красная Армия преодолевала 25 дней и вышла к главной линии обороны, имея огромные потери, подавленное моральное состояние, без боеприпасов, без топлива, без продовольствия. Маневр был резко ограничен: шаг в сторону с дороги мог стать последним шагом. Тылы отстали и находились под постоянной угрозой повторных налетов легких финских отрядов, которые отлично знали местность и имели секретные проходы в минных полях. Восхищение финской полосой обеспечения высказывали все советские командиры, воевавшие там, и прежде всего К.А. Мерецков, командовавший 7-й армией (На службе народу. С. 184).

Преодолев такую полосу и по достоинству ее оценив, Мерецков был назначен начальником Генерального штаба. Как же он использовал свой опыт для усиления советской полосы обеспечения, созданной вдоль западных границ?

Мерецков приказал:

1. Ранее созданную полосу обеспечения на западных границах уничтожить, команды подрывников распустить, заряды снять, мины обезвредить, заграждения сровнять с землей.

2. На новых землях полосу обеспечения не создавать.

3. Основные силы Красной Армии вывести прямо к границам, не прикрывая эти силы никакой полосой обеспечения.

4. Из глубины страны прямо к границе сосредоточить все стратегические запасы Красной Армии.

5. Срочно начать гигантские работы по развитию аэродромной и дорожной сети в Западной Белоруссии и Западной Украине. Однопутные дороги превратить в двухпутные. Повсеместно повысить пропускную способность дорог, строить новые дороги прямо к германским границам.

2

Вот результаты этой политики.

В 1939 году Польша была разделена. Некоторые реки превратились в пограничные. На этих реках сохранялись мосты, которые никто не использовал. Например, только в полосе 4-й советской армии было шесть таких мостов. По понятным причинам германская сторона не ставила вопрос об их уничтожении, хотя они в мирное время никому не были нужны. Но и советская сторона не ставила вопрос об их уничтожении. В момент начала войны все эти мосты были захвачены германскими войсками, через них переправилось огромное количество войск, застав 4-ю советскую армию врасплох. Армия потерпела сокрушительный разгром. Но разгром 4-й армии открывал путь в тыл сверхмощной 10-й армии. И эта армия потерпела совершенно небывалый разгром. Не встречая больше преград, Гудериан устремился к Минску.

Бывший начальник штаба 4-й армии Л.М. Сандалов вопрошает: «А почему, собственно, в полосе 4-й армии сохранялось так много мостов через Буг?» (Пережитое. С. 99). Действительно, почему? Германское командование надеялось использовать мосты в агрессивной войне, оттого и не ставило вопроса об их уничтожении. А советское командование на что надеялось?

Историки придумали хорошее объяснение на все случаи жизни: советские командиры — идиоты. Но объяснение никак не подходит к Сандалову, который отвечал за эти мосты. Интересно, что ему никто эти мосты не поставил в вину, а его самого не поставил к стенке. Наоборот, от полковника в июне 41-го он очень быстро дошел до генерал-полковника, отличился во многих операциях. Самая броская черта в его характере: исключительная предусмотрительность и внимание к мелочам. А личное мое впечатление: мужик редкой хитрости. Что же с ним случилось в июне 1941 года?

3

Дальше германские войска продвигались без затруднений, захватывая мосты на Даугаве, Березине, Немане, Припяти и даже Днепре. Если бы их не подготовили к взрывам, мы могли бы это квалифицировать как преступную халатность. Но дело тут серьезнее. Их **подготовили** к взрывам, но после того как была установлена общая советско-германская граница, их разминировали. Разминировали повсеместно, т. е. это была не прихоть отдельных идиотов, а государственная политика. «Наша страна уже вплотную соприкасалась на западе с сильной военной машиной фашистской Германии... Угроза вторжения нависла над Англией... Ознакомившись с подготовкой к устройству заграждений в приграничной полосе, я был просто ошеломлен. Даже то, что удалось создать в 1926—1933 годах, оказалось фактически ликвидированным. Не существовало больше складов с готовыми зарядами около важных мостов и других объектов. Не было не только бригад... но даже и специальных батальонов... Ульяновское училище особой техники — единственное учебное заведение, готовившее высококвалифицированных командиров для подразделений, оснащенных радиоуправляемыми минами, — было реорганизовано в училище связи» (Старинов. С. 175).

Можно было резко сократить влияние фактора внезапности — если бы главные силы не держать у самых границ. Пустая территория, пусть даже никак не оборудованная, в этом случае будет служить своеобразной полосой обеспечения — обеспечения от внезапного нападения. Получив сигнал от передовых отрядов, главные силы будут иметь немного времени для приведения оружия в готовность. Но! «Армиям... предстояло развертываться непосредственно вдоль государственных границ... непосредственно на границе, несмотря на всю невыгодность ее начертания для обороны. Даже предусмотренная нашими довоенными наставлениями полоса обеспечения не оборудовалась» (История Великой Отечественной войны Советского Союза. 1941—1945. Т. 2. С. 49).

Итак, начальник Генерального штаба К.А. Мерецков действует вопреки уставам. Неужели Сталин не сместил его? Сместил. Но не за то, что Мерецков разрушил полосу обеспечения и не создал новой полосы, а за то, что Мерецков действовал недостаточно активно в вопросах строительства дорог, мостов, аэродромов в новых районах.

Вместо Мерецкова 1 февраля 1941 года начальником Генерального штаба стал генерал армии Г.К. Жуков. И работа закипела с истинно жуковским размахом. До этого в Красной Армии было пять железнодорожных бригад. Жуков немедленно увеличил это число до 13. (Каждая бригада состояла из одного полка, двух отдельных батальонов и обеспечивающих подразделений.) Почти все железнодорожные войска были сосредоточены в западных приграничных районах и вели интенсивные работы по модернизации старых и прокладке новых дорог прямо к самой границе («Красная звезда», 15 сентября 1984 г.). Вот некоторые из новых линий: Проскуров—Тернополь—Львов, Львов—Яворов—государственная граница, Львов—Перемышль, Тимковичи—Барановичи, Беловежа—Оранчица. Уже название конечных пунктов железных дорог говорит о том, что советское руководство рассматривало пограничную полосу не как зону сражений, а как свою тыловую зону, куда, в случае быстрого продвижения на запад, необходимо будет доставить миллионы новых резервистов, миллионы тонн боеприпасов, топлива и других предметов снабжения.

Одновременно со строительством железных дорог шло интенсивное строительство автомобильных дорог в западных районах страны. Вот некоторые из них: Орша—Лепель, Львов—Перемышль, Белая Церковь—Казатин, Минск— Брест. При подготовке к оборонительной войне прокладывают рокады, т. е. дороги, параллельные фронту, для маневра резервами с пассивных участков обороны на угрожаемые. При этом дороги вдоль фронта строят не у границы, а далеко в глубине, оставляя приграничные районы по возможности вообще без дорог и мостов. Но Красная Армия строила и железные, и автомобильные дороги с востока на запад, что делается при подготовке к наступлению для быстрой переброски резервов из глубины страны к государственной границе и для последующего снабжения войск после того, как они перейдут границу. Новые дороги вели прямо к пограничным городам: Перемышлю, Бресту, Яворову.

Маршал Советского Союза Г.К. Жуков вспоминает: «Сеть автомобильных дорог в Западной Белоруссии и Западной Украине была в плохом состоянии. Многие мосты не выдерживали веса средних танков и артиллерии» (Воспоминания и размышления. С. 207).

Вот бы Жукову и радоваться! У этих слабеньких мостиков еще бы и сваи подпилить! Да мин противотанковых по берегам насовать, да снайперов по кустам посадить, да пушек противотанковых! Ан нет! Жуков интенсивно дороги строит, мосты старые новыми заменяет, чтобы танки любые могли тут ходить и артиллерия!

В этой грандиозной работе Красной Армии огромную помощь оказывал НКВД и лично Лаврентий Павлович. В советских источниках очень часто встречаются термины «строительные организации НКВД» (Главный маршал авиации А.А. Новиков. В небе Ленинграда. С. 65). Но мы-то знаем, кого НКВД использовал в качестве рабочей силы. Зачем же столько зеков держать в приграничной полосе, да еще и накануне войны?

А война явно надвигалась. Официальная «История Краснознаменного Киевского военного округа. 1919—1972» (С. 147) говорит: «В начале 1941 года гитлеровцы приступили к строительству мостов, железнодорожных веток, полевых аэродромов». Понятно, что это явные признаки подготовки к вторжению. А вот что делали советские железнодорожные войска в то же самое время. Цитируем ту же книгу (С. 143): «Железнодорожные войска в Западной Украине вели работы по развитию и усилению железнодорожной сети».

Созданные Жуковым железнодорожные бригады проделали огромную работу на советской территории, но главное их предназначение — действуя на территории противника, вслед за наступающими войсками быстро преодолеть полосу обеспечения противника, восстановить дороги и мосты, на основных направлениях перешить узкую западноевропейскую колею на широкий советский стандарт. После начала войны эти бригады использовались для ведения заградительных работ, но это не то, для чего они создавались. Заградительные работы — импровизация, «дело тяжелое и незнакомое». (Советские железнодорожные. С. 98). В составе этих бригад не было заградительных батальонов. Зато в их составе были восстановительные батальоны (Советские Вооруженные Силы. С. 242).

Накануне войны советские железнодорожные войска не готовили рельсы к эвакуации и взрывам, не вывозили запасы из приграничных районов. Наоборот, прямо на границах они создавали мощные запасы рельсов, разборных мостов, строительных материалов, угля. Там эти запасы и захватила германская армия. Не только германские документы свидетельствуют об этом, но и советские источники. Начальник отдела заграждений и минирования инженерного управления РККА Старинов описывает пограничную станцию Брест 21 июня 1941 года: «Солнце освещало горы угля возле железнодорож-

ных путей, штабеля новеньких рельсов. Рельсы блесте-
ли. Все дышало спокойствием» (Мины ждут своего часа.
С. 190).

Каждый знает, что рельсы очень быстро покрывают-
ся легким налетом ржавчины. Значит, речь идет о рель-
сах, только что, прямо накануне войны, доставленных
на границу. Зачем?

Нам постоянно вбивают в голову мысль: «Ах, если
бы Сталин не уничтожил Тухачевского, то все пошло бы
по-другому!» Полноте. Тухачевский отличился чудовищной жестокостью при истреблении крестьян Тамбовской
губернии да пленных кронштадтских матросов, а в настоящей войне он был бит польской армией. В осталь-
ном он ничем не отличался от других советских маршалов:
«В подготовку операции должны быть обязательно включены меры по заготовке деревянных мостов и по сосре-
доточению на нужных направлениях железнодорожных
восстановительных частей... При перешивке узкой железнодорожной колеи на широкую...» ну и т.д. (Маршал
Советского Союза М.Н. Тухачевский. Избранные произведения. Т. 1. С. 62—63).

Кроме железнодорожных войск на западных границах были собраны практически все советские инженерные войска. В приграничной полосе перед войной
действовали саперные подразделения и части, не только
входившие в состав дивизий, корпусов и армий, сосре-
доточенных на самой границе, но и из состава формирований, которые только начали выдвигаться к германским
границам. Вот чем занимались советские саперы: «Подготовкой исходных рубежей для наступления, проклад-
кой колонных путей, устройством и преодолением
заграждений, оперативной и тактической маскировкой,
организацией взаимодействия с пехотой и танками, вхо-
дившими в состав штурмовых групп, обеспечением форсирования рек...» (Советские Вооруженные Силы. С. 255).
Пусть читателя не введет в заблуждение «устройство заграждений». Перед решающим штурмом «Линии Маннергейма» советские саперы тоже создали несколько участков

заграждений, похожих на финские. Перед вступлением в бой прибывающие советские войска проходили через эти тренировочные заграждения, после этого шли на настоящий штурм.

4

При всем уважении к германской армии необходимо признать, что она к серьезной войне была катастрофически не готова. Создается впечатление, что беззаботный германский генеральный штаб просто не знал, что в России иногда бывает зима, а дороги несколько отличаются от германских. Смазка в германском оружии застывала на морозе, и оружие не действовало. Говорят, что виноват мороз. Нет. Это просто плохая смазка. Вернее, плохой Генеральный штаб, который не заказал смазку, пригодную для реально существующих условий. Говорят, что блицкриг не получился оттого, что плохие дороги. Это ложь. Гитлер знал, что ему воевать в России, почему он не заказал вооружение и технику, которые могли бы действовать в России? Если германская промышленность выпускала вооружение, которое можно было использовать только в Западной Европе и в Африке, но невозможно в России, можно ли считать Германию готовой к войне?

Но Гитлеру повезло. Прямо накануне войны в западных районах СССР были произведены титанические работы по расширению и модернизации дорожной сети. Конечно, и этого было недостаточно для германской армии. Что бы с ней случилось, если бы Жуков, Мерецков и Берия не построили дороги прямо накануне войны? Если бы не создали огромных запасов рельсов, разборных мостов, строительных материалов? Если бы была введена в действие мощная система самозащиты: все мосты взорваны, подвижной состав и рельсы эвакуированы, все запасы уничтожены, дороги разрушены, затоплены, заболочены, заминированы? Ответ один: германский блицкриг забуксовал бы не у ворот Москвы, а гораздо раньше.

В продвижении германской армии в центр страны виноваты Мерецков, Жуков, Берия. Расстрелял ли их Сталин? Нет, они очень скоро все стали маршалами. За что их расстреливать? Гитлер воспользовался их трудами, но строили дороги и создавали запасы они, конечно, не для Гитлера, а для того, чтобы беспрепятственно и быстро пропустить в Европу армию-освободительницу и снабжать ее в ходе сокрушительного внезапного вероломного наступления.

Накануне войны никто в Красной Армии не думал о заграждениях, все думали о преодолении заграждений на территории противника. Вот почему под прикрытием Сообщения ТАСС от 13 июня на западной границе появились (тайно) советские маршалы и ведущие эксперты по вопросам **разграждений.**

Вот Маршал Советского Союза Г. Кулик (тайно прибывший в Белоруссию) разговаривает с полковником Стариновым, который тогда был начальником отдела заграждений и минирования Главного инженерного управления РККА: «Миноискатели давай, сапер, тралы давай!» (Мины ждут своего часа. С. 179). А ведь маршал о германской территории говорит: на советской территории уже все мины обезврежены и заграждения сняты. Да и расположение своих мин известно, их можно обезвреживать без миноискателей. Вот что маршал дальше говорит: «Не так назвали ваш отдел, как надо. Надо бы его в соответствии с нашей доктриной назвать отделом **разграждения** и **разминирования.** Тогда и думали бы иначе. А то заладили: оборона, оборона... Хватит!» (Там же. *Выделено Стариновым*). Той же проблемой занят и командующий Западным особым военным округом (округ уже тайно превращен в Западный фронт) генерал армии Д. Павлов. Он сердито замечает, что вопросам разграждений уделяется недостаточное внимание. Но интересная вещь: в оборонительной войне вопросам разграждений вообще не надо уделять никакого внимания. Нужно создавать только заграждения и, опираясь на них, изматывать противника, а затем быстро отходить к другой, заранее подготовленной линии заграждений.

Красная Армия имела поучительный опыт преодоления финской полосы обеспечения, поэтому она так хорошо учла свои ошибки и теперь очень тщательно готовилась для преодоления германской полосы заграждений. Ах, если бы советские маршалы только знали, что начни они войну не в июле, как планировалось, а 21 июня, то не нужно будет никаких средств разграждения: германская армия, нарушая свои уставы, делала то же самое: снимала мины, сравнивала с землей препятствия, сосредоточивала свои войска прямо на границе, не имея никакой защитной полосы!

В начале июня германские войска начали снимать колючую проволоку прямо на границе. Маршал Советского Союза К.С. Москаленко считает, что это неопровержимое свидетельство того, что они скоро начнут агрессию (На юго-западном направлении. С. 24).

Но и Красная Армия делала то же самое, правда, с небольшим опозданием. Из Москвы на западную границу собрался весь цвет военно-инженерной мысли, включая генерал-лейтенанта инженерных войск профессора Д.М. Карбышева. Уезжая из Москвы в начале июня, он заявил своим друзьям, что война уже началась, и договорился встретиться с ними после победы и не в Москве, а «на месте победы». Прибыв на западную границу, он развернул кипучую деятельность: присутствовал на учениях по форсированию водных преград (что в оборонительных боях не требуется) и по преодолению новейшими танками Т-34 противотанковых препятствий (что тоже в оборонительной войне не нужно). 21 июня он выехал в 10-ю армию. Но «перед этим Карбышев с командующим 3-й армией В.И. Кузнецовым и комендантом Гродненского УРа полковником Н.А. Ивановым побывали на погранзаставе. Вдоль границы, у дороги Августово — Сейно, еще утром стояли наши проволочные заграждения, а когда они проезжали вторично, заграждения оказались снятыми» (Е.Г. Решин. Генерал Карбышев. С. 204).

Можем ли мы представить себе картину: чекисты снимают колючую проволоку на границах! Историки-коммунисты объявили всех советских маршалов и генералов идиотами и тем самым объяснили причины разгрома. Остается только неясным, почему же Гитлер не уничтожил всех этих идиотов. Но давайте согласимся. Да, все военные — идиоты. Но как объяснить действия доблестных чекистов? Тех самых чекистов, которые только что завершили великую чистку? Тех самых чекистов, которые держат границу на замке? Тех самых чекистов, которые оплели страну колючей проволокой? Зачем же они снимают свою чекистскую проволоку на самой границе?! Они намерены впустить германских шпионов или выпустить своих беглецов?

А ведь прямо на границе — колоссальные скопления советских солдат и офицеров, которые так склонны слинять куда угодно. Да и зеков в пограничной полосе множество.

Интересно, что командующий 3-й армией, которому предстоит тут воевать, комендант Укрепленного района, который теоретически назначен для обороны (на деле — для наступления), московский эксперт высшего класса, который знает, что война уже началась, никак не реагирует на такие действия. Наоборот, снятие заграждений по времени совпадает с визитом на погранзаставу. Опять же вопрос: а что им, собственно, там надо?

Можем ли мы представить командира советской погранзаставы в звании старшего лейтенанта НКВД, который по своему произволу начал снимать колючую проволоку? Если он отдаст такой приказ, не сочтут ли его подчиненные приказ «явно преступным»? Но старший лейтенант приказ отдал, а подчиненные его резво выполнили. Видно, не обошлось тут без приказа начальника погранвойск НКВД Белоруссии генерал-лейтенанта И.А. Богданова. Может, Богданов не понимает, что война надвигается? Нет, он понимает. «18 июня 1941 года начальник пограничных войск НКВД Белоруссии генерал-лейтенант Богданов принял решение об эвакуации семей военнослужащих» (Дозорные западных рубежей. С. 101).

Мог ли Богданов принимать одновременно такие решения и самостоятельно: эвакуировать семьи пограничников и резать проволоку, без ведома Народного комиссара внутренних дел Генерального комиссара государственной безопасности Л.П. Берия? Не мог. Да и Берия сам вряд ли решился бы на такое. Он и не решился.

Берия действует в полном взаимодействии с Жуковым, т. е. кто-то свыше координирует (и очень неплохо) действия армии и НКВД. Военные и чекисты делают то же самое дело, причем очень согласованно по существу, по месту, по времени. А координировать их действия мог только товарищ Сталин.

Нас уверяют, что первые поражения Красной Армии — результат того, что она не готовилась к войне. Чепуха! Если бы она не готовилась к войне, то колючая проволока хотя бы на границе оказалась целой. Армейские подразделения в этом случае имели бы хоть немного времени привести свое оружие в готовность. Тогда и не было бы таких страшных катастроф.

Чекисты снимали колючую проволоку на границах, конечно, не для того, чтобы германская армия воспользовалась этими проходами. Проволока снималась для других целей. Давайте себе представим ситуацию, в которой германская агрессия задержалась по каким-то причинам. Что будут делать чекисты на границах: уничтожат пограничные барьеры, подержат границу открытой и начнут снова строить заграждения? Нет, конечно! Остается только один вариант: чекисты резали проволоку, для того чтобы пропустить армию-освободительницу на территорию противника. Точно так же чекисты резали свою проволоку перед «освобождением» Польши, Финляндии,

Эстонии, Латвии, Бессарабии, Буковины. Теперь настала очередь и Германии...

Говорят, что Сталин хотел напасть на Гитлера в 1942 году. Такой план действительно был, но потом сроки передвинули.

Если бы Сталин готовил «освобождение» на 1942 год, то пограничную проволоку можно было бы резать в 1942 году.

В самый последний момент.

ГЛАВА 10

ПОЧЕМУ СТАЛИН УНИЧТОЖИЛ «ЛИНИЮ СТАЛИНА»

> Только наивные люди думают, что оборона — это главная задача укрепленных районов. Нет, укрепленные районы строятся для более надежной подготовки наступления. Они должны надежно прикрыть развертывание ударных группировок, отразить любую попытку врага сорвать развертывание, а с переходом наших войск в наступление поддержать их всей мощью огня.
>
> *Генерал-майор П.Г. Григоренко,*
> *участник строительства «Линии Сталина»*

1

В 30-х годах вдоль западных границ СССР были возведены тринадцать укрепленных районов — УРов. Эта полоса укрепленных районов получила неофициальное название — «Линия Сталина».

Каждый УР — это воинское формирование, равное бригаде по численности личного состава, но по огневой мощи равное корпусу. Каждый УР включал в свой состав командование и штаб, от двух до восьми пулеметно-артиллерийских батальонов, артиллерийский полк, несколько отдельных батарей тяжелой капонирной артиллерии, танковый батальон, роту или батальон связи, инженерно-саперный батальон и другие подразделения. Каждый УР занимал район в 100—180 км по фронту и 30—50 км в глубину. Район оборудовался сложной системой железобетонных и броневых боевых и обеспечивающих сооружений. Внутри УРа создавались подземные железобетонные помещения для складов, электростанций, госпиталей, командных пунктов, узлов связи. Подземные сооружения соединялись сложной системой тоннелей, галерей, перекрытых ходов сообщения. Каждый УР мог самостоятельно вести боевые действия длительное время в условиях изоляции.

УР состоял из опорных пунктов, каждый из которых в свою очередь имел круговую оборону и был в состоянии самостоятельно обороняться в полном окружении противника, отвлекая на себя значительные его силы. Основной боевой единицей укрепрайона был ДОТ — долговременная огневая точка. «Красная звезда» (25 февраля 1983 года) описывает один из вполне стандартных дотов «Линии Сталина» — дот №112 53-го УРа в районе Могилев-Подольского: «Это было сложное фортификационное подземное сооружение, состоящее из ходов сообщения, капониров, отсеков, фильтрационных устройств. В нем находились склады оружия, боеприпасов, продовольствия, санчасть, столовая, водопровод (действующий, кстати, поныне), красный уголок, наблюдательный и командный пункты. Вооружение дота — трехамбразурная пулеметная точка, в которой стояли на стационарных турелях три «Максима» и два орудийных полукапонира с 76-мм пушкой в каждом».

Такой дот можно считать средним. Помимо них были построены тысячи небольших боевых сооружений на один-два пулемета, вместе с тем строились и гигантские фортификационные ансамбли.

Генерал П.Г. Григоренко в своих мемуарах описывает один их них, возведенный все в том же Могилев-Подольском УРе: восемь могучих дотов связаны между собой подземными галереями. Другой участник строительства «Линии Сталина» полковник Р.Г. Уманский в своей книге упоминает о многокилометровых подземных сооружениях в Киевском УРе (На боевых рубежах. С. 35).

Еще один участник строительства генерал-полковник А.И. Шебунин сообщает, что за три года только в одном

Проскуровском УРе было возведено более тысячи железобетонных оборонительных сооружений, многие из которых прикрывались искусственными водными преградами (Сколько нами пройдено. С. 58).

Строительство «Линии Сталина» не афишировалось, как строительство французской «Линии Мажино». «Линия Сталина» строилась во мраке государственной тайны.

При строительстве каждого опорного пункта НКВД «закрывал» несколько участков так, что «непотребная птица не могла туда пролететь». Строительство велось одновременно на всех участках, но только на некоторых настоящее, а на большинстве остальных — ложное. Не только местные жители, но и сами участники строительства имели превратное представление о том, что и где строится.

Между советской «Линией Сталина» и французской «Линией Мажино» было много различий. «Линию Сталина» было невозможно обойти стороной: ее фланги упирались в Балтийское и Черное моря. «Линия Сталина» возводилась не только против пехоты, но прежде всего против танков противника и имела мощное зенитное прикрытие. «Линия Сталина» имела гораздо большую глубину. Кроме железобетона на строительстве «Линии Сталина» использовалось много броневой стали, а также запорожский и черкасский граниты. В отличие от «Линии Мажино» «Линия Сталина» строилась не у самых границ, но в глубине советской территории.

Линия укрепрайонов в глубине территории означает, что первый удар артиллерии противника будет нанесен не по боевым сооружениям, а по пустому месту. Это означает, что при внезапном нападении гарнизоны имеют минимум несколько дней, для того чтобы занять свои казематы и привести оружие и сооружения в окончательную готовность. Укрепрайоны в глубине территории означают, что противник, перед тем как начать их штурм, должен пройти от 20—30 до 100—150 километров по территориям, насыщенным минными полями, фугасами и другими неприятными сюрпризами. Это значит, что агрессору придется форсировать десятки рек и ручьев, на которых взорваны мосты. Это значит, что войска противника перед штурмом понесут огромные потери в сотнях и тысячах мелких засад на пути движения. Полоса обеспечения впереди «Линии Сталина» не только снижала скорость движения противника и изматывала его силы, но и служила своего рода туманом на море, за которым скрывается цепь айсбергов. Не зная точного расположения переднего края «Линии Сталина», противник мог внезапно для себя оказаться прямо перед советскими боевыми сооружениями в зоне их убийственного огня. Расположение «Линии Сталина» в глубине советской территории за полосой обеспечения давало возможность противопоставить внезапности нападения внезапность обороны: укрепрайоны были замаскированы и спрятаны так, что столкновение войск агрессора со сталинскими фортами в большинстве случаев было бы внезапным для агрессора. При определенных условиях это столкновение могло бы напомнить столкновение «Титаника» с огромным, но невидимым из-за тумана айсбергом.

Разница с «Линией Мажино» заключалась и в том, что «Линия Сталина» не была сплошной: между укрепленными районами были оставлены довольно широкие проходы. В случае необходимости проходы могли быть быстро закрыты минными полями, инженерными заграждениями всех видов, полевой обороной обычных войск. Но проходы могли оставаться и открытыми, как бы предлагая агрессору не штурмовать укрепленные районы в лоб, а попытаться протиснуться между ними. Если бы противник воспользовался предложенной возможностью, то масса наступающих войск была бы раздроблена на несколько изолированных потоков, каждый из которых продвигается вперед по простреливаемому с двух сторон коридору, имея свои фланги, тылы и линии коммуникаций под постоянной и очень серьезной угрозой.

Дальше мы увидим, что проходы между УРами имели еще и другое назначение.

Тринадцать УРов на «Линии Сталина» — это титанические усилия и гигантские расходы в ходе двух первых пятилеток. В 1938 году все тринадцать УРов было решено усилить за счет строительства в них тяжелых артиллерийских капониров, кроме того, началось строительство еще восьми УРов на «Линии Сталина». За один год в новых УРах было забетонировано более тысячи боевых сооружений. И вот в этот момент был подписан пакт Молотова—Риббентропа...

Пакт означал, что началась Вторая мировая война. Тот же пакт означал, что между СССР и Германией больше нет разделительного барьера: теперь у них общая граница.

В этой столь грозной обстановке Сталин мог сделать многое, чтобы повысить безопасность советских западных рубежей и гарантировать нейтралитет СССР в ходе войны. Сталин, например, мог:

— дать приказ усилить гарнизоны укрепленных районов на «Линии Сталина»;

— приказать заводам, производящим вооружение для УРов, резко увеличить выпуск продукции;

— то же самое приказать заводам, производящим оборонительное вооружение: противотанковые пушки и противотанковые ружья;

— мобилизовать всю строительную технику государства, все ресурсы, для того чтобы резко ускорить строительство «Линии Сталина»;

— завершив строительство «Линии Сталина» и приведя ее в полную боевую готовность, начать строительство второй такой же (или еще более мощной) оборонительной системы впереди «Линии Сталина»;

— кроме двух мощных оборонительных систем можно было бы построить и третий пояс укрепленных районов, позади «Линии Сталина», например, вдоль восточного берега Днепра;

— приказать войскам Красной Армии рыть тысячи километров траншей, противотанковых рвов, окопов и ходов сообщения от Балтийского моря до Черного, переплетая полевую оборону войск с полосами укрепленных районов, используя последние в качестве стального каркаса непреодолимой для противника обороны.

Так мог бы действовать Сталин. Но он действовал не так... Осенью 1939 года, в момент начала Второй мировой войны, в момент установления общих границ с Германией все строительные работы на «Линии Сталина» были прекращены (В.А. Анфилов. Бессмертный подвиг. С. 35). Гарнизоны укрепленных районов на «Линии Сталина» были сначала сокращены, а затем полностью расформированы. Советские заводы прекратили выпуск вооружения и специального оборудования для фортификационных сооружений. Существующие УРы были разоружены; вооружение, боеприпасы, приборы наблюдения, связи и управления огнем были сданы на склады (ВИЖ. 1961. № 9. С. 120). Процесс уничтожения «Линии Сталина» набирает скорость. Некоторые боевые сооружения были переданы колхозам в качестве овощехранилищ. Большинство боевых сооружений было засыпано землей. Кроме прекращения производства вооружения для УРов советская промышленность после начала Второй мировой войны прекратила производство и многих других оборонительных систем вооружения. Так, например, было полностью прекращено производство противотанковых пушек и 76-мм полковых и дивизионных пушек, которые можно было использовать в качестве противотанковых (ВИЖ. 1961. № 7. С. 101; ВИЖ. 1963. № 2. С. 12). Имеющиеся в войсках противотанковые пушки стали использовать не по прямому назначению, а для решения других огневых задач, например для подавления огневых точек противника в ходе атаки советских войск (Генерал-лейтенант И.П. Рослый. Последний привал — в Берлине. С. 27). Противотанковые ружья не только сняли с производства, но сняли и с вооружения Красной Армии (ВИЖ. 1961. № 7. С. 101).

Все, что было связано с обороной, беспощадно разрушалось и уничтожалось.

Справедливости ради надо указать, что летом 1940 года прямо непосредственно на новой советско-германской границе началось строительство полосы укрепленных районов, которая, однако, так никогда и не была закончена. В Советском Генеральном штабе эти новые укрепрайоны с определенной долей иронии неофициально именуют «Линией Молотова». Решение о начале ее строительства было принято 26 июня 1940 года (В.А. Анфилов. Бессмертный подвиг. С. 162).

Оборонительное строительство на новых границах шло очень медленно, а разрушение на старой границе шло удивительно быстро.

Весной 1941 года трагедия «Линии Сталина» достигла апофеоза. «Я не знаю, как будущие историки объяснят это злодеяние против нашего народа. Нынешние обходят это событие полным молчанием, а я не знаю, как объяснить. Многие миллиарды рублей (по моим подсчетам, не менее 120) содрало советское правительство с народа, чтобы построить вдоль всей западной границы неприступные для врага укрепления — от моря и до моря, от седой Балтики до лазурного Черного моря. И накануне самой войны — весной 1941 года — загремели мощные взрывы по всей 1200-километровой линии укреплений. Могучие железобетонные капониры и полукапониры, трех-, двух- и одноамбразурные огневые точки, командные и наблюдательные пункты — десятки тысяч долговременных оборонительных сооружений были подняты в воздух по личному приказу Сталина» (Генерал-майор П.Г. Григоренко. В подполье можно встретить только крыс. С. 141).

3

Итак, «Линия Сталина» на старой границе уже уничтожена, а «Линия Молотова» на новой границе еще не построена. Советские генералы и маршалы после войны

113

и смерти Сталина хором высказали свое возмущение. Вот главный маршал артиллерии Н.Н. Воронов: «Как могло наше руководство, не построив нужных оборонительных полос на новой западной границе 1939 года, принять решение о ликвидации и разоружении укрепленных районов на прежних рубежах?» (На службе военной. С. 172).

Возмущение маршала Воронова фальшиво. Он ругает «наше руководство». Но разве в момент уничтожения «Линии Сталина» не занимал высших командных постов в Красной Армии? Разве он сам в то время не имел звания генерал-полковника артиллерии? Разве без его ведома были сняты с производства противотанковые и капонирные пушки? Разве он не знал о разоружении и уничтожении артиллерийских капониров на «Линии Сталина»? Сама постановка вопроса Вороновым неправильна и имеет целью отвлечь внимание от существа проблемы. Воронов ставит вопрос: почему одну линию уничтожили до того, как построили другую? Воронов своим вопросом оправдывает действие «нашего руководства», упрекая его не в уничтожении «Линии Сталина», а только в том, что это уничтожение было совершено преждевременно. По Воронову выходит, что надо было сначала построить «Линию Молотова», а уж потом ломать «Линию Сталина»... А почему бы не задать другой вопрос: зачем вообще было ломать «Линию Сталина»? Разве две линии не лучше одной? Разве в обороне бывают лишние оборонительные сооружения, лишние траншеи, форты и казематы, лишние минные поля и проволочные заграждения? 1940 год дважды подтвердил, что две полосы лучше, чем одна. В 1940 году Красная Армия ценой большой крови прорвала финскую «Линию Маннергейма», и это вынудило Финляндию идти на переговоры со Сталиным и уступить его требованиям. Но давайте представим, что позади «Линии Маннергейма» в глубине финской территории есть еще одна линия! В 1940 году германская армия обошла стороной французскую «Линию Мажино», вырвалась на оперативный простор, и это означало для Франции конец войны. Давайте представим, что в глубине французской территории есть еще одна линия, которую обойти нельзя. К сожалению, ни у Франции, ни у Финляндии второй линии в глубине территории в то время не было. А вот у Сталина такая линия была! И именно в то время он ее интенсивно ломал.

Коммунисты выдумали множество всяческих объяснений случившемуся. Одно из них: на новой границе не хватало вооружения для новых укрепленных районов. Поэтому вооружение пришлось снять с «Линии Сталина». Такое объяснение может удовлетворить только коммунистических пропагандистов. А нормальный человек задаст вопрос: если на «Линии Молотова» не хватало вооружения, то почему бы не дать приказ артиллерийским заводам увеличить выпуск вооружения? Но такого приказа никто не дал, наоборот, был дан противоположный приказ: производство УРовского вооружения сократить или прекратить вовсе (Маршал Советского Союза М.В. Захаров. «Вопросы истории». 1970. № 5. С. 33).

У коммунистов все просто: не хватало специального УРовского вооружения на новой границе, вот и пришлось пойти на вынужденный шаг — разоружить «Линию Сталина». Нужда, мол, заставила. Но давайте вспомним, что разоружение «Линии Сталина» началось осенью 1939 года, при этом снятое оружие сдавалось на склады. Другого применения для специального УРовского вооружения в тот момент никто придумать не мог, ибо на новой западной границе никакого фортификационного строительства не велось. «Линии Молотова» не существовало, не существовало даже и решения о ее строительстве. Решение было принято советским правительством гораздо позже — 26 июня 1940 года. Вот и получается, что вначале «Линия Сталина» была разоружена, а уж потом, почти год спустя, возникла причина, нужда и потребность пойти на такой шаг. Нет, товарищи коммунистические историки, такого объяснения мы принять не можем: следствие не может опережать причину. Потрудитесь придумать причину. Объяснение о переброске оружия с «Линии Сталина» на «Линию Молотова» мы не можем принять и потому, что «Линия Молотова» в сравнении с «Линией Сталина» была жидкой цепочкой относительно легких укреплений, которым не требовалось много вооружения. Пример: в Западном особом военном округе, т. е. в Белоруссии, было построено на новой границе 193 боевых сооружения, а до этого на старых границах было разоружено 876 более мощных боевых сооружений. В других военных округах соотношение между вновь построенными сооружениями и ранее разоруженными еще более разительно. В Одесском военном округе разоружили три сверхмощных УРа на старой границе, а на новой пока к строительству не приступили: велись подготовительные работы... Для того чтобы вооружить «Линию Молотова», было достаточно снять с «Линии Сталина» только часть вооружения, причем только меньшую часть. Отчего же с «Линии Сталина» сняли полностью все вооружение?

Но даже если, забыв здравый смысл, мы и поверим коммунистам, то получим только неудовлетворительный, рассчитанный на дурака ответ на вопрос о том, почему «Линию Сталина» разоружили. Но мы не имеем никакого, даже фальшивого ответа на вопрос, зачем же ее уничтожили?!

Казематное орудие, пулеметы, боеприпасы, перископы, средства связи, газовые фильтры можно снять с «Линии Сталина» и перебросить на «Линию Молотова». Но можно ли перебросить с одной линии на другую железобетонные сооружения? Самый маленький одноамбразурный пулеметный дот — это железобетонный монолит весом 350 тонн, врытый в землю «по самые глаза», а поверх него навалены гранитные глыбы (чтобы вызвать преждевременный разрыв снаряда), и все это засыпано землей, на которой уже проросли деревья для дополнительной защиты и маскировки. А вокруг — рвы и искусственные пруды. Можно ли это перетащить на 200 километров на запад? Нельзя А сооружения большего размера — это тысячетонные монолиты глубоко под землей. Можно ли их перетащить на «Линию Молотова»? Опять же нельзя. Если из одного прекрасного прочного дома мы перенесли мебель в другой дом, разве это достаточное основание для того, чтобы первый дом взорвать?

«Разоружить — нужда заставила». Пусть будет так. Но взрывать-то зачем? Вот я живу в Великобритании. Брожу по прибрежным холмам. Кругом тут и там — железобетонные доты времен войны. После войны оружие с них сняли, но никому и в голову не приходит взорвать эти восхитительные сооружения, вид которых радует любого нормального человека. Стоят и пусть стоят. Они хлеба не просят. Пусть стоят — может, когда еще пригодятся. Разоруженный дот можно вооружить. В крайнем случае можно обычную пехоту с ее обычным вооружением посадить в старые доты, и они в конце XX века будут полезны, как и во времена прошлой войны.

В обороне солдат пехоты, вооруженный винтовкой и лопатой, может вырыть окоп, превратив его в труднопроходимый, а порой и непроходимый для противника рубеж. А если посадить того же солдата с винтовкой (или с ручным пулеметом) не в грязную яму посреди поля, а в простейший, пусть разоруженный дот, то живучесть и устойчивость того же солдата повысятся в десятки раз: солдат будет иметь над головой минимум метр усиленного фортификационного железобетона, полтора метра с фронта и по метру — с флангов. Да все это заранее укрыто и замаскировано от любопытного взгляда противника. А уж если бы посадить в такие коробки, пусть разоруженные, сто семьдесят советских дивизий первого эшелона, то проломить их оборону было бы совсем не так просто. Войскам в обороне всегда надо за что-то зацепиться: за разоруженные форты Вердена, за не подготовленные к обороне бастионы Бреста, за стены Сталинграда и даже за брошенные два года назад траншеи на Курском выступе, а зацепившись, пехота вроется в землю так, что ничем ее из нор и берлог не выкуришь. И превратит пехота руины завода, бастионы девятнадцатого века или цитадель тринадцатого в неприступную крепость. «Линия Сталина», даже полностью разоруженная, могла бы быть тем гребнем, зацепившись за который, Красная Армия могла создать линию обороны, не пропустив противника в глубь страны. И пригодились бы при этом разоруженные доты, и подземные командные пункты, и госпитали, и защищенные бетоном склады, пригодились бы подземные галереи и тоннели, линии связи и управления, электростанции и водопроводные системы... Но Первый стратегический эшелон Красной Армии, уничтожив «Линию Сталина», был выведен за пределы государственных границ СССР, которые существовали до начала Второй мировой войны. Под прикрытием Сообщения ТАСС от 13 июня 1941 года в западные районы СССР началась переброска Второго стратегического эшелона. Но и его армии выводились за пределы старых границ, за пределы разоруженной, брошенной и уничтоженной «Линии Сталина».

4

Оборона должна совершенствоваться постоянно — это требование боевого устава. Каждый солдат знает это требование и знает, что оно означает: независимо от того, насколько мощной является оборона, каждый солдат минимум десять часов в сутки продолжает упорно рыть землю. Если солдат находится в обороне один день или один год, это не меняет ситуации: он будет рыть и рыть землю, расширяя и углубляя противотанковые рвы, дополняя первую траншею второй, третьей, пятой. Требование устава о постоянном и напряженном совершенствовании обороны означает, что ситуации «достаточно» не существует и не может существовать. Если вырыто десять противотанковых рвов один за другим, что ж, ройте одиннадцатый!

Простую истину о том, что лишних оборонительных сооружений не бывает, как не бывает и устаревших, солдаты всех армий знают уже много тысяч лет. Поэтому любые новые оборонительные сооружения создаются не для того, чтобы заменить ранее построенные, но для того, чтобы их усилить и дополнить. Взглянем на любой замок: в центре — башня десятого века, вокруг нее — стены тринадцатого века, опоясанные кольцом бастионов семнадцатого века, которые, в свою очередь, окружены фортами девятнадцатого века, усиленными дотами двадцатого. «Линия Молотова» могла бы служить дополнением «Линии Сталина», но не заменой ее. Однако «Линия Молотова» создавалась не как дополнение «Линии Сталина», но и не в качестве ее замены. «Линия Молотова» резко отличалась от «Линии Сталина» и по замыслу, и в деталях. Есть минимум четыре главных различия между теми укреплениями, которые ломали на старых границах, и теми, которые создавали на новых:

— «Линию Молотова» строили так, чтобы ПРОТИВНИК ЕЕ ВИДЕЛ;

— «Линия Молотова» создавалась на ВТОРОСТЕПЕННЫХ НАПРАВЛЕНИЯХ;

— «Линия Молотова» **не прикрывалась** полосой обеспечения, минными полями и другими инженерными заграждениями;

— строители **не использовали** многих возможностей усиления «Линии Молотова» и **не торопились** ее строить.

Строительство «Линии Молотова» — такая же загадка советской истории, как и разрушение «Линии Сталина». Странные вещи творились на строительстве новых укрепрайонов... В 1941 году титанические массы советских войск были сосредоточены во Львовском выступе на Украине. Вторая по мощи группировка советских войск была сосредоточена в Белостокском выступе в Белоруссии. Советские маршалы объясняют: главного удара мы ждали на Украине, а вспомогательного — в Белоруссии. Коль так, то главные усилия при строительстве «Линии Молотова» должны быть прежде всего сосредоточены на Украине, а во вторую очередь — в Белоруссии. Но! Половину всех средств, выделяемых на строительство «Линии Молотова», планировалось использовать... в Прибалтике! Это же второстепенное направление! Почему в Прибалтике?! Четверть средств планировалось для Белоруссии и только 9% для Украины, где, по утверждениям советских маршалов, «ожидался главный удар» (Анфилов. Там же. С. 164). Не только в стратегическом плане, но и в плане тактическом укрепления «Линии Молотова» строились на второстепенных направлениях. Пример: в районе Бреста пограничную реку пересекало сразу шесть железнодорожных и автомобильных мостов. Варшава—Брест—Минск—Смоленск—Москва — это главное стратегическое направление войны. Мосты в Бресте — это мосты величайшей стратегической ценности. В районе Бреста строился новый УР. Но не там, где мосты, а далеко в стороне, там, где никаких мостов нет!

Укрепленные районы «Линии Молотова» были вплотную придвинуты к границе. Укрепленные районы отныне не прикрывались полосой обеспечения, и в случае внезапного нападения у гарнизонов не было теперь времени для того, чтобы занять свои боевые сооружения и привести оружие в готовность. В отличие от «Линии Сталина» укрепленные районы на «Линии Молотова» имели очень небольшую глубину. Все, что можно было построить на самой границе, на ней и строилось. Тыловые оборонительные рубежи не строились и даже не планировались (Генерал-лейтенант В.Ф. Зотов. На Северо-Западном фронте. Сборник. С. 175). Новые укрепления строились не на тактически выгодных для обороны рубежах, но вдоль государственной границы, повторяя все ее изгибы и извилины. Новые боевые сооружения колючей проволокой, минами, рвами, надолбами, ежами и тетраэдрами не прикрывались, и никакие инженерные заграждения в районе строительства не возводились. Новые сооружения НЕ МАСКИРОВАЛИСЬ. Например, во Владимир-Волынском УРе «из 97 боевых сооружений было обсыпано землей 5—7, остальные были фактически демаскированы» (ВИЖ. 1976. № 5. С. 91). Если мой читатель будет пересекать советскую границу в районе Бреста, то пусть обратит внимание на серые бетонные коробки почти на самом берегу — это доты южной оконечности Брестского УРа. Они не были обсыпаны землей тогда, так голыми стоят и по сей день. Раньше доты на «Линии Сталина» строились тайно вдали от границ, и противник не мог знать, где находятся укрепления, а где проходы между ними, да есть ли вообще такие проходы. Теперь противник мог со своего берега не только видеть все строительство и точно знать, где находятся укрепления, но мог с точностью выявить каждое отдельное сооружение и даже установить направление стрельбы для каждой амбразуры. На основе этого он мог определить всю систему огня. Зная направление секторов обстрела, противник мог выбрать непростреливаемые участки, пробраться к демаскированным дотам и заткнуть амбразуры мешками с песком, что, кстати, противник и сделал 22 июня 1941 года.

Маршал Советского Союза Г.К. Жуков свидетельствует: «Укрепленные районы строятся слишком близко от границы и имеют крайне невыгодную оперативную конфигурацию, особенно в районе Белостокского выступа. Это позволяет противнику ударить из районов Бреста и Сувалки в тыл всей нашей белостокской группировки. Кроме того, из-за небольшой глубины УРы не могут долго продержаться, так как они насквозь простреливаются артиллерией» (Воспоминания и размышления. С. 194).

Если противник может ударить из районов Бреста и Сувалки, то почему не использовать брошенные старые русские приграничные крепости Брест, Осовец, Гродно, Перемышль, Каунас? Каждая из этих крепостей по мощи не уступает Вердену. Каждая из этих крепостей, если ее включить в систему обороны советских войск, может превратиться в неприступный бастион, повышающий устойчивость всей системы обороны. Помимо старых крепостей в этих же районах находились старые, не столь мощные укрепления: капониры, каждый на одну стрелковую роту. Толщина стен и перекрытий — три метра фортификационного железобетона. Толщина три метра — это не очень много? Согласен. Но ведь это лучше, чем ничего. Если толщина три метра не удовлетворяет, то ее можно нарастить. Итак, куда же смотрит ГВИУ — Главное военно-инженерное управление Красной Армии? «Начальник ГВИУ предложил использовать старые русские приграничные крепости и создать зоны заграждений. Это предложение так никогда и не было принято. Ни к чему, мол» (И.Г. Старинов. Мины ждут своего часа. С. 177).

В феврале 1941 года должность Начальника Генерального штаба Красной Армии занял Г.К. Жуков — величайший полководец XX века. Его величие уже доказано на Халхин-Голе внезапным разгромом 6-й японской армии. Он принял на себя почти верховную военную власть. Уж он-то наведет порядок на «Линии Молотова»! Но нет. Не спешите. На строительстве «Линии Молотова» после прихода Жукова ничего к лучшему не изменилось. Наоборот, строительство некоторых укрепленных районов, например Брестского, было отнесено ко второй очереди (Анфилов. С. 166). Читателю, знакомому с советской действительностью, не надо объяснять значения слов «строительство второй очереди». На практике это означает почти полностью замороженное строительство. Но у этой медали есть и оборотная сторона. Именно о Брестском укрепленном районе известно больше, чем о других. В частности, из трофейных документов германского 48-го моторизованного корпуса известно, что у германского командования создавалось совсем другое впечатление: германские войска видели интенсивное строительство, которое не останавливалось ни днем, ни ночью, причем ночами «русские строят свои доты при полном освещении».

Как же это понимать? Ужели такие идиоты, что строительные площадки у самой границы полностью демаскируют каждую ночь полным освещением?! И как связать вместе «строительство второй очереди» и «день и ночь при полном освещении»?! Неужели демонстрация? Именно так. Мы еще не раз вернемся к строительству «Линии Молотова», которую Маршал Советского Со-

122

юза И.Х. Баграмян охарактеризовал как «преднамеренная демонстрация».

Генерал-полковник Л.М. Сандалов в своих мемуарах (Пережитое. С. 64) передает слова коменданта Брестского укрепрайона генерал-майора К. Пузырева: «Вынос укрепрайона к самой границе — дело непривычное. Раньше мы всегда строили доты на некотором удалении от границы. Но тут ничего не поделаешь. Мы должны руководствоваться не только военными, но и политическими соображениями...»

Вот и опять загадка: советские войска прячут в лесах, запрещая появляться на виду. Причина: «чтобы не спровоцировать войну». В то же самое время, исходя из каких-то нам не известных политических соображений, днями и ночами противнику назойливо демонстрируют интенсивную подготовку к обороне, не боясь вызвать никаких дипломатических и военных осложнений.

Итак, как же все эти загадки разгадать? Как объединить все эти противоречивые факты в одном объяснении? Вот нам подсказывают: дураки эти красные командиры, идиоты, вот от глупости все и идет. Принял бы я это объяснение. Но вот беда: у «Линии Сталина» и у «Линии Молотова» был один и тот же «папа» — генерал-лейтенант инженерных войск профессор Д.М. Карбышев. На «Линии Сталина» он все делал правильно, на уровне мировых стандартов и выше. На «Линии Сталина» он все предусмотрел: и тщательную маскировку каждого дота, и огромную глубину каждого УРа, и заграждения, и полосу обеспечения, и многое-многое другое. Но вот подписан пакт Молотова—Риббентропа, и один из величайших военных инженеров мира вдруг поглупел и все делал неправильно. А над Карбышевым стоял великий Жуков. Все у него всегда было правильно. И раньше, и позже. Но вот в первой половине 1941 года Жуков вдруг превратился в идиота и давал идиотские приказы. Ведь имен-

123

но в момент прихода Жукова в Генеральный штаб «укрепрайоны на старых границах по-прежнему разоружались, а строительство на новых границах велось черепашьим темпом» (Старинов. С. 178).

5

Версия о глупых советских командирах не пройдет и потому, что в тот же самый момент германские генералы делали то же самое. Они принимали точно такие же решения, и никто их действия не осуждает.

В 1932—1937 годах на берегах Одера были построены сверхмощные укрепления, прикрывающие Германию от ударов с востока. Это были первоклассные боевые сооружения, вписанные в местность и великолепно замаскированные. Не буду описывать все это в деталях. Пусть читатель поверит немецкой точности, аккуратности, трудолюбию. Укрепленные районы в междуречье Одера и Варты могут служить образцом высшего достижения военно-инженерной мысли первой половины нашего века.

Но вот в Москве подписан пакт Молотова—Риббентропа, и германская армия пошла на восток. И тут германские командиры вдруг стали творить все те же «глупости», что и их советские коллеги. Великолепные укрепления на старой германской границе были брошены и НИКОГДА больше не были заняты войсками. Многие боевые сооружения были использованы для других нужд: например, в районе Хохвальде находился мощный фортификационный ансамбль, включавший в свой состав двадцать два четырехэтажных боевых сооружения, соединенных 30-километровым подземным тоннелем. Все это было отдано авиационной промышленности для размещения завода авиадвигателей. Уйдя вперед и встретившись с Красной Армией посреди Польши, германские войска начали строительство новой линии укрепленных районов. Они строились НА ВТОРОСТЕПЕННЫХ

НАПРАВЛЕНИЯХ, они были вплотную придвинуты к советским границам. Впереди новых укрепленных районов не возводилось минных полей и заграждений. Работы велись днем и ночью, и советские пограничники эту работу хорошо видели и докладывали «куда надо». (Пограничные войска СССР. 1939 — июнь 1941. Сборник документов и материалов. Документы № 344 и 287). Строительство велось интенсивно до мая 1941 года; после чего, выражаясь советским языком, «строительство переведено в разряд непервоочередного». Из восьмидесяти боевых сооружений, запланированных на берегах пограничной реки Сан, было завершено только семнадцать. Все они замаскированы недостаточно. Каждое из этих сооружений в сравнении с тем, что было на старой германской границе, можно считать легким: стены и перекрытия по полтора метра, броневые детали — 200 мм. На старой границе по линии Одера использовались гораздо более мощные броневые детали до 350 мм.

Точно так же делалось и на советской стороне. На «Линии Сталина» были мощные бронеколпаки и очень тяжелые броневые детали, а вот на строительстве «Линии Молотова» на берегах той же реки Сан советские инженеры использовали относительно тонкие броневые детали по 200 мм. В бытность мою советским офицером довелось видеть германские и советские доты на разных берегах одной и той же речушки. Если снимки дотов показать эксперту и попросить различить, где германские, а где советские, — не различит: близнецы.

Пока соседом была слабая Польша, германские войска возводили на своих границах сверхмощные укрепления, а как только сокрушили Польшу и установили общую границу с Советским Союзом, так старые укрепления забросили и на новых границах строили лишь легонькие оборонительные сооружения, да и то черепашьим темпом. Все, как в Красной Армии! Уж не поглупели ли германские генералы? Нет, не поглупели. Просто тут, на новых границах, они долго обороняться не намеревались

Фортификация бывает оборонительной, а бывает наступательной. Если вы собрались наступать, то при возведении укрепрайонов соблюдайте следующие правила:

— на главных направлениях собирайте ударные группировки войск, смело оголяя второстепенные направления и прикрывая ВТОРОСТЕПЕННЫЕ направления укрепленными районами;

— не старайтесь маскировать ваши укрепления, пусть противник думает, что вы готовитесь к обороне;

— не делайте УРы глубокими, все, что можно расположить прямо на берегах пограничных рек, там и располагайте, при переходе в наступление ваших войск все вынесенные к границе доты поддержат ваше наступление огнем, а каждый дот в глубине вашей обороны обречен на пассивное бездействие;

— не прикрывайте доты минными полями и проволочными заграждениями — этим вы помешаете вашим же наступающим войскам;

— не тратьте много цемента и стали на возведение УРов — вы же не собираетесь долго сидеть в обороне.

Именно этими правилами руководствовались германские генералы. Именно так действовали и советские. Чуть раньше, в августе 1939 года, великий Жуков на Халхин-Голе блистательно применил все эти правила: «Этими мероприятиями мы стремились создать у противника впечатление об отсутствии на нашей стороне каких-либо подготовительных мер наступательного характера, показать, что мы ведем широко развернутые работы по устройству обороны, и только обороны» (Жуков. С. 161). Японцев обмануть удалось, они поверили «оборонительным» работам Жукова и тут же поплатились, попав под его внезапный сокрушительный удар. После этого, только в гораздо большем масштабе, Жуков проводит ту же работу и на германской границе. Но немецких генералов ему обмануть не удалось. Дело в том, что у них был свой, точно такой же опыт. Жуков на Халхин-Голе нанес внезапный удар 20 августа 1939 года, а 22 августа того же года в момент переговоров Молотова—Риббентропа, а также интенсивной подготовки германской армии к вступлению на польскую территорию генерал Г. Гудериан получил приказ возглавить «фортификационный штаб Померании». Цель: успокоить поляков чисто оборонительными приготовлениями, а заодно быстро возвести относительно легкие укрепления на второстепенных направлениях, чтобы высвободить побольше полевых войск для главного удара. Весной и летом 1941 года Гудериан снова занят оборонительным строительством, теперь уже на советской границе.

Если Гудериан строит бетонные коробки по берегам пограничной реки, то это совсем не означает, что он намерен обороняться. Нет, это означает нечто совсем противоположное. А если Жуков демонстративно строит точно такие же коробки по берегам тех же самых рек, что бы это могло означать?

6

«Линия Сталина» была универсальной: она могла быть использована для обороны государства или служить плацдармом для наступления, именно для этого и были оставлены широкие проходы между УРами: пропустить массу наступающих войск на запад. Когда граница была двинута на пару сотен километров на запад, «Линия Сталина» полностью потеряла свое значение как укрепленный плацдарм для дальнейшей агрессии, а обороняться после пакта Молотова—Риббентропа Сталин больше не собирался. Вот почему линию разоружили, а потом и сломали: она мешала массам советских войск тайно сосредоточиться у германских границ, она мешала бы снабжать Красную Армию в ходе победоносного освободительного похода миллионами тонн боеприпасов, продовольствия и топлива. В мирное время проходов между УРами было вполне достаточно и для военных, и для экономических нужд, но в ходе войны потоки грузов должны быть рассредоточены на тысячи ручейков, чтобы быть неуязвимыми для противодействия противника. Укрепрайоны как бы сжимали потоки транспорта в относительно узких коридорах. Это и решило судьбу уже ненужной «Линии Сталина».

У Гитлера было так же не только на восточных границах, но и на западных. Там была в 30-е годы возведена «Линия Зигфрида». Традиционно германский удар против Франции со времен франко-прусской войны планировался на севере. «Линия Зигфрида» построена южнее этого направления, т. е. на второстепенном направлении по принципу — на главном направлении наступаем, второстепенное — прикрываем. В 1940 году германская армия ушла далеко на запад, и «Линия Зигфрида» оказалась ненужной. В то время у Гитлера и мысли не было, что через четыре года ему снова придется обороняться на своих собственных границах. «Линию Зигфрида» бросили. Использовали ее весьма своеобразно: передали боевые сооружения фермерам для хранения картошки. Часть боевых сооружений с неприступными броневыми дверями закрыли на внутренние замки... Когда нужда заставила, ключей найти не смогли... (K. Mallory and A. Ottar. Architecture of Aggression. P. 123).

Можно, конечно, выдающихся советских и германских генералов называть идиотами. Но тут не глупость. Просто и те, и другие были агрессорами. Те и другие мыслили наступательными категориями, и когда укрепления больше нельзя было использовать в наступательных целях, их сносили, чтобы открыть путь своим наступающим войскам, или, если была возможность, отдавали боевые казематы фермерам под картошку...

ГЛАВА 11

ПАРТИЗАНЫ ИЛИ ДИВЕРСАНТЫ?

> Гитлер... ударит главными силами
> на Запад, а Москва захочет полностью
> использовать преимущества своего по-
> ложения.
>
> *Л. Троцкий, 21 июня 1939 г.*

1

После подписания пакта Молотова — Риббентропа Советский Союз начал планомерное уничтожение нейтральных государств, чтобы «всей своей массой придвинуться к границам Германии как раз в тот момент, когда Третий рейх вовлечен в борьбу за новый передел мира». «Освободительные походы» идут успешно, но в Финляндии получился сбой. Как мы уже знаем, Красная Армия там попала в финскую полосу обеспечения. Вот совершенно стандартная ситуация. Советская колонна танков, мотопехоты, артиллерии идет по лесной дороге. Вправо и влево сойти нельзя — мины. Впереди — мост. Саперы проверили — мин нет. Первые танки вступают на мост, и вместе с мостом взлетают в воздух: заряды взрывчатки были вложены в опоры моста еще во время строительства; обнаружить их не так просто, а если заряды и будут обнаружены, то любая попытка их снять приведет к взрыву. Итак, советская колонна во много километров длиной, как огромная змея, остановлена на дороге. Теперь наступает очередь финских снайперов. Они не спешат: хлоп, хлоп. И снова все тихо в лесу. И снова: хлоп, хлоп. Снайперы бьют откуда-то издалека. Снайперы бьют только советских командиров: хлоп, хлоп. И комиссаров тоже. Прочесать лес невозможно: мы же помним — справа и слева от дороги непроходимые минные поля. Любая попытка советских саперов приблизиться к взорванному мосту или обезвредить мины на обочинах дороги завершается одиноким выстрелом финского снайпера: хлоп! Советская 44-я стрелковая дивизия, запертая на трех параллельных дорогах у трех взорванных мостов, за день боя потеряла весь командный состав. И в других дивизиях — та же картина: замерла колонна, ни вперед, ни назад. А ночью по советской колонне — минометный налет откуда-то из-за дальнего леса. Иногда ночью по беспомощной колонне — длинная пулеметная очередь из кустов, и снова все тихо.

Говорят, Красная Армия показала себя в Финляндии не с лучшей стороны. Истинная правда. Но представим на месте советской дивизии дивизию любой другой армии. Что делать в такой ситуации? Оттягивать колонну назад? Но тяжелые артиллерийские тракторы с огромными гаубицами на крюке толкать назад свои многотонные прицепы не могут. А снайперы — по водителям тракторов: хлоп, хлоп. С горем пополам колонна задним ходом пятится назад, а позади в это время взлетает в воздух еще один мост. Колонна заперта. У того, другого, моста тоже все подходы заминированы, и снайперы там тоже не торопятся — по командирам, комиссарам, по саперам, по водителям: хлоп, хлоп. Далеко впереди почти неприступная линия финских железобетонных укреплений — «Линия Маннергейма». Прорвать ее без артиллерии, без тысяч тонн боеприпасов невозможно. Советские войска уперлись в финские укрепления, а тяжелая артиллерия далеко отстала, она тут, на лесных дорогах, между минных полей и взорванных мостов под огнем снайперов...

Наверное, получив такой урок в Финляндии, советские командиры сделали соответствующие выводы? Наверное, в западных районах страны еще в мирное время созданы легкие партизанские отряды, чтобы встретить возможное вторжение противника? Западные районы Советского Союза самой природой созданы для того чтобы вести тут партизанскую борьбу на коммуникациях агрессора, который пойдет на восток. Создал ли Сталин легкие подвижные отряды, оставил ли их в лесах на случаи германского нападения? Да, Сталин создал такие отряды. Они были созданы еще в 20-х годах. В одной только Белоруссии в мирное время существовало шесть партизанских отрядов численностью по 300—500 человек каждый. Небольшая численность не должна смущать. Отряды комплектовались только командирами, организаторами и специалистами. Каждый партизанский отряд мирного времени — своего рода ядро, вокруг которого в самом начале войны создается мощное формирование численностью в несколько тысяч человек.

Для партизанских формирований в мирное время в непроходимых лесах и на островках среди бескрайних болот были созданы тайные базы. В мирное время были построены подземные убежища, госпитали, склады, подземные мастерские для производства боеприпасов и вооружения. В одной только Белоруссии для возможной партизанской войны в подземные тайники было заложено вооружения, боеприпасов и снаряжения для 50 000 партизан.

Для подготовки партизанских лидеров, организаторов и инструкторов были созданы тайные школы. Секретные научно-исследовательские центры разрабатывали специальные средства партизанской войны, особое снаряжение, вооружение, средства связи. Партизаны регулярно проходили сборы, причем в качестве противника обычно выступали дивизии Осназ НКВД.

Помимо партизанских формирований готовились небольшие подпольные группы, которые в случае агрессии не уходили в леса, но оставались в городах и селах, с задачей «входить в доверие к противнику» и «оказывать ему содействие», а войдя в доверие...

Такая же работа проводилась не только в Белоруссии, но и на Украине, в Крыму, в Ленинградской области и в других районах. Помимо деятельности тайной полиции точно такую же работу параллельно, но совершенно независимо от НКВД вела советская военная разведка: оборудовались тайные базы, убежища, секретные квартиры и явки, готовились линии конспиративной связи и делалось многое, многое другое. Советская военная разведка имела свои собственные тайные школы, своих организаторов и инструкторов.

Помимо НКВД и военной разведки коммунистическая партия готовила некоторых своих лидеров в западных районах страны к переходу на нелегальное положение в случае захвата территорий противником. Коммунисты имели давние криминальные традиции, умели хранить свои тайны. Традиции подпольной деятельности в 20-х и 30-х годах были сохранены, и партийные организации в случае необходимости могли вновь превратиться в глубоко законспирированные центры тайной борьбы.

Не забудем, что партизанские отряды создавались в т.н. «зоне смерти» — в советской полосе обеспечения, где при отходе советских войск все мосты должны быть взорваны, тоннели завалены, железнодорожные узлы приведены в полную негодность, стрелочные переходы и даже рельсы и телефонный кабель — эвакуированы. Партизанам оставалось только не допустить восстановления уже разрушенных объектов. Партизаны были почти неуязвимы, ибо партизанские лидеры знали проходы в гигантских минных полях, а противник этого не знал; партизанам не составляло труда в случае необходимости уйти от любого преследования в минированные леса и болота, куда противнику не было ходу.

Да, все это было. «Линия Сталина», полоса обеспечения перед нею и партизанские отряды, готовые с первой минуты действовать в зоне разрушений, — они составляли великолепную систему самозащиты Советского Союза. Но Гитлер в 1939 году попал в очень неприятную стратегическую ситуацию, в которой ему придется воевать на Западе. С этого момента оборонительные системы Сталину больше не нужны. Одновременно с «Линией Сталина» и полосой обеспечения было ликвидировано и советское партизанское движение: партизанские отряды распущены, оружие, боеприпасы, взрывчатка —

изъяты, тайные убежища и хранилища — засыпаны землей, партизанские базы — опустошены. Все это происходит осенью 1939 года. А в самом конце осени Красная Армия начинает «освобождение» Финляндии и тут встречает все те элементы самозащиты, которые недавно существовали и в Советском Союзе: линия железобетонных укреплений, полоса обеспечения перед нею и легкие отряды партизанского типа в этой полосе. Может быть, получив жестокий урок в Финляндии, Сталин изменил свое мнение и вновь создал партизанские формирования в западных районах Советского Союза? Нет, не изменил. Нет, не создал.

22 июня 1941 года начались многочисленные импровизации, в том числе и создание партизанского движения. Да, его создали. Его развернули. Но создали и развернули во всю мощь только в 1943—1944 годах. Если бы его не уничтожили в 1939-м, то оно набрало бы свою мощь с первых дней войны. Оно могло быть во много раз более эффективным. В ходе войны партизанам пришлось платить большой кровью за каждый взорванный мост. Чтобы взорвать, мост надо сначала захватить, а его охраняют, и деревья вокруг вырублены, и все вокруг заминировано. А взрывчатку где партизанам взять? Если она и есть, много ли партизанская группа на себе унесет? При подготовке взрыва приходилось спешно заряды укладывать не в опоры моста, а на пролеты. После взрыва противник мог такой мост быстро восстановить, и партизанам надо было все начинать сначала. Пока противник ремонтирует один мост, остальные мосты действуют — противник может регулировать поток транспорта.

А ведь все было готово к тому, чтобы поднять в воздух ВСЕ мосты. Поднять так, чтобы восстанавливать было нечего. Поднять так, чтобы не терять партизанской крови. Поднять можно было простым нажатием кнопки в тайном партизанском бункере, а потом из-за непроходимых минных полей только постреливать из снайперских винтовок по офицерам, по саперам, по водителям.

Германская армия была исключительно чувствительна к дорогам. Полное отсутствие мостов, миллионы партизанских мин на дорогах, засады и снайперский террор с первых часов вторжения могли бы резко снизить скорость германского блицкрига.

Кто же уничтожил советское партизанское движение В МОМЕНТ НАЧАЛА ВТОРОЙ МИРОВОЙ ВОЙНЫ и почему?

Один из отцов советского военного терроризма полковник ГРУ профессор И.Г. Старинов в те годы командовал тайной школой, которая готовила партизанские группы, подчиненные советской военной разведке. Полковник в своих мемуарах называет виновника: «Надежно спрятанное в земле оружие и взрывчатые вещества ждали своего часа. Но раньше, чем пришел этот час, скрытые партизанские базы были опустошены, безусловно, с ведома и, наверное, даже по прямому приказу Сталина» (Мины ждут своего часа. С. 40).

Один из ветеранов советского политического терроризма полковник КГБ С.А. Ваупшас в то время командовал партизанским отрядом НКВД в Белоруссии. Он объясняет причину уничтожения партизанских формирований. «В те грозные предвоенные годы возобладала доктрина о войне на чужой территории... она имела ярко выраженный наступательный характер» (На тревожных перекрестках. С. 203).

Можно соглашаться с полковником КГБ, можно его оспаривать. Но другой причины уничтожения партизанских формирований и баз пока никто не назвал.

2

Мнения двух полковников мы заслушали, а теперь посмотрим на то, что сами они делали в начале июня 1941 года. А делали они именно то, что и остальные партизанские лидеры и бойцы. После расформирования партизанских отрядов, предназначенных для действия на своей территории, перед бывшими партизанами были открыты три пути:

— в подразделения воздушно-десантных войск, которые именно в этот момент вдруг начали бурный рост;

— в карательные формирования Осназ НКВД;

— в небольшие тайные группы, которые с некой целью собирали на границах Германии и ее союзников или же перебрасывали через границу еще до начала боевых действий.

Военный разведчик полковник Илья Старинов был в числе последних. Пусть скромное звание полковника не смутит читателя. Это был полковник особого рода и профессор особых наук. С первых дней войны полковник Старинов будет действовать, имея в кармане предписание Наркома обороны маршала С.К. Тимошенко и подчиняясь только ему. Вскоре он займет пост заместителя Главкома партизанского движения по диверсиям, т. е. станет главным диверсантом Красной Армии. В 1943 году по планам и под руководством Старинова будут проведены операции «Концерт» и «Рельсовая война», в каждой из которых примут одновременно участие более ста тысяч партизан и диверсантов. Старинов станет лидером гигантской армии советских диверсантов совсем не случайно, у него были на то соответствующие данные и бурная диверсантская биография. Итак, этот матерый диверсантище появляется 21 июня 1941 года прямо в районе тех самых брестских мостов, которые имеют столь важное значение для обороны советской территории. Какая удача! Стоит этому человеку поработать на мостах пару часов, и тогда в случае германской агрессии можно будет просто нажать на кнопку... Но оборонительные приготовления не интересуют Старинова, как не интересуют всех вышестоящих командиров. Зачем же его отправляли на границу? Официально — на учения.

Но, прибыв в Брест, Старинов узнает, что учения — это только предлог. Учения отменены (а может быть, и не планировались вовсе). Если не учения и не подготовка обороны, то что же диверсанту такого ранга делать на самой границе? Он так и не узнал причину своего визита в Брест. Ночью началось германское вторжение, и полковнику Старинову пришлось-таки заниматься делами сугубо оборонительными... Еще один штрих к этой личности. Всю войну рядом со Стариновым пройдет верный, надежный, расторопный водитель. Фамилия — Шлегер. Национальность — немец. Мода такая вдруг появилась среди советских командиров, особенно десантников, разведчиков, диверсантов — иметь рядом настоящего немца в роли ординарца, денщика, водителя. Мода эта возникла в феврале 1941 года. К ней мы еще вернемся.

Чекист С. Ваупшас был личностью не менее примечательной. Жизнь его была не менее бурной: до 1926 года воевал в польских лесах. Официально война с Польшей давно завершилась, а советские «партизанские отряды», укомплектованные головорезами из ЧК и ГПУ, убивают людей во имя мировой революции. После возвращения Ваупшас — большой начальник на великих стройках ГУЛАГа — тысячи голодных зеков роют сталинские каналы, а руководят строительством чекисты. Ваупшас — среди руководителей. А потом наш герой контролировал не зеков ГУЛАГа, а Политбюро испанской компартии, направлял работу республиканской контрразведки и диверсионных формирований. А потом Белоруссия и подготовка советских партизан на случай вторжения противника на советскую землю. Но вот подписан пакт, и партизаны больше не нужны. Ваупшас попадает в формирования Осназ НКВД и занимается благородным делом «очистки территорий от вражеских элементов» в ходе «освободительных походов». А вот 22 июня 1941 года он встретил не на границе, а ЗА границей, на территории «вероятного противника», имея в кармане дипломатический паспорт. Зачем этого карателя, террориста, ГУЛАГовского дипломата отправили за рубеж? Может, в интересах укрепления безопасности страны «в предвидении оборонительной войны»? Нет, в оборонительной войне он там был совсем не нужен. Как только такая война началась, его срочно вернули в Советский Союз и отправили в Белоруссию партизанить, создавать недавно уничтоженное партизанское движение, начиная с нуля...

Если готовилась оборонительная война, то зачем весь этот маскарад с переодеванием? Не проще ли держать этого человека (и тысячи ему подобных) уже в районах вероятной оккупации в готовности встретить агрессора в самые первые часы войны? Но нет — «возобладала доктрина о войне на чужой территории». Это не просто слова полковника КГБ. Это факт истории, подтвержденный судьбой того, кто эти слова сказал, и тысячами судеб таких же, как он...

ГЛАВА 12

ЗАЧЕМ СТАЛИНУ ДЕСЯТЬ ВОЗДУШНО- ЕСАНТНЫХ КОРПУСОВ

> В грядущих боях мы будем действовать на территории противника. Так предписывают наши уставы.
>
> *Полковник А.И. Родимцев,*
> *речь на XVIII съезде партии, 1939 г.*

1

Воздушно-десантные войска предназначены для наступления. Это аксиома, которая в доказательствах не нуждается. Перед Второй мировой войной мало кто замышлял агрессию, а раз так, то воздушно-десантные войска во многих странах развития не получили.

Было два исключения. К агрессивным войнам готовился Гитлер, и в 1936 году он создал воздушно-десантные войска. Численность парашютистов в этих войсках к началу Второй мировой войны — 4000 человек. Другим исключением был Сталин. Он создал воздушно-десантные войска в 1930 году. К началу Второй мировой войны Советский Союз имел БОЛЕЕ ОДНОГО МИЛЛИОНА отлично подготовленных десантников-парашютистов.

Если подсчитать всех военных парашютистов мира на момент начала Второй мировой войны, то получается, что Советский Союз имел подготовленных десантников примерно В ДВЕСТИ РАЗ БОЛЬШЕ, чем все страны мира, вместе взятые, включая и Германию.

Советский Союз был первой страной мира, в которой были созданы воздушно-десантные войска. Когда Гитлер пришел к власти, у Сталина уже было несколько воздушно-десантных бригад, а в стране бушевал парашютный психоз.

Старшее поколение помнит время, когда без парашютной вышки не обходился ни один городской парк, когда значок парашютиста для каждого молодого человека превратился в совершенно необходимый символ мужского достоинства. А получить значок было совсем не просто. Значок давали за настоящие прыжки с самолета, а к прыжкам допускали только того, кто предварительно сдал зачеты по бегу, плаванию, стрельбе, метанию гранат на дальность и точность, преодолению препятствий, пользованию противохимическими защитными средствами и многими другими, необходимыми на войне навыками. По существу, прыжки с самолета были заключительным этапом индивидуальной подготовки бойца крылатой пехоты.

Для того чтобы оценить серьезность сталинских намерений, надо вспомнить, что парашютный психоз бушевал в Советском Союзе одновременно со страшным голодом. В стране дети пухнут от голода, а товарищ Сталин продает за границу хлеб, чтобы купить парашютную технологию, чтобы построить гигантские шелковые комбинаты и парашютные фабрики, чтобы покрыть страну сетью аэродромов и аэроклубов, чтобы поднять в каждом городском парке скелет парашютной вышки, чтобы подготовить тысячи инструкторов, чтобы построить парашютные сушилки и хранилища, чтобы подготовить миллион откормленных парашютистов, необходимое для них вооружение, снаряжение и парашюты.

В оборонительной войне парашютисты не нужны. Использовать парашютиста в обороне в качестве обычной пехоты — это то же самое, что использовать на строительстве золотую арматуру вместо стальной: золото мягче стали.

Десантные подразделения не имеют такого тяжелого и мощного оружия, как обычная пехота, и потому их устойчивость в обороне гораздо ниже, чем у простой пехоты. Да и накладно золото вместо стали использовать.

Но подготовка миллиона советских парашютистов стоила дороже золота. За подготовку парашютистов и парашютов Сталин платил огромным количеством жизней советских детей. Для чего готовили парашютистов? Наверное, не для того, чтобы защищать детей, которые гибли от голода.

Коммунисты уверяют, что Сталин к войне не готовился, а в нашем селе на Украине люди помнят молодую женщину, которая убила и сожрала свою дочку. Ее помнят потому, что она убила **свою** дочку. Тех, кто убивал чужих детей, не упомнишь. В моем селе люди съели все ремни и сапоги, съели желуди в соседнем чахлом лесочке. А причина тому: товарищ Сталин готовился к войне. Готовился так, как никто никогда не готовился. Правда, в оборонительной войне вся эта подготовка оказалась ненужной.

В оборонительной войне десантников в тыл противника бросать не нужно, проще при отходе в лесах оставить партизанские отряды.

2

Могут возразить, что миллион сталинских парашютистов накануне Второй мировой войны — это только материал для создания боевых подразделений. Подразделения надо сформировать и интенсивно тренировать. Помнит ли об этом Сталин? Помнит.

В 30-х годах западные районы страны неоднократно потрясали грандиозные маневры. На каждых маневрах отрабатывалась только одна тема — «Глубокая операция» — внезапный удар гигантских масс танков на огромную глубину.

Сценарий всегда простой, но грозный.

Внезапному удару сухопутных войск в ходе каждых учений предшествует не менее внезапный и не менее сокрушительный удар советской авиации по аэродромам «противника», после чего происходит выброска парашютного десанта для захвата аэродромов, и вслед за волной парашютистов высаживается посадочным способом на захваченных аэродромах вторая волна десантников с тяжелым оружием.

В 1935 году на знаменитых киевских маневрах в ходе грандиозной операции был выброшен парашютный десант в 1200 человек, немедленно вслед за ним был высажен посадочный десант в 2500 человек с тяжелым вооружением, включая артиллерию, бронеавтомобили и танки.

В 1936 году в Белоруссии при отработке той же наступательной темы был выброшен парашютный десант в 1800 человек, за которым последовал посадочный десант в 5700 человек с тяжелым оружием. В том же году в ходе наступательных маневров Московского военного округа 84-я стрелковая дивизия в полном составе была десантирована посадочным способом.

В 1938 году, предвидя «освободительные походы», Сталин создает дополнительно шесть воздушно-десантных бригад численностью в 18 000 парашютистов. В 1939 году Сталин уничтожает партизанские базы и формирования, предназначенные для действий на своей территории, а вместо этого создаются новые десантные подразделения: полки и отдельные батальоны.

В Московском военном округе, например, создавалось три полка трехбатальонного состава и несколько отдельных батальонов по 500—700 парашютистов в каждом батальоне (Ордена Ленина Московский военный округ. С. 177).

В 1940 году Сталин сокрушил все нейтральные государства разделительного барьера и везде, где можно, вышел к самым границам Германии. После этого Сталин должен, кажется, сократить количество своих воздушно-десантных подразделений: дальше на запад остается Германия и союзные ей государства, а с Германией подписан пакт.

Но Сталин свои воздушно-десантные подразделения не расформировывает. Наоборот, в апреле 1941 года в

Советском Союзе тайно развернуто ПЯТЬ ВОЗДУШНО-ДЕСАНТНЫХ КОРПУСОВ. Все корпуса создаются в западных районах Советского Союза.

Воздушно-десантные корпуса помимо обычной десантной пехоты имели довольно мощную артиллерию и даже батальоны легких плавающих танков. Все десантные корпуса создавались на таком расстоянии от границ, что их можно было выбрасывать на территориях противника без дополнительного перебазирования. Все корпуса вели интенсивную подготовку к предстоящему десантированию. Все корпуса были сосредоточены в лесах вдали от посторонних взглядов. При этом 4-й и 5-й корпуса могли без перебазирования быть использованы против Германии, 3-й — против Румынии, 1-й и 2-й могли быть без перебазирования использованы как против Германии, так и против Румынии, а также против Чехословакии или Австрии, чтобы перерезать в горах нефтяные магистрали из Румынии в Германию.

12 июня 1941 года в Красной Армии создается Управление воздушно-десантных войск, а в августе — еще пять воздушно-десантных корпусов. Надо отметить, что вторая серия десантных корпусов не была ответом на германское вторжение.

В оборонительной войне использовать десантников в таких массах невозможно. Из всех корпусов второй серии ни один не принимал участия в войне по прямому назначению. Из первой серии по прямому назначению использовался один корпус один раз в ходе контрнаступления под Москвой. Надо добавить, что существовала еще и третья серия десантных корпусов, один из которых десантировался в 1943 году.

Пять корпусов второй серии — это развитие Красной Армии по инерции: решение о развертывании корпусов было принято до германского вторжения, а потом, после нападения Гитлера, забот было столько, что решение просто забыли отменить. В любом случае парашюты, вооружение и сами десантники для второй серии десантных корпусов были подготовлены ДО германского вторжения.

Помимо воздушно-десантных корпусов, бригад и полков в составе обычной советской пехоты формировалось довольно значительное число отдельных парашютно-десантных батальонов. Маршал Советского Союза И.Х. Баграмян сообщает, например, что в 55-м стрелковом корпусе непосредственно на румынской границе в начале 1941 года шла интенсивная подготовка нескольких парашютно-десантных батальонов. Из описания Баграмяна и из других источников следует, что 55-й стрелковый корпус (всего в Красной Армии в тот момент было шестьдесят два стрелковых корпуса) был не исключением, а правилом.

А кроме чисто парашютных подразделений к переброске воздухом и десантированию посадочным способом на территорию противника готовились некоторые с виду обычные стрелковые дивизии. Пример: 21 июня 1941 года в ходе учений Сибирского военного округа целая стрелковая дивизия высаживалась посадочным способом в тылу условного противника. Сразу возникает вопрос: почему раньше подобные эксперименты и учения проводились только в европейской части страны, а тут вдруг проводятся в Сибири? А загадки нет. Войска Сибирского военного округа уже тайно превращены в 24-ю армию и готовятся к переброске на германскую границу. Перед погрузкой в эшелоны 24-я армия проводит заключительные маневры войск. Если 24-я армия готовится к обороне, то тренировать дивизию для высадки в тыл противника нет смысла. В оборонительной войне нет проблем забросить войска в тыл противника. Наоборот: танковые клинья наступающего противника рвутся вперед, отрезая десятки и сотни тысяч ваших войск от главных сил, и проблема перед обороняющимся — не как бы забросить в тыл противника еще одну дивизию, а как бы хоть некоторых генералов своих да знамена кое-каких дивизий с занятой противником территории эвакуировать.

Но 21 июня 1941 года командующие советскими армиями об оборонительной войне не думали, они готовили свои дивизии на грандиозных маневрах для совсем другой войны.

Коммунисты-историки тратят сотни тысяч тонн бумаги на свои исторические книги, а вот зачем Сталин создал в 41-м году десять воздушно-десантных корпусов, ни одна коммунистическая книга не объясняет.

3

Собирая материалы о советских воздушно-десантных войсках, которые были развернуты в первой половине 1941 года и которые готовились к развертыванию во второй половине того же года, я обратил внимание на интересную деталь. Каждый советский десантный командир, особенно на уровне полковника или генерала, имел в своем ближайшем окружении солдата или сержанта немецкого происхождения. Ту же картину наблюдаем и в советской кавалерии. Впрочем (и это мы дальше увидим), между воздушно-десантными войсками и кавалерией существовала прямая связь: и десантники, и кавалеристы предназначены для решительных наступательных действий, для смелых рейдов и внезапных ударов по тылам противника. Оба рода войск требуют инициативных командиров, способных действовать самостоятельно в отрыве от своих соседей, штабов и тылов. Кавалерия отмирала, а личный состав ее шел в танкисты и в десантники. Точно так же дело обстояло и в Германии.

Так вот, старшие десантные командиры или те, кто готовился попасть в воздушно-десантные войска из кавалерии, вдруг обзавелись советскими солдатами-немцами. У одного немец— водителем, у другого — ординарцем, у третьего — связным. Каждый бывший советский командир-десантник (или кавалерист) сообщает как о забавной подробности: вот, мол, война с немцами началась, а у меня радист персональный, кто бы вы думали? Немец! Правда, парнишка хороший, дисциплинированный, проверенный. Вот у полковника К. Штейна, командира 2-й воздушно-десантной бригады 2-го воздушно-десантного корпуса, солдат-немец в ординарцах, у командира 5-й ВДБр* 3-го ВДК** полковника А. Родимцева немец водителем пристроен. Кстати, это тот самый Родимцев, который в 1939 году на съезде партии кричал, что Красной Армии уставы приписывают воевать только на территории противника! Мне довелось слышать Родимцева, когда он был уже не полковником, а генерал-полковником. Очень толковый генерал. Слов на ветер не бросает и на болтуна не похож. В 41-м его воздушно-десантную бригаду пришлось срочно перешивать в обычную пехоту, пришлось у бригады (как и у всех остальных) отобрать парашюты, а вместо них дать побольше оборонительного вооружения, и его ребята, потеряв многих и под огнем противника переучившись оборонительным навыкам, в конце концов показали себя в обороне очень даже неплохо. Это он со своими гвардейцами в 42-м держал самые последние дома в Сталинграде у самой Волги. А вот в начале июня 41-го Родимцев и его ребята об обороне не думали. Они укладывали парашюты да учили себе языки, особо упирая на немецкий.

Воздушно-десантные войска разбухают, и все новые и новые кавалерийские офицеры и генералы вечерами зубрят немецкий язык, ибо ждут направления в десантники. Кстати, наш герой товарищ Родимцев — только что из кавалерии. А вот кавалерийский полковник (впоследствии генерал-майор) Лев Доватор пока еще не попал в десантники, но мода на немецкий язык и на солдатика-немца и его не обошла. Вдова генерала вспоминает начало 41-го года: «В нашем полку был один немец. Так вот, Лев Михайлович, почитай, каждый день

---

* ВДБр — воздушно-десантная бригада.
** ВДК — воздушно-десантный корпус.

его к себе домой приводил, в разговоре, значит, все упражнялись, и к началу войны он уже свободно говорил по-немецки» («Красная звезда», 17 февраля 1983 г.). Такой вот предусмотрительный оказался. Всю жизнь прожил без языков, а к самой войне вдруг потянуло, да не одного его.

Связи Красной Армии с германскими коммунистами давние и тесные. Сам Тельман при приезде в Советский Союз, не стесняясь, открыто появлялся в советской военной форме. Вальтер Ульбрихт числился в списках 4-й имени Германского пролетариата стрелковой дивизии. Но это, так сказать, видимая часть, а была и другая часть, не такая заметная. Еще в 1918 году, подписав с Германией Брестский «мир», товарищ Ленин распорядился создать учебное заведение для подготовки командиров будущей Германской Красной Армии. Школа была создана под названием — Особая школа немецких красных командиров. Первый начальник школы — Оскар Оберт. Школа меняла свои названия, становилась то тайной, то явной, то снова тайной. Школа выпустила немало командиров, но за отсутствием Германской Красной Армии им пришлось служить в советской. Некоторые из них дошли и до генеральских званий. В начале 1941 года большая часть выпускников этой и подобной ей школ потянулись под боевые знамена советских воздушно-десантных войск.

Изучение публикаций о советских десантных корпусах, созданных в 1941 году, приводит нас к мнению, что количество солдат, сержантов и офицеров с явно немецкими фамилиями в этих формированиях, мягко говоря, было выше стандартного.

ГЛАВА 13

О КРЫЛАТОМ ТАНКЕ

> Авиацию нужно подавлять и уничтожать на аэродромах. Успех подавления авиации на аэродромах зависит от внезапности действий. Важно застать авиацию на аэродромах.
>
> *Маршал Советского Союза И.С. Конев*

1

Подготовить сотни тысяч десантников и парашюты для них — это только полдела: нужны, кроме того, военно-транспортные самолеты и планеры. Советские лидеры это отлично понимали, вот почему парашютный психоз 30-х годов сопровождался и планерным психозом. Советские планеристы и их планеры стояли вполне на уровне мировых стандартов. Достаточно вспомнить, что к началу Второй мировой войны из 18 мировых рекордов в области планеризма 13 принадлежали Советскому Союзу.

Лучшие конструкторы советских боевых самолетов временами отвлекались от своего основного занятия, чтобы создавать планеры. Даже будущего создателя первого спутника Сергея Королева бросили на разработку планеров. Кстати, он в этом деле весьма преуспел. Создателей боевых самолетов и ракет заставляли заниматься разработкой планеров, видимо, не просто ради мировых рекордов. Если Сталина интересовали рекорды, то почему бы не бросить лучшие умы на создание новых спортивных велосипедов?

Военная направленность советского планеризма неоспорима. Еще до прихода Гитлера к власти в СССР был создан первый в мире грузовой десантный планер Г-63 конструктора Б. Урлапова. Затем в СССР были созданы тяжелые планеры, способные поднять грузовую машину. Конструктор П. Гороховский создал резиновый надувной планер. После выброски в тыл противника несколько таких планеров могли быть загружены в один транспортный самолет и возвращены на свою территорию для повторного использования.

Советские генералы мечтали не только бросить в Западную Европу сотни тысяч десантников-пехотинцев, но и сотни, а возможно, и тысячи танков. Конструкторы интенсивно искали пути осуществления мечты самым простым и дешевым способом. Олег Антонов, тот самый, который потом станет создателем самых больших в мире военно-транспортных самолетов, предложил навесить на обычный серийный танк крылья и оперение, используя корпус танка как каркас всей конструкции. Эта система получила название КТ — крылья танка. Приводы воздушных рулей крепились к пушке танка. Экипаж танка осуществлял управление полетом, находясь внутри танка, путем поворота башни и подъема пушечного ствола. КТ — это потрясающая простота. Конечно, риск полета в танке был, мягко говоря, выше привычных норм, но человеческая жизнь в Советском Союзе стоила даже дешевле, чем навесные крылья на танке.

КТ в 1942 году летал. В книге выдающегося западного эксперта Стивена Залога есть уникальная фотография летящего в небе танка с крыльями и хвостом.

Перед приземлением двигатель танка запускался и гусеницы раскручивались до максимальной скорости. КТ садился на свои собственные гусеницы и постепенно тормозил. После этого крылья и оперение сбрасывались, и танк снова превращался из крылатого в обычный.

Олег Антонов с созданием крылатого танка опоздал к началу войны, да и началась она не так, как планировал Сталин, поэтому крылатые танки оказались столь же ненужными, как и миллион парашютистов.

2

В работах советских создателей планеров были ошибки и неудачи, были срывы и поражения. Но успехи несомненны. Советский Союз вступил во Вторую мировую войну, имея во много раз больше планеров и планеристов, чем весь остальной мир. Только в 1939 году в СССР одновременно обучались пилотированию планеров 30 000 человек. Техника пилотирования часто достигала очень высокого уровня. Например, в 1940 году в СССР был продемонстрирован полет одиннадцати планеров на буксире одного самолета.

Сталин сделал все, для того чтобы своих планеристов обеспечить достаточным количеством планеров. Речь идет, конечно, не об одноместных спортивных планерах, а о многоместных десантных.

В конце 30-х годов в Советском Союзе одновременно более десяти конструкторских бюро вели жестокую конкурентную борьбу за создание лучшего транспортно-десантного планера. Олег Антонов кроме крылатого танка создал многоместный десантный планер А-7. В. Грибовский разработал великолепный десантный планер Г-11. Д. Колесников создал планер для переброски двадцати солдат — КЦ-20, а Г. Корбула работал над созданием планера-гиганта.

В январе 1940 года решением Центрального Комитета (т. е. решением Сталина) в составе Наркомата авиационной промышленности было создано управление по производству транспортно-десантных планеров. 1940 год был занят интенсивной подготовительной работой, а с весны 1941 года заводы, подчиненные этому управлению, начали массовый выпуск десантных планеров.

Вот тут мы подошли к довольно интересному моменту. Выпущенные весной 1941 года планеры можно было использовать летом 1941-го или по крайней мере — ранней осенью. А вот сохранить транспортно-десантные планеры до 1942 года было уже невозможно. Все ангары, а их в Советском Союзе было не так уж много, были давно забиты ранее выпущенными планерами. Хранить огромный десантный планер под открытым небом на осенних дождях и ветрах, на морозе и под многотонной снеговой нагрузкой — невозможно.

Массовое производство транспортно-десантных планеров в 1941 году означало намерение их использовать в 1941 году.

Если бы Сталин намеревался выбросить сотни тысяч своих десантников в Западную Европу в 1942 году, то массовое производство планеров нужно было планировать на весну 1942 года.

3

Планер — это средство для доставки грузов и групп десантников без парашютов. Десантников с парашютами доставляют в тыл противника военно-транспортные самолеты.

Лучшим военно-транспортным самолетом мира в начале Второй мировой войны был легендарный американский самолет С-47. Резонно предположить, что если лучший в мире военно-транспортный самолет создан в США, то Советский Союз в области военно-транспортных самолетов вступил в войну, имея не первое, а максимум второе место.

Такое предположение неверно. Дело в том, что американский С-47, правда, под другим именем (Ли-2), составлял основу советской военно-транспортной авиации. Правительство США по какой-то причине до начала войны продало Сталину лицензию на его производство и необходимое количество самого сложного оборудования. Сталин использовал предоставленную ему возможность полностью: С-47 выпускали в СССР настолько большими сериями, что некоторые американские эксперты считают, что в начале войны СССР имел этих самолетов больше, чем США.

Кроме С-47 Советский Союз имел несколько сотен устаревших стратегических бомбардировщиков ТБ-3, переквалифицированных в военно-транспортные самолеты.

Все гигантские выброски десантов в 30-е годы были совершены с ТБ-3. Их было достаточно много, чтобы поднимать одновременно несколько тысяч парашютистов и тяжелое оружие, включая легкие танки, бронеавтомобили и артиллерию.

4

Сколько бы Сталин ни строил военно-транспортных самолетов, их в любом случае пришлось бы использовать очень интенсивно: днями и ночами в течение нескольких недель или даже месяцев для того, чтобы многими рейсами сперва перебросить массу советских десантников в тыл противника, а затем их там снабжать. Возникла проблема: как сохранить военно-транспортные самолеты в первом рейсе для второго рейса и как сохранить их во втором — для последующих. Потери в самолетах, планерах и десантниках в первом рейсе могли быть чудовищными. Потери во втором рейсе могли быть еще бо́льшими, ибо отсутствует внезапность.

Советские генералы все это отлично понимали. Было очевидно, что выброска миллиона парашютистов может быть осуществлена только при условии абсолютного советского господства в воздухе. «Красная звезда» 27 сентября 1940 года говорит открыто и прямо, что высадить такие массы десантников без господства в воздухе невозможно.

Основным документом, определяющим действия Красной Армии в войне, был Полевой устав. В то время действовал Полевой устав 1939 года — ПУ-39. Устав однозначно и четко определяет, что проведение «глубокой операции» вообще и массовая выброска воздушных десантов в частности могут проводиться только в условиях господства советской авиации в воздухе. Полевой устав, а также Боевые авиационные уставы и «Инструкция по самостоятельному использованию авиации» предусматривали проведение в начальном периоде войны гигантской стратегической операции по подавлению авиационной мощи противника. В такой операции, по замыслу советского командования, должна была участвовать авиация нескольких фронтов, флотов, авиация Главного командования и даже истребительная авиация ПВО.

Главным залогом успеха операции советские уставы считали ее внезапность. Внезапная операция по разгрому авиационной мощи противника должна была проводиться «в интересах войны в целом». Иными словами, внезапный удар по аэродромам должен быть настолько мощным, чтобы авиация противника не могла от него оправиться до самого конца войны.

В декабре 1940 года высшие командиры Красной Армии в присутствии Сталина и членов Политбюро на секретном совещании обсуждали в деталях именно такие операции. Они на советском жаргоне назывались «особые операции начального периода войны». Командующий советской авиации генерал П.В. Рычагов особо подчеркивал необходимость тщательно замаскировать подготовку советской авиации к нанесению внезапного удара, чтобы «застать всю авиацию противника на ее аэродромах».

Совершенно очевидно, что «застать авиацию противника на аэродромах» в военное время невозможно. Это возможно только в мирное время, когда противник не подозревает об опасности. Нельзя начать войну, а потом нанести внезапный удар по большинству аэродромов в надежде захватить всю авиацию на стоянках, но можно нанести удар в мирное время, и этот удар будет началом войны.

Сталин создал так много десантных войск, что их можно было использовать только в одной ситуации: КРАСНАЯ АРМИЯ ВНЕЗАПНО И ВЕРОЛОМНО НАЧИНАЕТ ВОЙНУ УДАРОМ СВОЕЙ АВИАЦИИ ПО АЭРОДРОМАМ ПРОТИВНИКА. В любой другой ситуации использовать сотни тысяч десантников и тысячи транспортных самолетов и планеров просто невозможно.

ГЛАВА 14

ДО САМОГО БЕРЛИНА!

> Рабоче-крестьянская Красная Армия будет самой нападающей из всех когда-либо нападавших армий.
>
> *Полевой устав РККА 1939 г.*

1

Гитлер повернулся к Сталину спиной, бросив свои дивизии на Францию. В это время Сталин интенсивно уничтожает свою оборону и усиливает наступательную мощь Красной Армии.

Среди многих оборонительных систем Советского Союза была Днепровская военная флотилия. Великая река Днепр закрывает путь агрессорам с запада в глубь советской территории. Все днепровские мосты до 1939 года были заминированы, и их можно было взорвать так, что восстанавливать было бы нечего. Во всех предшествующих кампаниях германским войскам не приходилось форсировать ни одной водной преграды, равной Днепру. Германские танковые клинья, по крайней мере в среднем и нижнем течении Днепра, можно было вполне остановить нажатием нескольких кнопок. Для того чтобы не допустить форсирования и наведения временных переправ, на Днепре в начале 30-х годов была создана Днепровская военная флотилия, которая к началу Второй мировой войны насчитывала 120 боевых кораблей и катеров, включая восемь мощных мониторов, каждый водоизмещением до двух тысяч тонн, с броней более 100 мм и пушками калибра 152 мм. Кроме того, Днепровская флотилия имела свою собственную авиацию, береговые и зенитные батареи. Левый берег Днепра очень удобен для действий речных боевых кораблей: тут множество островов, протоков, затонов, рукавов, которые позволяют боевым кораблям, включая самые крупные, скрываться от противника и наносить внезапные удары, пресекая попытки форсирования.

Мощная водная преграда Днепр, подготовленные к взрывам мосты и речная флотилия, действующая во взаимодействии с полевыми войсками, артиллерией и авиацией, могли надежно закрыть пути к индустриальным районам юга Украины и черноморским базам СССР.

На рубеже Днепра германский блицкриг мог быть остановлен или по крайней мере задержан на несколько месяцев. В этом случае весь ход войны был бы совсем другим. Но... В момент, когда Гитлер повернулся к Сталину спиной, Сталин приказал днепровские мосты разминировать, а военную флотилию расформировать.

Днепровская флотилия могла использоваться только на территории Советского Союза и только в оборонительной войне. Понятно, что Сталину такая флотилия не нужна.

2

Вместо одной оборонительной флотилии Сталин создает две новые флотилии: Дунайскую и Пинскую. Были ли они оборонительными? Давайте посмотрим.

Летом 1940 года лихим «освободительным походом» Сталин оторвал от Румынии Буковину и Бессарабию. В самом устье Дуная восточный берег реки на участке в несколько десятков километров отошел к Советскому Союзу. Немедленно сюда была двинута заранее сформированная для этого случая Дунайская флотилия. Перебросить ее корабли с Днепра было нелегко: малые корабли перевезли по железной дороге, а большие с особыми предосторожностями в тихую погоду провели через Черное море.

Дунайская военная флотилия включала в свой состав около семидесяти боевых речных кораблей и катеров, подразделения истребительной авиации, зенитной и береговой артиллерии. Условия базирования были ужасны. Советский берег в дельте Дуная гол и открыт. Корабли стоят у причалов, а румынские войска находятся рядом, иногда в трехстах метрах от советских кораблей.

В случае оборонительной войны вся Дунайская флотилия с первого момента войны попадала в ловушку: отходить из дельты Дуная некуда — позади Черное море. Маневрировать флотилии негде. В случае нападения противник мог просто из пулеметов обстреливать советские корабли, не давая им возможности поднять якоря и отдать швартовы. В оборонительной войне Дунайская военная флотилия не только не могла по характеру своего базирования решать оборонительные задачи, но оборонительных задач и не могло тут возникнуть! Дельта Дуная — это сотни озер, это непроходимые болота и камыши на сотни квадратных километров. Не будет же противник нападать на Советский Союз через дельту Дуная!

Существовал только один вариант действий Дунайской флотилии — в ходе всеобщего наступления войск Красной Армии вести боевые действия вверх по течению реки. Если у вас в дельте великой реки собрано семьдесят речных кораблей, то им некуда идти, кроме как вверх по течению. Других направлений нет. Но вверх по течению — означает, что действовать предстоит на территории Румынии, Болгарии, Югославии, Венгрии, Чехословакии, Австрии и Германии.

В оборонительной войне Дунайская флотилия никому не нужна и обречена на немедленное уничтожение на своих открытых стоянках у простреливаемого противником берега. А вот в наступательной войне Дунайская флотилия была для Германии смертельно опасна: стоило ей подняться на 130 км вверх по течению, и стратегический мост у Черновады окажется под обстрелом ее пушек, а это означало, что подача нефти из Плоешти в порт Константа нарушена. Еще двести километров вверх по течению — и вся германская военная машина остановится просто потому, что германские танки, самолеты, боевые корабли больше не будут получать топлива...

Интересная деталь: в составе Дунайской военной флотилии было несколько подвижных береговых батарей, вооруженных пушками калибром 130 и 152 мм. Если советское командование и вправду решило, что кто-то будет нападать на СССР через дельту Дуная, то надо немедленно береговые батареи врыть в землю, а при первой возможности построить для них железобетонные капониры. Но никто капониров не строил, пушки были подвижными и оставались подвижными. Была только одна возможность использовать их мобильность и только одно направление, куда они могли двигаться: в наступательных операциях подвижные батареи сопровождают флотилию, двигаясь берегом и поддерживая боевые корабли огнем.

3

Удивительна реакция командования Дунайской военной флотилии на начало советско-германской войны. Слово «война» означало для советских командиров не оборону, а наступление. Получив сообщение о начале войны, советские командиры завершают последние приготовления к проведению десантной операции. Действия советских флотских командиров, а также командования 14-го стрелкового корпуса, дивизии которого сосредоточены в районе Дунайской дельты, и командования 79-го пограничного отряда НКВД заранее спланированы и тщательно отработаны. 25 июня 1941 года боевые корабли Дунайской флотилии под прикрытием береговых батарей и артиллерии стрелкового корпуса и дивизий, входящих в его состав, высаживают разведывательно-диверсионные подразделения НКВД на румынский берег. Вслед за ними проводится высадка полков 51-й стрелковой дивизии 14-го стрелкового корпуса. Советские десантники действуют решительно, дерзко и быстро. Сложная операция с участием речных кораблей, авиации, полевой, береговой и корабельной артиллерии, подразделений Красной Армии и НКВД отработана с ювелирной точностью. Все подготовлено, увязано, согласовано, проверено много раз. Утром 26 июня 1941 года над центральным собором румынского города Килия был поднят красный флаг. В руках советских войск оказался мощный плацдарм на румынской территории протяженностью 70 км. Дунайская флотилия готовится к наступательным действиям вверх по течению Дуная. Ей надо пройти вверх только 130 км, что при отсутствии сопротивления (а его почти нет) может занять одну ночь. В помощь флотилии может быть выброшен 3-й воздушно-десантный корпус, расположенный в районе Одессы.

Пройти вверх по течению несколько десятков километров Дунайская флотилия вполне могла. Позже она это доказала. Сформированная во второй раз в 1944 году, не имея ни авиации, ни тяжелых мониторов, Дунайская военная флотилия поднялась с боями вверх по течению Дуная на 2000 км и завершила войну в Вене. В 1941 году Дунайская флотилия имела гораздо больше сил и гораздо меньше сопротивления со стороны противника.

4

И Гитлер, и Сталин отчетливо понимали, что означает выражение «нефть — это кровь войны». Генерал-полковник А Йодль свидетельствует, что в споре с Гудерианом Гитлер заявил: «Вы хотите наступать без нефти — хорошо, посмотрим, что из этого получится». Сталин серьезно занялся вопросами грядущей Второй мировой войны **в 1927 году.** Центральным вопросом стратегии для Сталина был вопрос нефти. Вот его заявление

3 декабря 1927 года: «Воевать без нефти нельзя, а кто имеет преимущество в деле нефти, тот имеет шансы на победу в грядущей войне».

Имея в виду эти две точки зрения, давайте постараемся найти виновника возникновения советско-германской войны. В июне 1940 года, когда Советскому Союзу никто не угрожал, десятки советских речных боевых кораблей появились в дельте Дуная. Этот шаг не имел никакого оборонительного значения, но был угрозой для незащищенных румынских нефтепроводов, а следовательно, и смертельной угрозой для всей Германии. В июле 1940 года Гитлер проводит интенсивные консультации со своими генералами и приходит к неутешительному выводу, что защищать Румынию совсем не просто: пути снабжения растянуты и проходят через горы. Если бросить много войск на защиту Румынии, то Западная Польша и Восточная Германия с Берлином окажутся открытыми для советского удара. Если сосредоточить много войск в Румынии и удерживать ее любой ценой, то и это не поможет: территорию, может быть, удержим, а нефтяные промыслы все равно сгорят от обстрелов и бомбежек.

В июле 1940 года Гитлер впервые высказывает мысль о том, что Советский Союз может быть очень опасен, особенно если германские войска уйдут с континента на Британские острова и в Африку. 12 ноября 1940 года в беседе с Молотовым Гитлер указывает на необходимость держать в Румынии много германских войск, явно намекая Молотову на советскую военную угрозу румынской нефти. Молотов намек игнорировал. Вот почему Гитлер после отъезда Молотова, обдумав еще раз, в декабре дает директиву на проведение операции «Барбаросса».

В июне 1940 года, когда германская армия воевала во Франции, Жуков по приказу Сталина без всяких консультаций с германскими союзниками оторвал кусок Румынии — Бессарабию и ввел речные корабли в дельту Дуная. Если Гитлер сделает еще один шаг на запад, в Британию, где гарантия того, что Жуков по приказу

Сталина не сделает еще один шаг в той же Румынии, шаг — всего в сто километров, который будет для Германии смертельным?

Гитлер просил главу советского правительства отвести советскую угрозу от нефтяного сердца Германии. Сталин и Молотов угрозу не отвели. Кто же виноват в начале войны? Кто кому угрожал? Кто кого провоцировал на ответные действия?

Великий британский военный историк Лиддел Гарт, тщательно изучив данный вопрос, установил, что германский план в июле 1940 года был очень простым: для того, чтобы защитить Румынию в случае советской агрессии, надо нанести германский удар в другом месте, отвлекая внимание Красной Армии от нефтяных полей.

В ходе разбора вариантов было признано, что отвлекающий удар будет успешным, только если будет мощным и внезапным. Количество войск для участия в таком ударе постепенно увеличивалось, пока наконец и не было признано, что в ударе должны участвовать практически все германские сухопутные войска и большая часть авиации.

Расчет Гитлера оправдался: удар в другом месте заставил советские войска отходить по всему фронту. Дунайская военная флотилия оказалась отрезанной от своих войск без возможности отойти. Большинство ее кораблей пришлось взорвать и утопить, а гигантские запасы, предназначенные для обеспечения движения флотилии вверх по течению Дуная, просто бросить.

Удар Гитлера был сильным, но не смертельным. Еще Макиавелли заметил, что сильный, но не смертельный удар означает смерть для того, кто такой удар наносит. Сталин от внезапного удара с трудом, но оправился. Сталин создал новые армии и флотилии взамен потерянных в первые дни войны, а нефтяную аорту Германии он-таки перерезал, правда, на несколько лет позже, чем намечал...

5

Зачем Сталин захватил у Румынии Бессарабию в июне 1940 года, говорит телеграмма Сталина командующему Южным фронтом генералу армии И.В. Тюленеву от 7 июля 1941 года. Сталин требует любой ценой удерживать Бессарабию, «имея в виду, что нам территория Бессарабии нужна как исходный плацдарм для организации наступления». Уже Гитлер нанес свой внезапный удар, а Сталин и не думает об обороне, его главная забота — организовать наступление из Бессарабии. Но наступление из Бессарабии — это наступление на румынские нефтяные поля.

В карьере Сталина было мало ошибок. Одна из немногих, но самая главная — это захват Бессарабии в 1940 году. Надо было или захватывать Бессарабию и тут же идти дальше до Плоешти, и это бы означало крушение Германии; или ждать, пока Гитлер не высадится в Британии, и после этого захватывать Бессарабию и всю Румынию, и это тоже было бы концом «тысячелетнего рейха». Сталин же сделал один шаг по направлению к нефти, захватив плацдарм для будущего наступления, и остановился — выжидая. Этим он показал свой интерес к румынской нефти и вспугнул Гитлера, который до этого воевал на западе, на севере и юге, не обращая внимания на «нейтрального» Сталина.

Захват Бессарабии Советским Союзом и концентрация тут мощных сил агрессии, включая воздушно-десантный корпус и Дунайскую флотилию, заставили Гитлера взглянуть на стратегическую ситуацию совсем с другой точки зрения и принять соответствующие предупредительные меры. Но было уже слишком поздно. Даже внезапный удар Вермахта по Советскому Союзу уже не мог спасти Гитлера и его империю... Гитлер понял, откуда исходит главная опасность, но поздно. Об этом надо было думать до подписания пакта Молотова—Риббентропа.

В книге Маршала Советского Союза Г.К. Жукова есть карта расположения советских военно-морских баз в первой половине 1941 года. Среди этих баз есть одна, размещенная в районе города Пинска в Белоруссии. До ближайшего моря — не меньше пятисот километров. Военно-морская база в белорусских болотах — это очень похоже на шутку нашего детства — «подводная лодка в степях Украины». Но смешного в данном случае мало.

После расформирования чисто оборонительной Днепровской военной флотилии часть ее кораблей перебросили в дельту Дуная, а другую часть подняли вверх по течению в приток Днепра — реку Припять. Поднимали корабли почти к самым истокам, туда, где ширина реки едва достигает пятидесяти метров. Тут и построили для новой флотилии базу.

Пинская военная флотилия по своей мощи почти не уступала Дунайской — в ее составе было не менее четырех огромных мониторов и два десятка других кораблей, авиационная эскадрилья, рота морской пехоты и другие подразделения. Использовать Пинскую военную флотилию в обороне нельзя: мониторы, которые пришли сюда, были повернуты носами на запад, а развернуть каждый — целая операция. Если корабли нужны для обороны, то их следует просто вернуть в Днепр, а на тихой лесной реке Припяти им нечего делать, и противник вряд ли полезет в эти непроходимые леса и топкие болота.

Назначение Пинской военной флотилии так и останется непонятным, если не вспомнить о Днепровско-Бугском канале. Немедленно после «освобождения» Западной Белоруссии от города Пинска к Кобрину Красная Армия принялась рыть канал длиной в 127 км. Канал строили зимой и летом. В его строительстве участвовали саперные части 4-й армии и «строительные организации НКВД», т. е. тысячи зеков ГУЛАГа. О чисто военном назначении канала говорит уже тот факт, что строительством руководил полковник (в последующем — маршал инженерных войск) Алексей Прошляков. Условия, в которых прокладывался канал, были поистине ужасными. В болотной трясине тонула техника, и была только одна возможность построить канал в установленные Сталиным сроки: все делать вручную. Канал построили. Сколько за него пришлось заплатить человеческих жизней, вряд ли кто знает. Да и кто те жизни считал? Канал соединил бассейн реки Днепр с бассейном реки Буг. Зачем? Торговать с Германией? Но торговля шла Балтийским морем и железными дорогами. Торговые корабли большой грузоподъемности разойтись в канале не могли. Да и долгим путь получается: из Днепра — в Припять, из Припяти — каналом — в Мухавец, оттуда в Буг, по которому, кстати, тогда коммерческого судоходства не было, а из Буга можно попасть в Вислу. Нет, это явно не коммерции ради. Это чисто военный канал. Для обороны на Буге? Но у Советского Союза только совсем маленький кусочек Буга в районе Бреста, оттуда Буг резко поворачивает к Варшаве. Оборона в этих районах не готовилась, и даже Брестская крепость в случае войны должна была иметь всего один батальон, и то не для обороны, а для гарнизонной службы.

Единственное назначение канала — пропустить корабли в бассейн Вислы и далее на запад. Другого назначения каналу не придумать. В оборонительной войне его пришлось взрывать, чтобы не пустить германские речные корабли из бассейна Вислы в бассейн Днепра. В оборонительной войне все корабли Пинской флотилии пришлось взорвать и. бросить.

А вот в конце 1943 года снова на Днепре была создана флотилия, и снова по Припяти она пошла вверх, и снова советские саперы проложили канал из Припяти в маленькую речушку Мухавец, которая впадала в Буг. Адмирал В. Григорьев, который в 1943 году принял в районе Киева новую флотилию, вспоминает слова маршала Жукова: «По Припяти сможете перейти на Западный Буг, Нарев и Вислу к Варшаве, а дальше перейти на реки Германии... Кто знает, быть может, и до самого Берлина! — Он резко повернулся, испытующе посмотрел на меня и повторил, делая ударение на каждом слове: — До самого Берлина! А?» (ВИЖ. 1984. № 7. С. 68).

Адмирал Григорьев со своей флотилией дошел до Берлина. В любой книге по истории советского флота мы найдем символический снимок советского военно-морского флага на фоне Рейхстага.

Получилось так, что Сталин пришел в Берлин в ответ на нападение Гитлера. Но это вариант, который Сталин не предвидел. Если бы он верил в возможность германского нападения, то надо было бросить миллионы зеков рыть противотанковые рвы вдоль границ. Сталин намеревался прийти в Берлин, но не в ответ на нападение, а по собственной инициативе. Вот почему советские зеки и саперы Красной Армии не рыли противотанковые рвы, а зарывали ранее построенные, и еще тянули они канал с востока на запад.

Давайте же не забудем и тех зеков, которых Сталин погубил в 1940 году в трясине болот ради того, чтобы флаг коммунистов был поднят над столицей Третьего рейха.

ГЛАВА 15

МОРСКАЯ ПЕХОТА
В ЛЕСАХ БЕЛОРУССИИ

> Нас учили, что войны теперь начинаются без рыцарского «иду на вы».
>
> *Адмирал флота Советского Союза*
> *Н.Г. Кузнецов*

1

Морской пехоты в Красной Армии не было. Для сухопутных сражений проще и дешевле использовать пехоту обычную, а высадка на дальних берегах пока в планы не входила.

Но вот Гитлер рванул на запад, показав Сталину незащищенную спину. Этот неосторожный шаг Гитлера повлек за собой самые радикальные структурные изменения внутри Красной Армии: уничтожались остатки обороны и резко усиливался ударный кулак. 1940 год — это год рождения советской морской пехоты. Она родилась в июне, в том самом месяце, когда Гитлер сокрушил Францию. В то время в составе советских вооруженных сил были два океанских и два морских флота и две речные флотилии: Амурская и Днепровская. Океанские флоты морской пехоты не получили. Тихий и Ледовитый океаны Сталина пока не интересуют. Амурская военная флотилия охраняла советские дальневосточные рубежи и тоже морской пехоты не получила. Днепровская военная флотилия, как мы уже знаем, была разделена на две наступательные флотилии, при этом Пинская, расположенная в лесах Белоруссии, получила роту морской пехоты. Правда, интересно: на океанах морской пехоты нет, а в белорусских болотах она есть. Из этого можно делать выводы, где Сталин готовит оборону, а где наступление.

В составе Балтийского флота, единственным противником которого могла быть только Германия и ее союзники, была сформирована бригада морской пехоты численностью в несколько тысяч человек.

Советская морская пехота 22 июня 1941 года получила боевое крещение в оборонительных боях, защищая военно-морскую базу Лиепая. База находилась менее чем в ста километрах от германских границ, но не имела никакой сухопутной обороны и к обороне не готовилась. По свидетельствам как советских адмиралов, так и германских трофейных документов, Лиепая была забита советскими подводными лодками, «как бочка селёдкой». Официальная история советского Военно-морского флота, изданная Академией наук СССР, открыто признает, что Лиепая готовилась как передовая база советского флота для ведения наступательной войны на море (Флот в Великой Отечественной войне. 1941— 1945. С. 138).

Морская пехота находилась в Лиепае так близко от германских границ, что уже в первый день войны участвовала в оборонительных боях, хотя, конечно, создавали морскую пехоту совсем не для этого. В оборонительных боях простая пехота лучше морской.

2

Дунайская военная флотилия имела две роты сухопутных войск, но в документах они официально морской пехотой не числятся. Это, однако, не говорит о большом миролюбии. Мы уже знаем, что еще до германского вторжения минимум две советские стрелковые дивизии — 25-я Чапаевская и 51-я Перекопская из состава 14-го стрелкового корпуса — в районе Дунайской дельты готовились (и хорошо подготовились) для действий в качестве морской пехоты.

Еще более мощными силами обладал Черноморский флот. Официально он морской пехоты не имел, но в начале июня 1941 года из Закавказья в Крым был тайно переброшен 9-й особый стрелковый корпус генерал-лейтенанта П.И. Батова. Корпус был совершенно необычным по своему составу, вооружению и направленности боевой подготовки. 18—19 июня Черноморский флот проводил грандиозные учения с наступательной тематикой, при этом одна из дивизий 9-го особого стрелкового корпуса была посажена на боевые корабли и затем произвела высадку на побережье «противника». Высадка целой дивизии с боевых кораблей до этого никогда в Красной Армии не практиковалась.

Совместным тренировкам флота и войск 9-го особого стрелкового корпуса Москва уделяла исключительное внимание. Эти тренировки проходили под наблюдением специально прибывших из Москвы командиров высокого ранга.

Один из них, вице-адмирал И.И. Азаров, открыто свидетельствует: все участники учений чувствовали, что учения проводятся неспроста и скоро придется полученные навыки использовать в войне, на своей территории, конечно (Осажденная Одесса. С. 3—8).

Если начнется война и советское командование применит 9-й особый стрелковый корпус в соответствии с его профилем и направленностью его подготовки, то где же можно его высадить? Не на советской же территории высаживать корпус с моря! Тогда где? Теоретически есть только три возможности: Румыния, Болгария, Турция. Но где бы корпус ни высадили, его немедленно надо будет снабжать, и для этого надо будет или высаживать дополнительные войска, или советским войскам нужно стремительно идти на соединение с 9-м особым стрелковым корпусом, а это в любом случае через Румынию.

По странному совпадению в те же дни 3-й воздушно-десантный корпус тоже в Крыму проводил грандиозные учения с выброской управления, штаба корпуса и штабов бригад.

Советские историки никогда не связывали вместе эти события: тренировки 14-го стрелкового корпуса для высадки с кораблей Дунайской флотилии, 3-го воздушно-десантного корпуса — с самолетов и планеров, 9-го особого стрелкового корпуса — с боевых кораблей Черноморского флота. Но эти события связаны. Они связаны по месту, времени, цели. Это подготовка агрессии гигантских масштабов. Это подготовка в самой последней стадии.

ГЛАВА 16
ЧТО ТАКОЕ АРМИИ ПРИКРЫТИЯ

В современной «армии прикрытия» заложена доминирующая оперативно-стратегическая идея **активного внезапного вторжения**. Отсюда ясно, что современный оборонительный термин «армия прикрытия» скорее является ширмой для **внезапного** наступательного удара «армии вторжения».

Проблемы стратегического развертывания.
Изд. Военной академии РККА им. Фрунзе.
1935 г. (Выделено авторами)

1

В европейской части Советского Союза было пять военных округов, которые имели общие границы с иностранными государствами. Войска пяти приграничных округов и три флота составляли Первый стратегический эшелон. Приграничные и все другие округа в своем составе имели дивизии и корпуса, но армий в их составе не было.

Армии существовали в Гражданской войне и после нее были расформированы. Армии — это слишком большие формирования, чтобы их содержать в мирное время. Единственным исключением была Особая Краснознаменная армия. Но ее мы не можем принимать в расчет, так как под этим термином понимались все советские войска на Дальнем Востоке и в Забайкалье, а также авиация, морские силы, военные поселения и пр. Это огромное бесформенное образование включало в свой состав даже колхозы и свои собственные концлагеря. Необычность этого формирования подчеркивалась тем, что оно не имело номера, а во главе этой гигантской организации стоял Маршал Советского Союза.

В 1938 году на Дальнем Востоке впервые в мирное время были сформированы две армии: 1-я и 2-я. Этот шаг советского правительства вполне понятен — с Японией отношения были очень плохими, и периоды длительной вражды неоднократно выливались в настоящие бои и сражения с участием огромного количества войск.

В европейской части страны армий со времен Гражданской войны не было. Приход Гитлера к власти, экономические, политические и военные кризисы в Европе, прямое столкновение советских коммунистов с фашистами в Испании, поглощение Германией Австрии и захват Чехословакии — все это и многое другое не повлекло за собой создания советских армий в Европе.

Но вот с начала 1939 года Советский Союз вступает в новую эпоху своего существования. Начало эпохи знаменуется речью Сталина на XVIII съезде партии, которую в Берлине, по словам Риббентропа, «приняли с пониманием». Советская внешняя политика резко меняет курс: Великобритания и Франция открыто объявляются поджигателями войны. Сталин не протягивает Гитлеру руку дружбы, но советская дипломатия дает ясно понять Гитлеру, что если он протянет руку, то ее примут. Кстати сказать, протянутую руку Гитлера пожал не Сталин лично, а его верный слуга Молотов. Но это видимая сторона начала новой эпохи, а вот подводная: **в 1939 году Советский Союз начал формировать армии в европейской своей части.** Позвольте полюбопытствовать: против кого? Против «поджигателей войны» — Великобритании и Франции — сухопутные армии использовать невозможно просто по географическим причинам. Против кого тогда? Неужели против Гитлера, с которым столь интенсивно ведутся закулисные переговоры о сближении?

Итак, советская дипломатия «ищет пути к миру», а на западных границах тайно появляются армии, внезапно и целыми сериями: 3-я и 4-я армии — в Белоруссии, 5-я и 6-я — на Украине, 7-я, 8-я, 9-я — на финской границе. Армии набирают мощь, а в это время к ним добавляются новые: 10-я и 11-я — в Белоруссии, 12-я — на Украине.

Коммунистическая пропаганда иногда старается представить дело так, что вроде бы началась Вторая мировая война, а после этого Советский Союз начал формировать свои армии. Но дело обстояло не так. Существует достаточно доказательств того, что сначала Сталин принял решение сформировать армии, а потом начались войны и конфликты. Процесс создания армий даже по советским официальным источникам предшествовал сговору Молотова—Риббентропа. О 4-й и 6-й армиях известно, что в августе 1939 года они уже существовали. Есть сведения о том, что 5-я армия существовала в июле. 10-я и 12-я были созданы «до начала Второй мировой войны», т. е. до 1 сентября 1939 года. Об остальных тоже известно, что вначале эти армии были созданы в районе предстоящих конфликтов, а потом конфликты возникали.

Каждая из этих армий через короткое время после своего создания побывала в деле: все семь армий, развернутых на польской границе, «освобождали» Польшу, а три армии на финской границе «помогали финскому народу сбросить гнет угнетателей». Трех армий тут не хватило — и вот новые: 13-я, 14-я, 15-я.

После Зимней войны четыре советские армии на финских границах как бы ушли в тень, растворились, 15-я вскоре появилась на Дальнем Востоке, 8-я появилась на границах прибалтийских государств, а 9-я — на границах Румынии. После этого следуют «просьбы трудящихся» освободить их. И доблестные советские армии «освобождают» Эстонию, Литву, Латвию, Бессарабию, Северную Буковину. После этого 9-я снова уходит в тень. Она, как и 13-я, готова появиться в любой момент. И она появится.

После завершения боев и «освободительных» походов ни одна армия не была расформирована. Это был невиданный прецедент во всей истории СССР. До этого армии формировались **только** во время войны и **только** для войны. Но СССР «освободил» всех, кого только можно. Больше в Европе освобождать некого. Дальше Германия. И вот именно в этот момент процесс создания новых армий резко ускорился.

2

В июне 1940 года в Забайкалье формируются две армии: 16-я и 17-я. 16-я создавалась и располагалась так, чтобы ее в любой момент можно было быстро перебросить на запад. Но не она нас интересует. 17-я армия — вот что интересно. Создание армии с номером 17 — это момент исключительной важности. В Гражданской войне в самый драматический момент кровавой борьбы за сохранение коммунистической диктатуры самый большой номер для обозначения армий был 16. Номера 17 никогда в истории Советского Союза не было. Появление армии с таким номером означало, что по числу общевойсковых армий Советский Союз в мирное время, не ожидая нападения извне, превзошел уровень, который был достигнут только однажды, только на короткий промежуток времени и только в ходе жесточайшей войны.

Советские лидеры совершенно ясно понимали, что после создания армии с номером 17 Советский Союз перешел через не видимый никому со стороны Рубикон. Еще два года назад государство не могло себе позволить содержать ни одного формирования, которое можно было бы определить военным стандартом — армия. Теперь их создано столько, сколько не существовало никогда раньше, даже при всеобщей тотальной мобилизации всего населения, при полном напряжении всего экономического потенциала страны, духовных и физических сил всего общества. Советский Союз превзошел критическую степень могущества, и отныне развитие страны шло в совершенно новых условиях, с которыми не приходилось встречаться раньше.

Ясно, что создание 17-й армии было государственным секретом высочайшей категории, и Сталин сделал все, для того чтобы этот секрет не был раскрыт ни за рубежом, ни даже внутри страны. 16-я и 17-я армии создавались так, чтобы их увидеть со стороны было почти невозможно. Вдобавок были предприняты дополнительные меры по пресечению слухов о наращивании советской военной мощи. Приказ о создании 17-й армии был подписан Маршалом Советского Союза С.К. Тимошенко 21 июня 1940 года (Приказ Наркома обороны № 4, пункт 3), а на следующий день, 22 июня, советское радио передало Сообщение ТАСС. Автором сообщения как всегда был сам Сталин. Германский посол Шуленбург безошибочно определил автора и сразу сказал о своем открытии Молотову. Молотов не нашел нужным опровергать «предположение» Шуленбурга...

Сталин в Сообщении ТАСС использует свой любимый прием: вначале приписывает своим противникам слова, которых они не говорили, а потом очень легко разоблачает ложь. «Ходят слухи, что на литовско-германской границе сосредоточено не то 100, не то 150 советских дивизий...» Это сталинская выдумка. Я проверил газеты Великобритании, Франции, США, которые Сталин разоблачает как клеветников, — ни одна газета не называет таких фантастических цифр. Приписав западной прессе то, чего она не говорила, Сталин легко опровергает эту несуществующую клевету и переходит к главному:

«В ответственных советских кругах считают, что распространители этих нелепых слухов преследуют специальную цель — набросить тень на советско-германские отношения. Но эти господа выдают свои затаенные желания за действительность. Они, видимо, не способны понять тот очевидный факт, что добрососедские отношения, сложившиеся между СССР и Германией в результате заключения пакта о ненападении, нельзя поколебать какими-то слухами и мелкотравчатой пропагандой» («Правда», 23 июня 1940 г.).

В сталинском сообщении есть доля правды: советские войска создаются не у самой границы. Сталин об этом говорит. Но он молчит о том, что в глубине страны, вдали от любопытных взглядов, создаются сверхмощные формирования, которые под прикрытием другого (тоже ложного) Сообщения ТАСС однажды появятся на германской границе.

3

Совершенно очевидно, что армии «предвоенного периода» по своей маневренности, техническому оснащению, огневой, ударной и боевой мощи стояли на несоизмеримо более высоком уровне, чем армии Гражданской войны. Но разница состояла не только в этом. Тогда армии были разбросаны на шести разных направлениях, теперь они были собраны только на двух, причем далеко не равномерно: против Японии, с которой не прекращаются конфликты — пять армий, против Германии, с которой подписан мир, и ее союзников — двенадцать армий.

На этом бурный процесс создания армий не прекратился. В июле 1940 года на германской границе создается еще одна армия... 26-я.

Что за номер? Как это понимать? Никогда в Красной Армии таких номеров не было, и порядок присвоения номеров неукоснительно соблюдался. Следующий номер должен быть 18. Отчего же 26-я? Отчего нарушается нумерация?

У советских маршалов и знаменитых коммунистических историков мы не найдем ответа на этот вопрос. Но если изучить внимательно весь процесс создания армий, то сама история подскажет нам ответ. В 1940 году нумерация армий не была нарушена. Просто в это время все номера от 18 до 28 включительно были уже заняты. Развернув пять армий против Японии и двенадцать против Германии и ее союзников, летом 1940 года советское руководство принимает решение о создании еще **одиннадца-**

ти армий. Одна против Японии, десять — против Германии.

В этой грандиозной серии 26-я армия создавалась у самой границы, и ее формирование завершилось раньше других. Но все другие армии этой серии тоже находились в стадии формирования или по крайней мере уже было принято решение об их создании. Армии этой серии завершили свое формирование несколько позже, чем 26-я, но несомненно то, что они создавались ДО германского вторжения.

23-я и 27-я армии тайно появились в западных военных округах в мае 1941 года. В том же месяце из мрака выплыла уже знакомая нам армия-привидение — 13-я. Через несколько недель другая такая же армия — 9-я из расплывчатого миража превратилась в реальность. 13 июня 1941 года, в день передачи Сообщения ТАСС, появились и все остальные привидения: 18-я, 19-я, 20-я, 21-я, 22-я, 24-я, 25-я (против Японии), 28-я, составив один непрерывный ряд номеров.

Да. Официально все эти армии завершили формирование в первой половине 1941 года. Но ведь это только конец процесса. Где же его начало? Это коммунистические историки скрывают, и у них есть на это причина. Создание этих армий слишком выдает коварство Сталина: пока Гитлер был врагом — армий не было, пока делили Польшу, пока советские и германские войска находились лицом к лицу, Сталину было достаточно иметь на западе 7—12 армий, но вот Гитлер повернулся к Сталину спиной, бросил Вермахт против Дании, Норвегии, Бельгии, Голландии, Франции с явным намерением высадиться и в Великобритании. Германских войск на советских границах почти не осталось. И вот именно в этот момент Советский Союз начинает тайное создание огромного количества армий, в числе которых была и 26-я. Чем дальше на запад, на север, на юг уходили германские дивизии, тем больше советских армий создавалось против Германии. Представим себе, что Гитлер пошел еще дальше, высадив свои войска в Великобритании, захватив Гибралтар, Африку и Ближний Восток, сколько тогда создал бы Сталин армий на беззащитной германской границе? И для чего?

И развертывал Сталин армии до знаменитых «предупреждений» Черчилля и даже до того, как возник план «Барбаросса».

4

Основу советской стратегии составляла теория «глубокой операции». Образно говоря — это теория нанесения внезапных, очень глубоких ударов по самому уязвимому месту противника. Вместе с теорией «глубокой операции» родилась и теория «ударной армии» — инструмента, которым такие удары наносятся. Ударные армии создавались для решения только наступательных задач (СВЭ. Т. 1. С. 256). Они включали в свой состав значительное количество артиллерии и пехоты для того, чтобы проломить оборону противника, и мощный танковый кулак — 1—2 механизированных корпуса по 500 танков каждый — для нанесения сверхмощного удара в глубину.

Германская теория «блицкрига» и советская «глубокая операция» поразительно похожи не только по духу, но и в деталях. Для осуществления «блицкрига» тоже создавался специальный инструмент — танковые группы. Для вторжения во Францию использовалось три такие группы, для вторжения в СССР — четыре. Каждая из них имела 600—1000 танков, иногда до 1250 танков и значительное количество пехоты и артиллерии, чтобы проломить проход для танков.

Разница между советским и германским механизмами войны заключалась в том, что в Германии все называлось своими именами, при этом танковые группы имели свою нумерацию, полевые армии — свою. В Советском Союзе ударные армии существовали в теории, а затем были созданы и на практике, однако они формально не носили титул «ударная армия». Это название официально было введено уже после германского вторжения. До этого все советские армии имели единую нумерацию и по своим названиям никак друг от друга не отличались. Это вводило в заблуждение и тогда и сейчас: в Германии мы видим ярко выраженные механизмы агрессии — танковые группы. В Красной Армии мы их не видим так четко. Но это говорит не о большем миролюбии, а только о большей скрытности.

Советские армии на первый взгляд как солдаты в строю — все на одно лицо. Но к ним стоит присмотреться, и различия мы увидим очень быстро. Например, для «освобождения» Финляндии за несколько месяцев до «финской агрессии» на советской территории развернуто несколько армий. Вот их состав в декабре 1939 года (перечисление армий с севера на юг):

14-я армия — корпусов нет, две стрелковые дивизии;

9-я армия — корпусов нет, три стрелковые дивизии;

8-я армия — корпусов нет, четыре стрелковые дивизии;

7-я армия — 10-й танковый корпус (660 танков); три танковые бригады (по 330 танков в каждой); 10-й, 19-й, 34-й, 50-й стрелковые корпуса (по три стрелковые дивизии в каждом); отдельная бригада; одиннадцать отдельных артиллерийских полков, помимо тех, которые входят в состав корпусов и дивизий этой армии; несколько отдельных танковых батальонов и артиллерийских дивизионов; авиация армии.

Мы видим, что 7-я армия, хотя по названию ничем не отличается от соседей, по количеству танков и артиллерии превосходит в несколько раз три другие армии, вместе взятые. Кроме того, 7-й армией командует К.А. Мерецков — сталинский фаворит, командующий Ленинградским военным округом. В ближайшее время он будет назначен начальником Генерального штаба, а потом получит звание Маршала Советского Союза. В 7-й армии не он один. Армия укомплектована самыми перспективными командирами, которые уже до этого занимали высокие посты и в будущем поднимутся еще выше, например, штабом артиллерии 7-й армии правит Л.А. Говоров — будущий Маршал Советского Союза. А другими армиями командуют командиры, которые ничем себя не проявили в прошлом и не проявят в будущем.

Интересно положение 7-й (ударной) армии. Там, где советское командование развернуло эту армию, «финская военщина» через несколько месяцев начала «вооруженные провокации» и получила «ответный удар». А там, где были развернуты слабые советские армии (по существу не армии, а просто корпуса), там «финская военщина» провокаций по какой-то причине не устраивала.

Советская организация отличалась исключительной гибкостью. Простым добавлением корпусов любая армия в любой момент могла быть превращена в ударную армию и так же быстро переведена на обычное положение. Яркий пример — та же 7-я армия. Самая сильная в 1940 году, она была самой слабой в 1941 году — корпусов нет, четыре дивизии — все стрелковые.

Для того чтобы понять смысл происходящих на советско-германской границе событий, мы должны четко определить, какие армии являются ударными, а какие обычными. Формально все армии одинаковы, и ни одна из них не носит названия ударной. Однако в составе некоторых армий танков почти нет, а в других армиях их сотни. Для выявления ударных армий мы используем элементарное сравнение ударной мощи советских армий с германскими танковыми группами и с советскими предвоенными стандартами, определяющими, что такое ударная армия. Элемент, который превращает обычную армию в ударную, — это механизированный корпус новой организации, в котором по штату положено иметь 1031 танк. Включи один такой корпус в обычную армию, и она по своей ударной мощи сравняется или превзойдет любую германскую танковую группу.

Вот тут мы делаем для себя поразительное открытие: на 21 июня 1941 года ВСЕ советские армии на германской и румынской границах, а также 23-я армия на финской границе вполне подходили под стандарты ударных армий, хотя, повторяю, этого названия формально не носили. Перечисляю их с севера на юг: 23-я, 8-я, 11-я, 3-я, 10-я, 4-я, 5-я, 6-я, 26-я, 12-я, 18-я, 9-я. Вдобавок к ним разгружалась 16-я армия — типично ударная, имевшая в своем составе более 1000 танков (Центральный архив Министерства обороны СССР. Фонд 208. Опись 2511. Дело 20. С. 128). Под этот стандарт также вполне подходили тайно выдвигавшиеся к германским границам 19-я, 20-я и 21-я армии.

Германия имела мощные механизмы агрессии — танковые группы. Советский Союз имел в принципе такие же механизмы агрессии. Разница — в названиях и в количестве: у Гитлера — четыре танковые группы, у Сталина — шестнадцать ударных армий.

Не все ударные армии были полностью укомплектованы танками. Это правда. Но чтобы полностью оценить намерения Сталина, нужно принимать в расчет не только то, что он совершил, но и то, что ему не позволили совершить. Германское вторжение застало Советский Союз в процессе создания небывалого количества ударных армий. Были созданы каркасы этих чудовищных механизмов, и шел процесс достройки, доводки, отлаживания. Не все армии удалось довести до планируемого уровня, но работа велась. И Гитлер сорвал ее, имея достаточно благоразумия для того, чтобы не ожидать, когда все эти механизмы агрессии будут достроены и отлажены.

5

В двадцатые годы советские эксперты использовали термин «армии вторжения». Согласимся, звучал такой термин не очень дипломатично, особенно для соседних стран, с которыми советская дипломатия всеми силами старалась наладить «нормальные отношения». В тридцатые годы слишком откровенный термин был заменен более благозвучным — «ударные армии». Змея сменила шкуру, оставшись той же змеей: советские источники подчеркивают, что произошла только смена названий, не затронув существа — «армия вторжения» и «ударная армия» — это одно и то же (ВИЖ. 1963. № 10. С. 31). Но и смягченный термин «ударная армия», как мы видим, до начала войны не применялся, хотя большинство советских армий его вполне заслуживало. Чтобы термин совсем облагозвучить, советские эксперты ввели для того же понятия еще и третий термин — «армия прикрытия». Между собой коммунисты четко определили лукавый смысл этих слов. В коммунистическом жаргоне таких понятий — целый табун. «Освободительный поход», «контрудар», «захват стратегической инициативы» соответственно означают агрессию, удар, внезапное нападение на соседа без объявления войны. Каждый из этих терминов — вроде чемодана с двойным дном: видимое содержание чемодана служит только для того, чтобы скрыть тайный груз. Очень жаль, что некоторые историки преднамеренно или по невежеству используют советские военные термины, не объясняя читателям их истинного значения.

«Армии прикрытия» предназначались действительно для прикрытия отмобилизования главных сил Красной Армии. Но «прикрытие» планировалось осуществить не обороной, а внезапным вторжением на территорию противника, и именно внезапное вторжение считалось самым лучшим прикрытием для спокойного проведения мобилизации и организованного вступления главных сил РККА. Еще 20 апреля 1932 года Реввоенсовет СССР постановил, что прикрытие будет осуществляться методом вторжения, и именно в этом понимании приграничные армии получали названия «армий прикрытия». Советские планировщики считали, что неверно будет считать, что начнется война и сразу после ее начала советские группы и армии вторжения перейдут границу. Нет, считали они: советские группы и армии вторжения сначала перейдут границу, и именно их действия и станут началом войны.

Июль 1939 года — это момент, когда теория начала воплощаться в практику. Советский Союз начал массовое развертывание «армий прикрытия» на своих границах. Чем дальше на запад идет Гитлер, тем больше советские дипломаты говорят о мире, тем больше «армий прикрытия» создается на советских западных границах.

Для того чтобы нам не попасть в ловушку советского словоблудия, термин «армии прикрытия» надо или брать в кавычки и каждый раз пояснять читателю, что «прикрытие» планировалось методом внезапного вторжения, либо просто использовать истинный термин — «армии вторжения».

6

Среди обычных советских армий вторжения (один механизированный, два стрелковых корпуса и несколько отдельных дивизий) мы встречаем и не совсем обычные армии вторжения. Их три: 6-я, 9-я, 10-я. В каждой из них не по три корпуса, а по шесть: два механизированных, кавалерийский и три стрелковых. Каждая из них максимально придвинута к границе, причем, если граница имеет выступ в сторону противника, необычные армии вторжения находятся именно в этих выступах. Каждая из трех вооружена самым новейшим оружием, например, 6-й мехкорпус 10-й армии помимо прочих имеет 452 новейших танка Т-34 и КВ, а 4-й мехкорпус 6-й армии помимо прочих имеет 460 танков Т-34 и КВ. Авиационные дивизии этих армий имели сотни новейших самолетов Як-1, МиГ-3, Ил-2, Пе-2.

После полного укомплектования каждая из этих трех армий должна была иметь в своем составе 2350 танков,

698 бронемашин, свыше 4000 орудий и минометов, более 250 000 солдат и офицеров. Кроме основного состава каждая из этих армий должна была получить дополнительно 10—12 тяжелых артиллерийских полков, части НКВД и многое другое.

Не знаю, как назвать эти армии, но если мы формально используем их имена: 6-я армия, 9-я, 10-я, то попадем в ловушку, установленную советским Генеральным штабом еще в 1939 году. Мы в этом случае просто теряем бдительность и представляем их как самые обыкновенные армии вторжения. Но они совершенно необычны! Ни в Германии, ни в какой другой стране мира не было ничего подобного. Каждая из этих армий по количеству танков была равна примерно половине Вермахта при абсолютном качественном перевесе. Но и это не все. Советское командование имело в своих руках достаточное количество механизированных корпусов, не входящих в состав армий, но расположенных вблизи границ. Просто включите один отдельный мехкорпус в состав обычной армии, и она сразу станет ударной. Или введите второй такой же корпус в состав ударной армии вторжения, и она станет сверхударной (или как ее еще там назвать). И все это без изменения номера и названия армии. А можно в состав сверхударной армии ввести еще и третий мехкорпус, и тогда количество танков в одной армии превысит весь Вермахт... Как бы нам такую армию назвать? И если германские танковые группы по 600—1000 танков мы именуем механизмами агрессии, как бы нам назвать армии по две-три тысячи танков в каждой?

7

Три сверхударные армии — исключение среди всех остальных армий вторжения. Но среди трех исключительно мощных армий одна выделяется особо — 9-я. Еще совсем недавно, в Зимней войне, 9-я армия была просто

181

стрелковым корпусом (три стрелковые дивизии) с громким названием. После Зимней войны 9-я армия растворилась, и вот под прикрытием Сообщения ТАСС от 13 июня 1941 года она вновь появляется из мрака и небытия. Она еще не полностью укомплектована. Она как каркас небоскреба, который еще не завершен, но своей исполинской массой уже закрывает солнце. В июне 1941 года 9-я армия была недостроенным каркасом самой мощной армии мира. В ее составе шесть корпусов, включая два механизированных и один кавалерийский. Всего в 9-й армии на 21 июня 1941 года семнадцать дивизий, в том числе две авиационные, четыре танковые, две моторизованные, две кавалерийские, семь стрелковых. Очень похоже на другие сверхударные армии, но в состав 9-й армии планируется включить еще один механизированный корпус — 27-й, генерал-майора И.Е. Петрова. Корпус создан в Туркестанском округе и, не завершив формирования, тайно перебрасывается на запад. После его включения в составе армии будет двадцать дивизий, включая шесть танковых. Если все это укомплектовать, в составе семи корпусов 9-й армии будет 3341 танк.

По количеству это примерно весь Вермахт, по качеству — лучше. Генерал-полковник П. Белов (в то время генерал-майор, командир 2-го кавалерийского корпуса 9-й армии) свидетельствует, что даже кавалерия этой армии должна была получить танки Т-34 (ВИЖ. 1959. № 11. С. 66).

Еще недавно 9-я армия имела командиров, которые ничем не проявили себя ни раньше, ни потом. Теперь все изменилось. Во главе 9-й армии стоит генерал-полковник. В то время это было исключительно высокое звание. Во всех вооруженных силах СССР было только восемь генерал-полковников, причем в сверхмощных советских танковых войсках — ни одного, в авиации — ни одного, в НКВД — ни одного. Во главе тридцати советских армий — генерал-майоры и генерал-лейтенанты. 9-я армия — единственное среди них исключение. А кроме того, в этой исключительной армии собраны очень перспективные офицеры и генералы. Среди них три будущих Маршала Советского Союза: Р.Я. Малиновский, М.В. Захаров, Н.И. Крылов, будущий маршал авиации и трижды Герой Советского Союза А.И. Покрышкин, будущий маршал авиации И.П. Пстыго, будущие генералы армии И.Е. Петров, И.Г. Павловский, П.Н. Лащенко и многие другие талантливые и агрессивные командиры, уже проявившие себя в боях, как 28-летний генерал-майор авиации А.С. Осипенко, или подающие надежды (которые в большинстве случаев блестяще оправдались). Создается впечатление, что чья-то заботливая рука тщательно выбирала все, что было лучшего и перспективного, в эту необычную армию. Где же она располагалась?..

Вот тут мы подошли к небольшому, но знаменательному открытию: в первой половине июня 1941 года в Советском Союзе создавалась самая мощная армия мира, но она создавалась НЕ НА ГЕРМАНСКОЙ ГРАНИЦЕ.

Этот потрясающий факт (по крайней мере для меня лично) есть достаточное доказательство того, что титаническое наращивание советской военной мощи на западной границе вообще, и в Первом стратегическом эшелоне, в частности, было вызвано **не германской угрозой**, а другими соображениями. Положение 9-й армии ясно указывает на эти соображения: она создавалась НА РУМЫНСКОЙ ГРАНИЦЕ.

После первого исчезновения 9-я армия внезапно появляется в июне 1940 года на румынской границе уже не как второстепенная армия, теперь она возникла в новом качестве настоящей ударной армии. Предстоял «освободительный поход» в Бессарабию, и советские источники указывают, что «9-я армия создавалась специально для решения этой важной задачи» (ВИЖ. 1972. № 10. С. 83). Подготовка армии осуществлялась наиболее агрессивными советскими командирами. Инспектировал армию накануне «освободительного похода» выпущенный из тюрьмы К.К. Рокоссовский. 9-я армия вошла в состав Южного фронта в качестве ключевой лидирующей армии, выполняя такую же роль, как 7-я армия в Финляндии. Фронтом командовал лично Г.К. Жуков. После короткого «освободительного похода» 9-я армия снова исчезает. И вот под прикрытием Сообщения ТАСС от 13 июня 1941 года она появляется вновь на том же самом месте, где год назад завершила «освобождение». Теперь она уже не просто ударная армия вторжения, она сверхударная, она готовится стать самой мощной армией мира. Для чего? Для обороны? Позвольте, но на румынской стороне войск совсем немного, да если бы и было много, ни один агрессор не будет наносить главный удар через Румынию просто из самых элементарных географических соображений. Но вот новый «освободительный поход» 9-й армии в Румынию мог бы изменить всю стратегическую ситуацию в Европе и в мире. Румыния — основной источник нефти для Германии. Удар по Румынии — это смерть Германии, это остановка всех танков и самолетов, всех машин, кораблей, промышленности и транспорта. Нефть — кровь войны, а сердце Германии, как ни странно, находилось в Румынии. Удар по Румынии — это прямой удар в сердце Германии.

Вот почему самые перспективные командиры оказались именно тут. 9-я армия появилась внезапно в середине июня 1941 года. Но эта внезапность — только для посторонних. 9-я армия всегда была здесь, минимум с середины 1940 года. Просто ее название в течение некоторого времени не употреблялось официально, а приказы шли из штаба округа прямо в корпуса. Штаб 9-й армии и штаб Одесского военного округа (созданного, кстати, в октябре 1939 года) просто сливались в единое целое и так же просто разъединялись. 13 июня 1941 года произошло именно такое разъединение.

Опыт показывает, что после появления ударной армии на границе небольшого государства, не более чем через месяц следовал приказ «освободить» соседние территории. Вне зависимости от того, как бы развивались события после вторжения советских войск в Германию (которая, кстати, как и Советский Союз, к обороне не готовилась), исход войны мог быть решен вдали от основных полей сражений. Сталин явно на это рассчитывал. Вот почему 9-я армия была самой мощной. Вот почему еще в марте 1941 года, когда 9-я армия еще официально и не существовала, тут уже появился молоденький, но исключительно дерзкий генерал-майор Р.Я. Малиновский. Тот самый Малиновский, который через четыре года удивит мир потрясающим броском через пустыню и горы на гигантскую глубину в Маньчжурии.

В 1941 году перед Малиновским и его товарищами по 9-й армии задача была совсем простая. Им предстояло пройти не 810 километров, как в Маньчжурии, а 180; не по пустыне и горам, а по равнине с вполне хорошими дорогами. Удар предстояло нанести не по японской армии, а по гораздо более слабой, румынской. Кроме того, 9-й армии планировалось дать в три раза больше танков, чем 6-й гвардейской танковой армии досталось в 1945 году.

Гитлер не позволил всему этому случиться. В заявлении германского правительства, переданном советскому правительству в момент начала войны, указаны причины германской акции против Советского Союза, среди этих причин — необоснованная концентрация советских войск на границах Румынии, что представляло собой смертельную опасность для Германии. Все это не выдумки «пропаганды Геббельса». 9-я сверхударная армия создавалась исключительно как армия наступательная. Генерал-полковник П. Белов свидетельствует, что даже после начала германских операций на советской территории в 9-й армии «на каждую оборонительную задачу обычно смотрели как на кратковременную» (ВИЖ. 1959. № 11. С. 65). Впрочем, этим страдала не одна 9-я армия, а все другие советские армии.

Гораздо более интересное сообщение о настроениях в 9-й армии делает трижды Герой Советского Союза маршал авиации А.И. Покрышкин (в то время старший лейтенант, заместитель командира истребительной эскадрильи в составе 9-й армии). Вот его разговор с «недорезанным буржуем», у которого освободители отобрали магазин.

Дело происходит на территории «освобожденной» Бессарабии весной 1941 года.

«— О, Букурешт! Увидели бы вы, какой это город!

— Когда-нибудь его увижу, — ответил я убежденно.

Хозяин широко раскрыл глаза, ожидая, что я скажу дальше.

Надо было менять тему разговора» (А.И. Покрышкин. Небо войны. С. 10).

Мы не хотим верить Гитлеру в том, что он планом «Барбаросса» защищал Германию от предательского удара советских войск на Бухарест и Плоешти.

В этом случае давайте верить противоположной стороне! А противоположная сторона говорит то же самое: да, даже лейтенанты знали, что скоро они побывают в Румынии. В качестве туриста советский офицер не имеет права гулять по заграницам. Советский Союз — это не Российская империя с ее свободами. В каком же качестве мог Покрышкин попасть в Румынию, кроме как в качестве «освободителя»? В словах молодого офицера не было никакого бахвальства: после войны Старший Брат, товарищ Покрышкин, побывал в «освобожденном» Бухаресте. Гитлер сделал все, что мог, чтобы это предотвратить. Предотвратить не удалось. Удалось только немного оттянуть неизбежное «освобождение».

ГЛАВА 17
ГОРНЫЕ ДИВИЗИИ В СТЕПЯХ УКРАИНЫ

> Эффективными будут воздушные десанты на горных театрах войны. Ввиду особой привязанности войск, штабов и органов тыла в этих условиях к дорогам возможно применение воздушных десантов для захвата в тылу противника, на его сообщениях и путях, командующих высот, теснин, перевалов, узлов дорог и т.д., что в итоге может привести к исключительно важным результатам... Вне рамок наступательной операции выброска десанта едва ли вообще целесообразна.
>
> *«Военный вестник». 1940. № 4. С. 76 — 77*

1

Даже беглое знакомство с советскими армиями Первого стратегического эшелона открывает перед нами удивительную картину кропотливой подготовки к войне. Мы обнаруживаем, что каждая армия имела свою неповторимую структуру, свой характер, свое предназначение. Каждая армия «прикрытия» создавалась для решения четко определенной, только ей присущей задачи в предстоящей «освободительной» войне.

Опубликовано достаточно материалов, для того чтобы о каждой из тридцати советских армий, существовавших в первой половине 1941 года, написать отдельное увлекательное исследование. Если изучить структуру, дислокацию, направленность боевой подготовки даже одной советской армии (все равно какой), то и тогда «освободительная» направленность советских приготовлений будет очевидна.

Не имея места описывать все армии в первом томе, я сейчас позволю себе только очень коротко остановиться на одной из них. Официально она именуется — 12-я армия. В ее составе один механизированный и два стрелковых корпуса и другие части; всего дивизий — девять, в том числе две танковые и одна моторизованная. С первого взгляда — обычная армия вторжения. Ни по номеру, ни по названию, ни по составу не отличимая от других таких же армий вторжения. История ее стандартна: создана в момент подписания пакта Молотова—Риббентропа. Через несколько недель после создания — в деле: «освобождает» Польшу. Тогда в ее составе были танковый корпус, две отдельные танковые бригады, два кавалерийских корпуса и три стрелковые дивизии. Мало пехоты и артиллерии — это неспроста: проламывать мощную оборону тут не надо. Зато вот подвижных войск много. «12-я армия... являлась, по существу, фронтовой подвижной группой» (СВЭ. Т. 8. С. 181).

Стандартна и дальнейшая судьба этой армии: «освободительный поход» в Польше завершился, а армию по каким-то причинам не расформировали, так и оставив на германской границе. Зачем? Говорят, что Сталин, наивный, Гитлеру верит. Отчего же он не распускает свои армии, которые создаются только на случай войны?

Далее 12-я армия переживает такую же трансформацию, как и все соседние армии вторжения. Ее главный ударный механизм теперь называется не танковым корпусом, а механизированным. Это чтобы лидеры сопредельного дружественного государства не беспокоились. Правда, изменение названия влечет за собой не уменьшение количества танков в армии, а увеличение. Кавалерия из армии убрана. Возможности рвать оборону противника повышены: количество стрелковых дивизий увеличено вдвое, количество артиллерии в каждой дивизии тоже увеличено вдвое, кроме того, армия получила в свой состав артиллерийскую бригаду и четыре отдельных артиллерийских полка. Возможности преодолевать инженерные заграждения противника тоже возросли — в армию введен отдельный инженерный полк.

Что же в этой армии необычного? Все армии вторжения развивались примерно в том же направлении. Необычным является национальный состав армии. В 1939 году, готовясь к вторжению в Польшу, Сталин укомплектовал 12-ю армию украинцами, видимо, рассчитывая на давнюю польско-украинскую рознь. Во главе армии встал С.К. Тимошенко, а рядом с ним мы находим множество командиров украинского происхождения. Армия создавалась на Украине. Поэтому и резервистов тоже призвали отсюда, и они составляли в 12-й армии устойчивое большинство.

После «освобождения» Польши происходит медленный и почти незаметный процесс изменения национального состава 12-й армии. Уже в 1940 году мы видим очень глубокие изменения. Чтобы не бросалась в глаза национальная особенность этой армии, во главе ее и на некоторых ключевых постах стоят русские. Но армия по своему большинству уже не украинская и не русская. Она кавказская. В других армиях тоже встречаются грузины, армяне, азербайджанцы. Но в 12-й армии это чувствуется особенно ясно. Фамилии офицеров типа Парцвания, Григорян, Кабалава, Гусейн-заде, Саркошьян мы встречаем десятками и сотнями. И не только на уровне командиров рот и батальонов. Командующий округом генерал армии Г.К. Жуков отыскал среди преподавателей военной академии своего давнего друга армянина, полковника И.Х. Баграмяна, и послал его начальником оперативного отдела (планирование войны) в штаб не какой-то, а именно 12-й армии. А там уже не только полковники кавказские есть, но и немало генералов.

Сам начальник штаба армии генерал Баграт Арушунян — с Кавказа.

Командующий округом Г.К. Жуков частый гость в этой армии, и совсем неспроста он собирает в ней уроженцев Кавказа — армия тайно, но неуклонно превращается в горную армию. Жуков лично требует от командования армии досконального знания карпатских перевалов, и не только по описаниям, но и на практике. Он приказывает «направить осенью через перевалы по всем более или менее проходимым маршрутам специально скомплектованные группы, составленные из различных боевых машин и транспортных средств, чтобы убедиться на практике в возможности преодоления их танками, автомашинами, тракторами, гужевым транспортом и вьючными животными» (Маршал Советского Союза И.Х. Баграмян. ВИЖ. 1967. № 1. С. 54). Речь идет о 1940 годе. Гитлер воюет во Франции, повернувшись спиной к Советскому Союзу, а Жуков проводит эксперименты по преодолению горных перевалов. Жуков, конечно, не знал, что совсем недавно германские генералы проводили тайно точно такие же эксперименты, чтобы иметь уверенность, что войска, танки, артиллерийские тракторы, транспорт могут пройти через Арденны.

Но, может быть, Жуков готовит 12-ю армию для обороны? Нет. Баграмян, отвечающий за план войны, свидетельствует: «Изучая оперативные планы, я был поражен следующим фактом: наша пограничная армия не имеет плана развертывания и прикрытия границы». «Изучая планы» означает, что сейф оперативного отдела 12-й армии не был пуст. Там были планы. С ними нельзя было просто бегло ознакомиться. Это были сложные документы, которые надо было изучать. Но вот среди планов войны оборонительных планов не было.

Интересно описание учений 12-й армии, на которые приезжает лично Жуков. Отрабатываются только наступательные задачи, причем на картах война идет на германской территории. Первое, с чего начинается проигрыш на картах: форсирование советскими войсками пограничной реки Сан. Военная игра идет не против некоего вымышленного противника, а против реального, с использованием совершенно секретной разведывательной информации. Между Жуковым и командующим армии возникают разногласия. Нет, нет, не о том — на-

190

ступать или обороняться. Командующий армией Парусинов настаивает: «Мы должны стремиться нанести противнику максимальный урон в результате уже первого удара». Мудрый Жуков понимает, что это благие намерения, наносить удар надо, но не на широком фронте, а на очень узком. Об этом и спор.

Разгромив командующего армией теоретически, Жуков на этом не остановился. Парусинова вскоре сместили с командования армией, а на его место ставится старый друг Жукова генерал П.Г. Понеделин.

После этого эксперименты по преодолению горных перевалов продолжаются. Ими лично руководит Баграмян. В ходе этих экспериментов он оказывается на государственной границе, где наблюдает «явную демонстрацию оборонительных работ» — строительство железобетонных укреплений на самом берегу пограничной реки так, чтобы противник хорошо видел.

Удивительная вещь: Жукова интересуют перевалы и их проходимость. Но отнюдь не с оборонительной точки зрения. Если бы Жукову нужно было сделать перевалы непроходимыми для противника, то надо было бросить войска в горы и перекопать все горные тропы и дороги и строить железобетонные укрепления не в долине у самой реки, а в районе этих самых перевалов! И экономнее, и противник строительства не обнаружит, и преодолеть перевалы не сможет. Впрочем, неужели кто-то будет атаковать Советский Союз через горные хребты, если открытых пространств и без того множество? А вот для советского командования горы имеют исключительную ценность: Германия и ее главный источник нефти разделены двойным барьером гор: в Чехословакии и в самой Румынии. Удар советских войск через горы для Германии смертелен.

Пройти по своим горным перевалам и перехватить перевалы в Чехословакии или Румынии означает то же самое, что порвать нефтяную аорту.

Маршал Советского Союза Г.К. Жуков: «Слабым местом Германии была добыча нефти, но это в какой-то степени компенсировалось импортом румынской нефти» (Воспоминания и размышления. С. 224). Все гениальное — просто. Жуков всегда следовал очень простому принципу: найти слабое место у противника и внезапно по нему ударить.

Жуков знает слабое место Германии: вот почему эксперименты в горах продолжаются. Возможности каждого рода войск, каждого типа боевых и транспортных машин в условиях карпатских перевалов изучаются на научной основе. Устанавливаются и тщательно проверяются стандарты, отрабатываются рекомендации войскам. Время преодоления различными типами машин карпатских перевалов тщательно фиксируется и анализируется. Все это, конечно, очень нужно для планирования наступательных операций, причем операций молниеносных. Тут, как при подготовке ограбления банка, надо учесть все мельчайшие детали и рассчитать все с большой точностью. Именно этим и занимается Баграмян на перевалах: фиксирует время, чтобы планирование опиралось на совершенно конкретный опыт. Попутно надо отметить, что для обороны все это совершенно не нужно. Если бы потребовалось оборонять карпатские перевалы от противника, то скорости замерять не надо. Нужно сказать солдатам: сидите тут, и врага не пропустите. Сидите год, два, сидите хоть до самой победы или до самой смерти!

2

События развиваются стремительно. Жуков получает повышение, а за ним и Баграмян. Но ни один, ни другой не забывают столь необычную 12-ю армию. Под их контролем, по их приказам медленно, но безостановочно меняется ее структура.

В 12-й армии, как и во всех других советских армиях, вещи не называются своими именами. В начале июня

1941 года четыре стрелковые дивизии (44-я, 58-я, 60-я, 96-я) превращены в горнострелковые. Вдобавок в это же время в состав армии вошла тайно переброшенная из Туркестана только что сформированная 192-я горнострелковая дивизия. Как назвать корпус, в котором две дивизии, и обе горнострелковые? Как назвать другой корпус, в котором из четырех дивизий три горнострелковые? Как назвать армию, в которой из трех корпусов два, по существу, горнострелковые; в которой горнострелковые дивизии составляют уверенное большинство? Я бы назвал корпуса горнострелковыми, а армию — горной. Но у советского командования есть причины этого не делать. Корпуса по-прежнему называются 13-й и 17-й стрелковые, а армия — просто 12-я.

Тут мы видим только конечный результат преобразований, но сам процесс от нас скрыт. Мы только знаем, что официальное название горнострелковые дивизии получили 1 июня 1941 года, но приказ был отдан 26 апреля, а перешивка дивизий из стрелковых в горнострелковые шла еще в начале осени 1940 года, еще до того, как Баграмян начал свои эксперименты. Не только сама 12-я превращается в горную армию, но и оказывает влияние на соседние армии. Подготовленная в 12-й армии 72-я горнострелковая дивизия (генерал-майор П.И. Абрамидзе) передается в соседнюю, 26-ю, армию.

Позади 12-й и 26-й армий тайно разворачивается перебрасываемая с Северного Кавказа 19-я армия генерал-лейтенанта И.С. Конева. В ее составе мы тоже находим горнострелковые дивизии, например, 28-я (командир полковник К.И. Новик). И вот именно в это время под прикрытием Сообщения ТАСС от 13 июня 1941 года в Восточных Карпатах между 12-й (горной) и 9-й (сверхударной) армиями началось развертывание еще одной армии — 18-й. Гитлер не позволил ей завершить развертывание, и мы с точностью не можем установить состав этой армии в том виде, как это задумало советское командование. Гитлер перепутал все советские планы, и началось нечто невообразимое. Но все же есть достаточнс документов, чтобы сделать вывод, что 18-я армия по первоначальному замыслу была точной копией 12-й (горной) армии, хотя тоже этого названия и не носила. Изучение архивов 12-й и 18-й армий потрясает каждого исследователя их абсолютной структурной схожестью. Это совершенно необычный пример армий-близнецов. Сходство доходит до того, что в 18-й армии, как в 12-й, но ни в какой более, штабом правит кавказский генерал. Это генерал-майор (впоследствии генерал армии) В.Я. Колпакчи.

Процесс перестройки на горный профиль был поставлен на солидную базу. Горнострелковые дивизии были укомплектованы специально подобранными и обученными солдатами. Эти дивизии были переведены на особый штат, резко отличавшийся от штата обычной стрелковой дивизии; они получили специальное вооружение и снаряжение.

На Кавказе накануне войны была создана школа горной подготовки, которая из лучших советских альпинистов готовила инструкторов. Подготовленных инструкторов срочно направляли на западную границу, так как именно тут, а не на Кавказе и не в Туркестане, в июне 1941 года было сосредоточено огромное количество горнострелковых войск. Об этой школе есть короткая статья в «Красной звезде» (1 ноября 1986 г.), которая так и называется: «Готовились воевать в горах».

Вот тут самое время задать вопрос: В КАКИХ ГОРАХ?

На советских западных границах есть только сравнительно небольшой массив Восточных Карпат, которые в большей мере похожи на пологие холмы, чем на горы. Создавать мощную оборону в Карпатах в 1941 году было незачем по следующим причинам:

1. Карпаты в этом месте неудобны для агрессии с запада на восток. Противник с гор спускается на равнины, а снабжать армии придется через все Карпаты, Татры, Рудные горы, Судеты, Альпы. Это очень неудобно и опасно для агрессора.

2. Восточные Карпаты — это тупой клин в сторону противника. Если тут сконцентрировать много советских войск для обороны, то они уже в мирное время будут окружены противником с трех сторон. Используя равнины южнее, и особенно севернее Восточных Карпат, противник в любой момент может ударить в тыл укрепившимся в горах войскам, перерезая их пути снабжения.

3. В 1941 году в Карпатах не было войск противника, достаточных для агрессии, и советское командование это хорошо знало (Генерал-лейтенант Б. Арушунян. ВИЖ. 1973. № 6. С. 61).

Концентрация двух советских армий в Восточных Карпатах имела катастрофические последствия. Никто эти армии, конечно, с фронта не атаковал. Но удар 1-й германской танковой группы на Ровно ставил перед советским командованием дилемму: оставить две армии в Карпатах, и они погибнут там без подвоза боеприпасов и продовольствия, или их срочно отводить из этой мышеловки. Было принято второе решение. Две горные армии, не приспособленные для боя на равнинах, имея облегченное вооружение и множество ненужного на равнинах снаряжения, побежали с гор и тут попали под фланговый удар германского танкового клина. Легко разгромив бегущие с гор советские армии, 1-я танковая группа германских войск устремилась вперед, заходя в тыл 9-й (сверхударной) армии. Участь ее была печальной. После этого перед германскими войсками открылись пути к незащищенным базам советского флота, к Донбассу, Харькову, Запорожью, Днепропетровску, — индустриальным районам колоссальной важности. Потеряв их, Советский Союз сумел произвести за годы войны только 100 000 танков. Конечно, это гораздо больше, чем в Германии, но без потери этих районов советское танковое производство (а также артиллерийское, авиационное, военно-морское и пр.) могло быть в несколько раз выше.

Выход германских войск на юг Украины поставил в очень тяжелое положение советские войска в районе

Киева, а также открыл Германии путь на Кавказ — к нефтяному сердцу Советского Союза и к Сталинграду — к нефтяной аорте.

Еще раз слово Баграмяну: «Знакомство с Восточными Карпатами помогло яснее понять, сколь остро необходимо как можно быстрее переформировать тяжелые, малоподвижные, не приспособленные для действия в горах стрелковые дивизии в облегченные горнострелковые соединения. Вспоминая сейчас об этом, я ловлю себя на мысли о невольном своем заблуждении. Ведь в начале войны этим дивизиям в основном пришлось вести бои в условиях равнин, поэтому переформирование в горные лишь ослабило их» (ВИЖ. 1976. № 1. С. 55).

Повторяю, что две армии в Карпатах в 1941 году для обороны были совершенно не нужны. Но если бы кому и пришло в голову использовать их для обороны, то и в этом случае не надо было переформировывать тяжелые стрелковые дивизии в легкие горнострелковые. Опыт Первой мировой войны, в том числе и русский, показал, что тяжелая пехотная дивизия в низких пологих горах подходит для обороны лучше, чем облегченная горнострелковая. Закопавшись в землю, перехватив перевалы, гребни, вершины и высоты, обычная пехота удерживала их до конца войны, и не было никаких военных причин, по которым эта оборона не могла продолжаться еще многие годы. Зная это, советское командование тем не менее преобразовывает стрелковые дивизии в горнострелковые, которые можно использовать в основном в наступлении. В советских дивизиях появились группы особо подготовленных альпинистов-скалолазов. Но в Восточных советских Карпатах им явно делать нечего. Чтобы их применить в деле, нужно было двинуть советские войска на запад, причем на несколько сотен километров.

Все те факторы, которые делают Восточные Карпаты неудобными для агрессии с запада на восток, делают их удобными для агрессии с востока на запад:

1. Войска уходят вперед в горы, но их линии снабжения остаются на советской территории, в основном на очень ровной местности.

2. Восточные Карпаты тупым клином далеко вдаются вперед на запад, рассекая группировку противника на две части. Это естественный плацдарм, который позволяет еще в мирное время, сосредоточив огромные силы, находиться как бы в тылу у противника; остается только продолжать движение вперед, угрожая тылам противника и этим принуждая его к отступлению на всем фронте.

3. В Карпатах находились незначительные силы противника, советское командование знало об этом и именно поэтому сосредоточило тут две армии.

Сидеть на месте две армии не могли, им двоим тут нет места, в обороне они не нужны и к обороне не приспособлены. Единственный путь использовать эти армии в войне — двинуть их вперед. Если предположить, что горная армия создается для действия в горах, то определить направление ее движения совсем легко. От Восточных Карпат идут два горных хребта: один на запад — в Чехословакию, другой на юг — в Румынию. Других направлений для действий горных армий нет. Два направления — две армии, вполне логично. Каждое направление одинаково важно, ибо выводит к главным нефтяным магистралям. Эти магистрали лучше всего перерезать в двух местах, для полной уверенности. Но и успех даже одной армии будет смертелен для Германии. Но если действия обеих армий окажутся безуспешными, то и в этом случае их действия на двух горных хребтах ослабят приток германских резервов в Румынию. Не забудем, что кроме двух ударов через горы по аорте есть 9-я (сверхударная) армия, которая готова нанести удар по сердцу. Ее действия прикрыты двумя цепями гор. Чтобы защитить Румынию от советской 9-й армии, германским войскам надо будет последовательно их преодолеть, встретив на каждом горном хребте по целой советской армии.

Самое главное в действиях советских горных армий — внезапность и скорость. Если они успеют быстро захватить перевалы, то обычным полевым войскам сбросить их будет непросто. Для надежности закрепления перевалов не все советские дивизии в горных армиях переформированы в горные, вдобавок в составе армии есть танковые и моторизованные дивизии, тяжелые противотанковые бригады. Стремительный внезапный бросок вперед — и Германия останется без нефти... Вот зачем Баграмян с секундомером тренирует танкистов на перевалах. А Жуков за этими экспериментами очень внимательно наблюдает.

О назначении горнострелковых дивизий в составе 12-й и 18-й армий мы можем спорить, все же армии находились в Карпатах. Но о назначении такой дивизии в 9-й (сверхударной) армии мы спорить не можем, 9-я находилась под Одессой, но и в ее составе по приказу Г.К. Жукова, который нес персональную ответственность за Южный и Юго-Западный фронты, была создана горнострелковая дивизия. Какие под Одессой горы? 30-ю Иркутскую ордена Ленина трижды Краснознаменную имени Верховного Совета РСФСР горнострелковую дивизию 9-й армии можно было использовать по прямому назначению только в Румынии. Совсем не случайно эта дивизия (командир генерал-майор С.Г. Галактионов) находится в 48-м стрелковом корпусе генерала Р.Я. Малиновского. Во-первых, это самый агрессивный командир корпуса не только в 9-й армии, но и на всем Южном фронте. Во-вторых, 48-й корпус — на самом правом фланге 9-й армии. На советской территории это не имеет никакого значения. Но если 9-ю сверхударную армию ввести в Румынию, то вся она будет на равнине, а правый ее фланг будет царапать по горному хребту. Резонно именно для этой ситуации иметь одну горнострелковую дивизию и именно на самом правом фланге.

Кроме того, в железнодорожных эшелонах из Туркестана тайно движется 21-я горнокавалерийская дивизия полковника Я.К. Кулиева. Гитлер своим нападением все перепутал, и пришлось все, что предназначалось для юга, бросить в Белоруссию, даже 19-ю армию с ее горнострелковыми дивизиями. Там же оказалась и 21-я горнокавалерийская, никому там не нужная, для боя в болотах не приспособленная и там бесславно погибшая. Но предназначалась-то она не для Белоруссии.

Коммунистическая пропаганда заявляет, что Красная Армия к войне не готовилась, от этого и все беды. Это неправда. Давайте хотя бы на примере 12-й армии и ее копии, 18-й армии, проследим, что могло случиться, если бы Советский Союз к войне действительно не готовился.

1. В этом случае были бы сэкономлены огромные средства, которые попросту угробили на создание двух горных армий и многих отдельных горнострелковых дивизий в составе обычных армий вторжения.

Если бы только часть этих средств была использована на создание противотанковых дивизий, то ход войны был бы другим.

2. Если бы Советский Союз к войне не готовился, то в Карпатах не оказались бы две армии, их не пришлось бы в панике из этой мышеловки выводить, и они не попали бы под удар германского клина в момент их отхода с гор.

3. Если бы к войне не готовились, то севернее Карпат германские танковые массы встретились не с облегченными дивизиями, бегущими с гор, а с тяжелыми дивизиями, приспособленными для войны на равнинах, с их многочисленной мощной артиллерией, в том числе и противотанковой.

4. Если бы германский танковый клин прорвал оборону этих, никуда не бегущих дивизий, то и тогда последствия не были бы катастрофичными: на румынской границе не было бы скопления войск, и удар пришелся бы не им в тыл, а просто по пустому месту.

Если бы Красная Армия не готовилась к войне, то все бы пошло по-другому.

Но она готовилась, причем очень напряженно.

ГЛАВА 18

ДЛЯ ЧЕГО ПРЕДНАЗНАЧАЛСЯ ПЕРВЫЙ СТРАТЕГИЧЕСКИЙ ЭШЕЛОН

> ...Надо иметь в виду возможность одновременного проведения на театре войны двух, а то и трех наступательных операций различных фронтов с намерением как можно шире стратегически потрясти обороноспособность противника.
>
> *Народный комиссар обороны*
> *Маршал Советского Союза*
> *С.К. Тимошенко,*
> *31 декабря 1940 г.*

1

Повторим кратко состав Первого стратегического эшелона: шестнадцать армий; несколько десятков корпусов, как входящих в состав армий, так и отдельных; общее количество дивизий — 170. Самая мощная из армий — на румынской границе. Из общего числа армий две — горные, готовые отрезать Румынию и ее нефть от Германии. Из десятков корпусов — пять воздушно-десантных, один морской десантный и несколько горнострелковых.

Какова же общая задача Первого стратегического эшелона? Для чего он предназначался? Своего мнения я не высказываю. Слово советским маршалам.

Маршал Советского Союза А.И. Егоров считал, что в войне будут участвовать десятки миллионов солдат, которых предстоит мобилизовать. Он предлагал не дожидаться окончания мобилизации, а начинать вторжение на территорию противника в момент объявления мобилизации. Для этого, по его замыслу, следовало постоянно в мирное время в Первом стратегическом эшелоне держать «группы вторжения». Их задача: как только мобилизация началась, немедленно перейти границу и тем самым сорвать мобилизацию противника и прикрыть мобилизацию Красной Армии, давая возможность главным силам развернуться и вступить в войну в наиболее благоприятных условиях (Доклад начальника штаба РККА Реввоенсовету СССР 20 апреля 1932 года).

Маршал Советского Союза М.Н. Тухачевский с этим не соглашался. Вторжение надо проводить немедленно, но не группами вторжения, а целыми армиями вторжения. Армии вторжения следует создать еще в мирное время и держать у самых границ в составе Первого стратегического эшелона РККА. «Состав и дислокация передовой армии должны в первую очередь подчиняться возможности перехода границы немедленно с объявлением мобилизации», «механизированные корпуса должны располагаться в 50—70 км от границ с тем, чтобы с первого же дня мобилизации перейти границу» (М.Н. Тухачевский. Избранные произведения. Т. 2. С. 219).

Тухачевский и Егоров, конечно, ошибались. Их пришлось расстрелять, а на вершину военной власти поднялся властный, жестокий, несгибаемый, непобедимый Г.К. Жуков. Меньше всего он был расположен к абстрактным размышлениям. Он был практиком. В августе 1939 года Жуков провел потрясающую по внезапности, скорости и дерзости операцию по разгрому 6-й японской армии (впоследствии этот же метод он использовал против 6-й германской армии под Сталинградом). Молниеносный разгром 6-й японской армии был прологом Второй мировой войны. Получив телеграмму Жукова 19 августа 1939 года о том, что главное достигнуто: японцы не подозревают о готовящемся ударе, Сталин дал согласие на установление общих границ с Германией.

Сделка Молотова—Риббентропа шла под грозную музыку Жукова, который совершал в Монголии то, что не удавалось никому: разгром целой японской армии. Именно после этого на западных границах началось разрушение всего, что предназначалось для обороны, и создание грандиозных ударных формирований. Жуков получил под свое командование самый важный и самый мощный из советских округов — Киевский. Затем Жуков был поднят еще выше — на пост начальника Генерального штаба. И вот тут Генеральный штаб сделал теоретический вывод исключительной важности: «Выполнение задач армий вторжения необходимо возложить на весь Первый стратегический эшелон» (ВИЖ. 1963. № 10. С. 31). Итак, все шестнадцать армий первого эшелона, в составе которых находились 170 дивизий, предназначались именно для вторжения.

Самое интересное в том, что Первый стратегический эшелон не только получил задачу осуществить акцию вторжения, но и уже начал ее выполнять! Под прикрытием Сообщения ТАСС от 13 июня 1941 года весь Первый стратегический эшелон двинулся к границам Германии и Румынии.

Да, в Первом стратегическом эшелоне было всего только около трех миллионов солдат и офицеров, но ведь и горная лавина начинается с одной снежинки. Мощь Первого стратегического эшелона стремительно нарастала.

Маршал Советского Союза С.К. Куркоткин: «Воинские части, убывшие перед войной к государственной границе... увезли с собой весь неприкосновенный запас обмундирования и обуви» (Тыл Советских Вооруженных Сил в Великой Отечественной войне. 1941—1945 гг. С. 216). Тут же маршал говорит, что в резервах центра практически никакого обмундирования и обуви не осталось. Это означает, что дивизии, корпуса и армии тащили с собой одежду и обувь на миллионы резервистов.

В расчете на что, кроме немедленного призыва миллионов?

Говоря о мощи Первого стратегического эшелона, нужно говорить не только о том, сколько миллионов солдат в нем было, но надо вспомнить и те миллионы, которые Гитлер не позволил призвать, одеть и обуть вблизи границ. Выдвижение войск Первого стратегического эшелона заранее тщательно планировалось и увязывалось с действиями советской карательной машины. Окончательно решение о выдвижении было принято 13 мая 1941 года. На следующий день, 14 мая, было принято решение о насильственном выселении жителей западных приграничных районов. Осуществление планов началось ровно через месяц: 13 июня началось всеобщее выдвижение войск к границам, 14 июня началось выселение жителей приграничной полосы. Войска подходили к границам через несколько дней, когда там жителей уже не было. Остановка войск Первого стратегического эшелона при подходе к государственным границам не предусматривалась, вот почему советские пограничники расчищали проходы в своих заграждениях до самых пограничных знаков.

ГЛАВА 19

СТАЛИН В МАЕ

Сталин поставил перед собой в области внешней политики цель огромной важности, которую он надеется достичь личными усилиями.

Граф фон Шуленбург.
Секретный доклад, 12 мая 1941 г.

1

Для того чтобы понять события июня 1941 года, мы должны неизбежно вернуться в май. Май сорок первого — самый загадочный месяц вообще всей российской коммунистической истории. Каждый день и каждый час этого месяца наполнены событиями, смысл которых еще предстоит разгадать. Даже те события, которые происходили на глазах у всего мира, еще никем не объяснены.

6 мая 1941 года Сталин стал главой советского правительства. Этот шаг озадачил многих. Из трофейных документов мы знаем, например, что германское руководство так и не смогло найти никакого удовлетворительного объяснения этому событию. Впервые за всю советскую историю **официально** высшая партийная и государственная власть оказалась сосредоточенной в одних руках. Однако это совсем не означало укрепления сталинской личной диктатуры. Разве до этого вся власть фактически не была сосредоточена в руках Сталина? Если бы власть измерялась количеством звучных титулов, то Сталин еще десять лет назад мог собрать пышную коллекцию всевозможных титулов. Но он совершенно сознательно этого не делал. Начиная с 1922 года, заняв пост генерального секретаря, Сталин отказался от всех государственных и правительственных постов. Сталин

возвел свой командный пост **над** правительством и **над** государством. Он контролировал все, но официально ни за что не отвечал. Вот как еще в 1931 году **Л. Троцкий** описывал механизм подготовки коммунистического переворота в Германии: «В случае успеха новой политики все Мануильские и Ремеле провозгласили бы, что инициатива ее принадлежит Сталину. А на случай провала Сталин сохранил полную возможность найти виновного. В этом ведь и состоит квинтэссенция его стратегии. В этой области он силен» (БО* № 24. С. 12).

Переворот не состоялся, и Сталин действительно нашел виновников и примерно их наказал. Так он правит и внутри страны: все успехи — от Сталина, все провалы — от врагов, от проходимцев, от примазавшихся карьеристов, извращающих генеральную линию. «Победа колхозного строя» — творение сталинского гения, а миллионы погибших при этом — «головокружение от успехов» у некоторой части ответственных товарищей районного масштаба. К великим чисткам Сталин вообще никакого отношения не имел — ежовщина! И пакт с Гитлером не Сталин подписывал. Пакт вошел в историю с именами Молотова и Риббентропа. В Германии за этот пакт официальную ответственность нес не столько Риббентроп, сколько Адольф Гитлер — канцлер, хотя при подписании он и не присутствовал. А вот Иосиф Сталин, присутствовавший при подписании, в тот момент не имел ни государственных, ни правительственных должностей. Он присутствовал просто как гражданин Иосиф Сталин, не наделенный никакими государственными, правительственными, военными или дипломатическими полномочиями и, следовательно, не отвечающий за происходящее.

Точно так же 13 апреля 1941 года был подписан договор с Японией: Сталин присутствует, но ответственности за происходящее не несет. Результат: в критический для Японии момент Сталин наносит удар в спину исто-

---

* БО — «Бюллетень оппозиции» — журнал, который издавал Л.Д. Троцкий. — *Ред.*

щенной войной Японии. Совесть Сталина чиста: он договор не подписывал.

Но вот что-то произошло (или должно произойти), и Сталин в мае 41-го принимает на себя официально бремя государственной ответственности. Для Сталина новый титул — не усиление власти, а ее ограничение, точнее — самоограничение. С этого момента он не только принимает все важнейшие решения, но и несет за них официальную ответственность. До этого момента власть Сталина ограничивалась только внешними рубежами Советского Союза, да и то не всегда. Что же могло заставить его **добровольно** принять на свои плечи тяжкое бремя ответственности за свои действия, если он вполне мог оставаться на вершине непогрешимости, предоставляя другим возможность ошибаться?

Вся ситуация мне чем-то напоминает знаменитую охоту Хрущева на лося. Пока зверь был далеко, Никита покрикивал на егерей да посмеялся над своим не очень удачливым гостем Фиделем Кастро, сам, однако, не стреляя и даже ружья в руках не имея. А когда зверя пригнали к охотникам и промахнуться было никак нельзя, вот тут Никита взял в руки ружье... 19 лет не брал Сталин в свои руки инструментов государственной власти, а тут вдруг... Зачем?

По свидетельству адмирала флота Советского Союза Н.Г. Кузнецова (в то время адмирал, Нарком ВМФ СССР): «Когда Сталин принял на себя обязанности Председателя Совета Народных Комиссаров, система руководства практически не изменилась» (ВИЖ. 1965. № 9. С. 66). Если практически ничего не меняется — зачем Сталину нужен этот титул? А «между тем все поступки, действия, преступления Сталина целеустремленны, логичны и строго принципиальны» (А. Авторханов. Загадка смерти Сталина. С. 132).

Где же сталинская логика?

«Я не знаю ни одной проблемы, которая относилась бы к внутренней ситуации в Советском Союзе и была столь серьезной, чтобы вызвать такой шаг со стороны Сталина. Я с большей уверенностью мог бы утверждать, что если Сталин решил занять высший государственный пост, то причины этому следует искать во внешней политике». Так докладывал своему правительству германский посол в Москве фон Шуленбург. Советские маршалы говорят другими словами, но то же самое: назначение Сталина связано с внешними проблемами (Маршал Советского Союза И.Х. Баграмян. Так начиналась война. С. 62). Но и без этого мы понимаем, что внутренние проблемы Сталину куда удобнее решать, не перегружая себя ответственностью. Какие же внешние проблемы могут его заставить пойти на такой шаг?

В мае 1941 года многие государства Европы были сокрушены Германией. Проблемы отношений с Францией, например, просто не могло существовать. Сохранившая независимость Великобритания протягивала Сталину руку дружбы (Письмо Черчилля, переданное Сталину 1 июля 1940 года). Рузвельт относился к Сталину более чем дружески: предупреждал об опасностях, и американская технология уже лилась рекой в СССР. Вероятных противников было только два. Но Япония, получив представление о советской военной мощи в августе 1939 года, подписала только что договор с Советским Союзом и устремила свои взоры в направлении, противоположном советским границам. Итак, только Германия была причиной, заставившей Сталина предпринять этот на первый взгляд непонятный шаг. Что же мог предпринять Сталин в отношении Германии, используя свой новый официальный титул главы государства?

Есть только три возможности:

— установить прочный и нерушимый мир;

— официально возглавить вооруженную борьбу Советского Союза в отражении германской агрессии;

— официально возглавить вооруженную борьбу Советского Союза в агрессивной войне против Германии.

Первый вариант отпадает сразу. Мир с Германией уже подписан рукой Молотова. Заняв место Молотова в качестве главы государства, Сталин не предпринял решительно никаких шагов, для того чтобы встретить Гитлера и начать с ним переговоры. Сталин по-прежнему использует Молотова для мирных переговоров. Известно, что даже 21 июня Молотов пытался встретиться с германскими руководителями, а вот Сталин таких попыток не делал. Значит, он занял официальный пост не для того, чтобы вести мирные переговоры.

Коммунистическая пропаганда напирает на второй вариант: в предвидении нападения Германии Сталин решил лично и официально возглавить оборону страны. Но этот номер у товарищей коммунистов не пройдет: нападение Германии было для Сталина внезапным и явно неожиданным. Получается, что Сталин принял ответственность в предвидении событий, которых он не предвидел.

Давайте еще раз взглянем на поведение Сталина в первые дни войны. 22 июня глава правительства был обязан обратиться к народу и объявить страшную новость. Но Сталин уклонился от выполнения своих прямых обязанностей, которые выполнил его заместитель Молотов.

Зачем же в мае надо было садиться в кресло Молотова, чтобы в июне прятаться за его спиной?

Вечером 22 июня советское командование направило войскам директиву.

Слово маршалу Г.К. Жукову:

«Генерал Н.Ф. Ватутин сказал, что И.В. Сталин одобрил проект директивы № 3 и приказал поставить мою подпись...

— Хорошо, — сказал я, — ставьте мою подпись» (Г.К. Жуков. Воспоминания и размышления. С. 251).

Из официальной истории мы знаем, что эта директива вышла за подписями «народного комиссара обороны маршала С.К. Тимошенко, члена совета секретаря ЦК ВКП(б) Г.М. Маленкова и начальника Генерального штаба генерала Г.К. Жукова» (История второй мировой войны (1939—1945). Т. 4. С. 38).

Итак, Сталин заставляет других подписать этот приказ, уклоняясь от личной ответственности. Зачем же он принимал ее в мае? Отдается директива вооруженным силам на разгром вторгшегося противника. Документ величайшей важности. При чем тут «член совета секретаря»?

На следующий день объявлен состав Ставки Главного командования. Сталин отказался ее возглавить, согласившись войти в этот высший орган военного руководства только на правах одного из членов. «При существующем порядке так или иначе без Сталина нарком С.К. Тимошенко самостоятельно не мог принимать принципиальных решений. Получалось два главнокомандующих: нарком С.К. Тимошенко — юридический, в соответствии с постановлением, и И.В. Сталин — фактический» (Г.К. Жуков. Там же). В оборонительной войне Сталин применил свой испытанный метод руководства: принципиальные решения принимает он, а официальную ответственность несут Молотовы, Маленковы, Тимошенки, Жуковы. Только через месяц члены Политбюро заставили Сталина занять официальный пост Наркома обороны, а 8 августа — пост Верховного Главнокомандующего. Стоило ли Сталину «в предвидении оборонительной войны» принимать на себя ответственность, для того чтобы с первого момента такой войны энергично от ответственности уклоняться? Зная о манере Сталина руководить делами в первый месяц оборонительной войны, резонно было бы предположить, что накануне ее он попытается не принимать на себя никаких титулов и никакой ответственности, выдвинув на декоративные посты второстепенных чиновников, полностью им контролируемых. Итак, второе объяснение нас тоже не может удовлетворить. Поэтому мы вынуждены придерживаться третьей версии, которую пока еще никто не смог опровергнуть: руками Гитлера Сталин сокрушил Европу и теперь готовит внезапный удар в спину Германии. «Освободительный поход» Сталин намерен возглавить лично в качестве главы советского правительства.

Коммунистическая партия готовила советский народ и армию к тому, что приказ начать освободительную войну в Европе Сталин даст лично. Коммунистические фальсификаторы пустили в оборот версию о том, что Красная Армия готовила «контрудары». Ни о каких контрударах тогда речь не шла. Советский народ знал, что решение начать войну будет принято в Кремле. Война начнется не нападением каких-то врагов, а по сталинскому приказу: «И когда маршал революции товарищ Сталин даст сигнал, сотни тысяч пилотов, штурманов, парашютистов обрушатся на голову врага всей силой своего оружия, оружия социалистической справедливости. Советские воздушные армии понесут счастье человечеству!» Это говорилось в момент, когда Красная Армия уже уперлась в границы Германии («Правда», 18 августа 1940 г.), и нести счастье человечеству можно только через германскую территорию и обрушивать силу оружия социалистической справедливости в августе 1940 года можно было прежде всего на германские головы.

Занимая пост Генерального секретаря, Сталин мог дать любой приказ, и этот приказ незамедлительно и точно выполнялся. Но любой приказ Сталина был неофициальным, в этом-то и заключалась сталинская неуязвимость и непогрешимость. Теперь это положение Сталина больше не удовлетворяет. Ему нужно дать приказ (Главный Приказ его жизни), но так, чтобы официально это был сталинский приказ.

По свидетельству Маршала Советского Союза К.К. Рокоссовского (Солдатский долг. С. 11), каждый советский командир в своем сейфе имел «особый секретный оперативный пакет» — «Красный пакет Литер М». Вскрывать Красный пакет можно было только по приказу Председателя Совнаркома (до 5 мая 1941 года — Вячеслав Молотов) или Наркома обороны СССР (Маршал Советского Союза С.К. Тимошенко). Но, по свидетельству Маршала Советского Союза Г.К. Жукова, Тимошенко «без Сталина все равно принципиальных решений принимать не мог». Так вот: Сталин занял пост Молотова, для того чтобы Главный Приказ исходил не от Молотова, а от Сталина.

Пакеты лежат в сейфах каждого командира, но 22 июня 1941 года Сталин не дал приказа вскрыть Красные пакеты. По свидетельству Рокоссовского, некоторые командиры на свой страх и риск (за самовольное вскрытие Красного пакета полагался расстрел по 58-й статье) сами вскрыли Красные пакеты. Но ничего они там нужного для обороны не обнаружили. «Конечно, у нас были подробные планы и указания о том, что делать в день «М»... все было расписано по минутам и в деталях... Все эти планы были. Но, к сожалению, в них ничего не говорилось о том, что делать, если противник внезапно перейдет в наступление» (Генерал-майор М. Грецов, ВИЖ. 1965. № 9. С. 84).

Итак, **планы войны** у советских командиров были, но **планов оборонительной войны** не было. Высшее советское руководство об этом знает. Вот почему в первые минуты и часы войны высшее советское руководство вместо короткого приказа вскрыть пакеты занимается импровизацией — сочиняет новые директивы войскам. Все планы, все пакеты, все, «расписанное в деталях и по минутам», в условиях оборонительной войны больше не нужно.

Кстати, первые директивы высшего советского руководства тоже не ориентируют войска на то, чтобы зарыться в землю. Это тоже не оборонительные и не контрнаступательные, а чисто наступательные директивы. Советские руководители мыслят и планируют только этими категориями, даже после вынужденного начала оборонительной войны. Красные пакеты носят очень решительный характер, но в неясной обстановке нужно несколько сдержать наступательный порыв войск до полного выяснения случившегося. Вот почему первые директивы носят наступательный характер, но тон их сдерживающий: наступать, но не так, как это написано в Красных пакетах!

В неясной обстановке Сталин рисковать не желает, вот почему на самых главных директивах «великой отечественной войны» — директивах начать войну, нет подписи Сталина. Он готовился выполнить почетную обязанность — подписать другие директивы, в другой обстановке — подписать директивы не на вынужденную оборонительную войну, а на освободительную миссию народов мира.

Гитлер читал телеграммы мудрого Шуленбурга, да и сам, наверное, тоже понимал, что Сталин надеется «в области внешней политики достичь цели огромной важности личными усилиями». Гитлер понимал, насколько это опасно, и лишил Сталина этой возможности. Вот почему на первых директивах неожиданной для Сталина и вынужденной оборонительной войны появляется подпись «члена совета секретаря».

2

Вступая в должность, каждый глава правительства объявляет программу своих действий. А Сталин? И Сталин. Правда, речь Сталина, которая может считаться программной, была произнесена, но никогда не публиковалась.

5 мая 1941-го, когда назначение Сталина было предрешено (а может быть, уже и состоялось), он выступает с речью в Кремле на приеме в честь выпускников военных академий. Сталин говорит 40 минут. Учитывая сталинскую способность молчать, 40 минут это необычно много. Это потрясающе много. Сталин говорил перед выпускниками военных академий совсем не каждый год. За всю историю таких выступлений было только два. Первый раз — в 1935 году: Киров убит несколько месяцев назад, над страной занесен карательный топор, тай-

но готовится великая чистка, а товарищ Сталин говорит перед выпускниками военных академий речь: кадры решают все. Вряд ли кто тогда мог понять истинный смысл сталинских слов. А Сталин замыслил ни много ни мало, а почти поголовную смену своих кадров с кровавым финалом для большинства сталинских слушателей.

А в мае 1941 года Сталин во второй раз говорит нечто важное выпускникам военных академий. Теперь замышляется более серьезное и более темное дело, и потому сталинская речь на этот раз секретна. Речь Сталина **никогда не публиковалась**, и это дополнительная гарантия ее важности. Сталин говорил о войне. О войне с Германией. В советских источниках с опозданием на 30—40 лет появились ссылки на эту речь. «Генеральный секретарь ЦК ВКП(б) И.В. Сталин, выступая 5 мая 1941 года с речью на приеме выпускников военных академий, дал ясно понять, что германская армия является наиболее вероятным противником» (ВИЖ. 1978. № 4. С 85). История второй мировой войны (Т. 3. С. 439) подтверждает, что Сталин говорил о войне, и именно о войне с Германией. Маршал Советского Союза Г.К. Жуков идет несколько дальше. Он сообщает, что Сталин в обычной своей манере задавал вопросы и сам на них отвечал. Сталин задавал среди прочих вопрос о том, является ли германская армия непобедимой, и отвечал отрицательно. Сталин называл Германию агрессором, захватчиком, покорителем других стран и народов и предрекал, что для Германии такая политика успехом не кончится (Воспоминания и размышления. С. 236).

Золотые слова. Но почему их держат в секрете? Понятно, что в мае 1941 года Сталину несподручно было своего соседа называть агрессором и захватчиком. Но через полтора месяца Гитлер напал на СССР, и майскую речь Сталину следовало срочно опубликовать. Следовало выступить перед народом и сказать: братья и сестры, а ведь я такой оборот предвидел и офицеров своих тайно предупреждал еще 5 мая. В зале кроме выпускников академий сидели все высшие военные и политические лидеры страны, и каждый может это подтвердить. А вот и стенограмма моей речи...

Но нет, не вспомнил Сталин свою речь и слушателей в свидетели не призвал. Кончилась война, Сталина возвели в ранг генералиссимуса и объявили мудрейшим из стратегов. Вот тут бы сталинским лакеям вспомнить речь от 5 мая 1941 года: он, мол, нас предупреждал еще в мае, ах, если бы мы были достойны своего великого учителя! Но никто речь не вспомнил при жизни Сталина. Вспомнили много позже, но публиковать не стали. Тому есть только одна причина: 5 мая 1941 года Сталин говорил о войне против Германии, а о возможности германского нападения НЕ говорил. Сталин представлял войну против Германии БЕЗ германского нападения на СССР, а с каким-то другим сценарием начала войны.

Сталинские сочинения до сих пор держат первенство в мире по количеству изданных томов. Опубликовано многое, даже заметки на полях чужих книг: все это драгоценные источники мудрости, а вот речь о войне с Германией так и осталась секретной на многие десятилетия. Мало того, предприняты особые меры для того, чтобы эту речь навсегда забыть. Сразу после войны миллионными тиражами на множестве языков вышла книга Сталина «О Великой Отечественной войне». Книга начинается выступлением Сталина по радио 3 июля 1941 года. Назначение книги ясно: вбить нам в голову идею, что Сталин начал говорить о советско-германской войне только после германского вторжения и говорил он только об обороне. А ведь Сталин начал говорить о войне не после германского вторжения, а до него и говорил он не об обороне, а о чем-то другом.

Интересно, о чем?

3

Мы уже знаем, что после подписания пакта Молотова — Риббентропа выдающиеся советские полководцы Жуков и Мерецков, выдающийся полицейский лидер всех

214

времен и народов Лаврентий Берия сделали очень многое для разрушения всего, что связано с обороной советской территории. Но вот Сталин заговорил о войне с Германией. Заговорил на секретном совещании, но так, чтобы его слышали все выпускники военных академий, все генералы, все маршалы. Что же в этой ситуации будут делать Жуков, Мерецков, Берия? Наверное, на границах начнут все же устанавливать мины, колючую проволоку, минировать мосты? Нет. Как раз наоборот. «В начале мая 1941 года, после выступления Сталина на приеме выпускников военных академий, все, что делалось по устройству заграждений и минированию, стало еще более тормозиться» (Старинов. С. 186).

Если мы не верим полковнику ГРУ Старинову и его поистине великолепной книге, мы можем обратиться к германским архивам и там найти то же самое: германская разведка, по всей видимости, никогда не добыла полный текст сталинской речи, но по многим косвенным и прямым признакам германская разведка считала, что речь Сталина 5 мая 1941 года — это речь о войне с Германией. Та же германская разведка наблюдала снятие советских минных полей и других заграждений в мае и июне 1941 года.

Снятие заграждений на границах — это необходимый элемент последних приготовлений к войне. Не к оборонительной войне, конечно...

4

Май 1941 года — это резкий поворот во всей советской пропаганде. До этого коммунистические газеты прославляли войну и радовались тому, что Германия уничтожает все больше и больше государств, правительств, армий, политических партий. Советское руководство просто в восторге: «Современная война во всей ее страшной красоте!» («Правда», 19 августа 1940 г.).

Или вот описание Европы в войне: «трупная свалка, порнографическое зрелище, где шакалы рвут шакалов» («Правда», 25 декабря 1939 г.). На этой же странице — приветственная дружественная телеграмма Сталина Гитлеру. Коммунисты убеждают нас, что Сталин верил Гитлеру и хотел с ним дружбы, а в качестве доказательства суют нам сталинскую телеграмму от 25 декабря: «Главе Германского Государства господину Адольфу Гитлеру». Так вот, прямо под дружественной сталинской телеграммой — «шакалы рвут шакалов». Это ведь и о Гитлере сказано! Какие же еще шакалы рвут друг друга на трупной свалке Европы?

И вдруг все изменилось.

Вот тон «Правды» на следующий день после сталинской секретной речи: «За рубежами нашей Родины полыхает пламя Второй Империалистической войны. Вся тяжесть ее неисчислимых бедствий ложится на плечи трудящихся. Народы не хотят войны. Их взоры устремлены в сторону страны социализма, пожинающей плоды мирного труда. Они справедливо видят в вооруженных силах нашей Родины — в Красной Армии и Военно-Морском флоте — надежный оплот мира... В нынешней сложной международной обстановке нужно быть готовым ко всяким неожиданностям...» («Правда», 6 мая 1941 г., передовая статья).

Вот как! Сначала Сталин пактом Молотова—Риббентропа открыл шлюзы Второй мировой войны и радовался, видя, как «шакалы рвут шакалов», а вот теперь вспомнил и о народах, которым захотелось мира и которые с надеждой взирают на Красную Армию!

Сам Сталин в марте 1939 года обвинял Великобританию и Францию в том, что они хотят ввергнуть Европу в войну, оставаясь сами в стороне от нее, а потом «выступить на сцену со свежими силами, выступить, конечно, «в интересах мира» и продиктовать ослабевшим участникам войны свои условия» (И.В. Сталин. Доклад 10 марта 1939 года).

Что там затевали «империалисты», я не знаю. Но на подписании пакта, который был ключом к войне, присутствовал только один лидер — Сталин. При подписании пакта о начале войны ни японские, ни американские, ни британские, ни французские лидеры не присутствовали. Даже германский канцлер — и тот отсутствовал. А Сталин там был. И именно Сталин остался пока в стороне от войны. И именно он теперь заговорил о Красной Армии, которая может положить конец кровопролитию!

Совсем недавно, 17 сентября 1939 года, Красная Армия нанесла внезапный удар по Польше. На следующий день по радио советское правительство объявило, почему: «Польша стала удобным плацдармом для всяких случайностей и неожиданностей, могущих создать угрозу для СССР... Советское правительство не может более нейтрально относиться к этим фактам... Ввиду такой обстановки советское правительство отдало распоряжение Главному командованию Красной Армии дать приказ войскам перейти границу и взять под свою защиту жизнь и имущество населения...» («Правда», 18 сентября 1939 г.).

Тут бы самое время задать вопрос: «Кто же превратил Польшу в «удобный плацдарм для всяких случайностей»? Но об этом — в следующей книге.

Цинизм Молотова (и Сталина) границ не имеет. Гитлер пришел в Польшу «расширять жизненное пространство для немцев». А Молотов — для другой цели: «Чтобы вызволить польский народ из злополучной войны, куда он был ввергнут неразумными руководителями, и дать ему возможность зажить мирной жизнью» (Там же).

Но и в настоящее время советские коммунисты не изменили своего мнения о характере тех событий. В 1970 году вышел официальный сборник документов по истории советских пограничных войск (Пограничные войска СССР. 1939 — июнь 1941). Например, документ № 192 утверждает, что советские действия в сентябре 1939 года имели целью «помочь польскому народу выйти из войны».

Советский Союз всем и всегда «бескорыстно» помогал найти путь к миру. Вот 13 апреля 1941 года Молотов подписывает пакт о нейтралитете с Японией: «поддерживать мирные и дружественные отношения и взаимно уважать территориальную целостность и неприкосновенность... в случае, если одна из Договаривающихся сторон окажется объектом военных действий со стороны одной или нескольких третьих держав, другая Договаривающаяся сторона будет соблюдать нейтралитет в продолжение всего конфликта».

Когда Сталин находился на краю гибели, Япония слово свое сдержала. Но вот Япония — на краю гибели. Красная Армия наносит внезапный сокрушительный удар. После этого советское правительство объявляет: «Такая политика является единственным средством, способным приблизить наступление мира, освободить народы от дальнейших жертв и страданий и дать возможность японскому народу избавиться от опасностей и разрушений...» (Заявление советского правительства от 8 августа 1945 года). Необходимо отметить, что формально заявление было сделано 8 августа, а советские войска нанесли удар 9 августа. На практике удар наносился по местному времени на Дальнем Востоке, а заявление было сделано через несколько часов после этого в Москве по московскому времени.

На военном языке это именуется: «Подготовка и нанесение внезапного первоначального удара с открытием нового стратегического фронта» (Генерал армии С.П.Иванов. Начальный период войны. С. 281).

На политическом языке это именуется: «Справедливый и гуманный акт СССР» (Полковник А.С. Савин. ВИЖ. 1985. № 8. С. 56).

Маршал Советского Союза Р.Я. Малиновский после нанесения первого сокрушительного удара обратился к своим войскам: «Советский народ не может спокойно жить и трудиться, пока японские империалисты бряцают оружием у наших дальневосточных границ и выжидают удобного момента, чтобы напасть на нашу Родину» («Коммунист». 1985. № 12. С. 85). Советские маршалы всегда боятся, что кто-то на них нападет. Малиновский произнес эти слова 10 августа 1945 года. Хиросимы уже нет, и Малиновский об этом знает. Неужели «японским империалистам» после Хиросимы больше нечем заняться, как «выжидать удобный момент»?

Современные советские публикации (например, ВИЖ. 1985. № 8) настаивают, что «вступление СССР в войну с Японией отвечало также интересам японского народа...» «Советский Союз преследовал цель избавить народы Азии, в том числе и японский, от дальнейших жертв и страданий...»

В мае 1941 года советская пресса вдруг заговорила о том, что народы Европы захотели мира и с надеждой смотрят на Красную Армию. Это был тот же тон, те же слова, что произносятся перед каждым коммунистическим «освобождением».

5

В конце 1938 года завершилась великая чистка в Советском Союзе. Наступил новый этап. Новые времена — новые цели — новые лозунги. В марте 1939 года Сталин впервые заговорил о том, что нужно готовиться к каким-то «неожиданностям», и не внутри страны, а на международной арене. В августе 1939 года Сталин преподносит первый сюрприз, первую «неожиданность», от которой ахнул не только весь советский народ, но и весь мир: пакт Молотова—Риббентропа. Тут же германские, а за ними и советские войска вступают в Польшу. Официальное советское объяснение: «Польша превратилась в поле для разных неожиданностей». Что ж, эта угроза ликвидирована бескорыстным актом советского правительства, Красной Армии и НКВД. Но Сталин призывает быть готовыми «к новым неожиданностям», т. к. «международная обстановка становится все более и более запутанной».

Казалось бы, чего же проще: мир с Германией подписан, где же запутанность ситуации? Но Сталин настойчиво повторяет свое предостережение не верить кажущейся простоте, быть готовым к неожиданностям, к каким-то резким поворотам и изменениям.

Май 1941 года — это месяц, когда лозунг «быть готовым к неожиданностям» вдруг загремел набатом по всей стране. Он загремел в первый день мая с самой первой страницы «Правды» и был повторен тысячекратно всеми другими газетами, сотнями тысяч голосов комиссаров, политработников, пропагандистов, разъясняющих лозунг Сталина массам. Призыв «быть готовым к неожиданностям» зазвучал в приказе Наркома обороны № 191, объявленном «во всех ротах, батареях, эскадрах, эскадрильях и на кораблях».

Может быть, это Сталин предупреждает страну и армию о возможности внезапного германского нападения? Нет, конечно. Для самого Сталина германское нападение было полной неожиданностью. Не мог же он предупреждать об опасностях, которых сам не предвидел!

22 июня 1941 года все разговоры о неожиданностях прекратились, и этот лозунг больше никогда не повторялся. В современных советских публикациях вообще нет никаких упоминаний о лозунге «готовьтесь к неожиданностям». А ведь это один из самых звучных мотивов советской пропаганды «предвоенного периода».

На первый взгляд удивительно, что сам Сталин никогда потом про свой лозунг не вспомнил. А ведь он же мог где-то сказать: Гитлер напал внезапно, а я же вас предупреждал быть готовыми к неожиданностям! Но Сталин никогда этого так и не сказал. Маршал Тимошенко мог бы однажды напомнить после войны: помните приказ № 191? Я вас даже в приказе предупреждал! Современные советские историки и партийные бюрократы (не называя имени Сталина и Тимошенко) могли бы объяснить: вот какая у нас мудрая партия! На страницах своей центральной газеты чуть не каждый день призывала готовиться к неожиданностям! Но ни Сталин, ни Тимошенко, ни кто-либо другой ни разу не вспомнили набатный лозунг мая и июня 1941 года. Почему же? Да потому, что под лозунгом «готовьтесь к неожиданностям» понималось не германское вторжение, а нечто противоположное. Под лозунгом «готовьтесь к неожиданностям» чекисты не устанавливали мины на границах, а снимали их и знали, что это и есть подготовка к Центральной неожиданности XX века.

Советская пресса, призывая армию и народ быть готовыми к неожиданностям международного масштаба, никогда не ассоциировала этот призыв с возможностью иностранного вторжения и оборонительной войны на своей территории.

Для того чтобы иметь представление об истинном значении лозунга, мы, конечно, должны открыть первую страницу газеты «Правда» от Первого мая 1941 года. Именно эта страница задала тон всему многоголосому хору, который просто послушно повторял сольное выступление «Правды».

Итак, «Правда» № 120 (8528) от 1 мая 1941 года. На главной первой странице газеты среди многих пустозвонных фраз всего две цитаты. Обе Сталина.

Первая — в самом начале передовой статьи: «То, что осуществлено в СССР, может быть осуществлено и в других странах» (Сталин).

Вторая — в приказе Наркома обороны о готовности к случайностям и «фокусам» наших внешних врагов (тоже Сталин).

Все остальное на первой странице: о жестокой войне, захватившей Европу, о страданиях трудящихся, об их стремлении к миру и надеждах на Красную Армию. В этом ключе вторая цитата дополняет первую.

Много говорит первая страница о советских усилиях сохранить мир, но в качестве примера соседа, с которым наконец установлены нормальные отношения, приводится Япония (ее час пока не пробил), а вот Германия среди хороших друзей уже не числится.

Конечно, согласно «Правде», враг — хитер и коварен, и мы ответим на его происки, но не в смысле защиты своей территории, а в смысле освобождения народов Европы от бедствий кровопролитной войны.

Вот в предвидении таких неожиданностей через пять дней после начала громовой кампании во всех советских газетах Сталин принял пост Главы правительства и произнес свою секретную речь, в которой назвал Германию главным противником.

В мае 1941 года Сталин принял государственную ответственность в предвидении «неожиданностей». В июне Гитлер напал, но это была такая «неожиданность», которая заставила Сталина интенсивно отбиваться от государственной ответственности.

Очевидно, что Сталин готовился не к германскому вторжению, а к «неожиданностям» противоположного характера.

ГЛАВА 20
СЛОВО И ДЕЛО

> Слова не всегда соответствуют делам.
>
> *В. Молотов.*
> *Из беседы с Гитлером. 13 ноября 1940 г.*

1

В своей секретной речи 5 мая 1941 года Сталин заявил, что «война с Германией начнется не раньше 1942 года». Эта фраза — наиболее известный фрагмент сталинской секретной речи. С высоты нашего современного знания последующих событий сталинская ошибка очевидна. Но не будем спешить смеяться над сталинскими ошибками.

Обратим внимание вот на что. Сталин произносит секретную речь, которая никогда не публиковалась. Если речь секретна, то наверняка Сталин заинтересован секреты свои от противника утаить. Но в Кремле Сталина слушают ВСЕ выпускники ВСЕХ военных академий и ВСЕ преподаватели ВСЕХ военных академий, и высшее политическое руководство страны, и высшее военное руководство Красной Армии. Вдобавок ко всему содержание секретной сталинской речи было сообщено всем советским генералам и всем полковникам.

Генерал-майор Б. Трамм: «В середине мая 1941 года Председатель Центрального совета Осоавиахима генерал-майор авиации П.П. Кобелев собрал руководящий состав Центрального совета и довел до нас основные положения речи И.В. Сталина, произнесенной им на правительственном приеме выпускников военных академий в Кремле» (ВИЖ. 1980. № 6. С. 52).

С одной стороны, речь Сталина секретна, с другой — ее содержание знают тысячи людей. Есть ли объяснение такому парадоксу? Есть.

Из воспоминаний Адмирала Флота Советского Союза Н.Г. Кузнецова мы знаем, что после назначения Г.К. Жукова начальником Генерального штаба была разработана «очень важная директива, нацеливающая командующих округов и флотов на Германию, как на самого вероятного противника в будущей войне» (Накануне. С. 313).

Два месяца директива находилась в Генеральном штабе, а 6 мая 1941 года была передана в штабы приграничных военных округов на исполнение. Есть много указаний, что она была в тот же день получена штабами. Об этом, например, говорит Маршал Советского Союза И.Х.Баграмян. Советские маршалы об этой совершенно секретной директиве часто говорят, но не цитируют ее. За полвека в печать из всей этой совершенно секретной директивы просочилась одна лишь фраза: «...быть готовым по указанию Главного командования нанести стремительные удары для разгрома противника, перенесения боевых действий на его территорию и захвата важных рубежей» (В.А. Анфилов. Бессмертный подвиг. С. 171).

Будь в той директиве одно слово об обороне, маршалы и коммунистические историки не преминули бы его цитировать. Но весь остальной текст директивы от 5 мая для цитирования никак не подходит. Директива остается совершенно секретной даже через полвека после завершения войны.

Советская цензура пропустила только одну фразу, но и она одна вполне раскрывает смысл всего так тщательно скрываемого документа. Дело в том, что в оборонительную войну солдат вступает без приказа. Сотнями лет русский воин вступал в войны с агрессорами, не дожидаясь команд сверху. Противник переходит пограничную реку, и это означает для солдата начало войны. Границы России переходили огромные армии завоевателей, и каждый раз с доисторических времен русский воин, как и

Нет, это не фашисты. Это Красная Армия готовится к освободительным походам

Чингисхан покорял мир не силой оружия, но силой маневра. Ему были не нужны почти неуязвимые, неповоротливые рыцари. Для глубокого стремительного маневра в тыл противника ему были нужны огромные массы почти незащищенных, легко вооруженных, но исключительно подвижных войск. На основе именно этой философии создавались советские танки БТ. Их было много. Только танков серии БТ Сталин имел больше, чем все страны мира вместе взятые имели танков всех типов. Танки БТ обладали исключительной скоростью и подвижностью, огромным запасом хода. Они не имели тяжелой брони и мощного оружия. Их роль в ходе внезапного вторжения: не ввязываться в затяжные бои, обходить очаги сопротивления, выходить в глубокий тыл потивника, захватывать незащищенные жизненно важные центры.

В оборонительной войне такие танки бесполезны...

Гитлер для агрессивной войны подготовил четыре тысячи десантников. Сталин — миллион

Танки БТ имели уникальную способность сбрасывать гусеницы и использовать автострады противника для рывка в глубину его территории. Эта возможность могла быть реализована только на автострадах Германии, Италии, Франции

Танки БТ готовились к действиям огромными массами: механизированными корпусами по тысяче танков в каждом и группами корпусов

Во всех странах пограничные войска готовятся оборонять берега пограничных рек. Исключение: СССР. Наши пограничники готовились форсировать реки, захватывать чужие берега и пограничные мосты

Крылатый танк КТ, он же А-40 (Антонов-1940). Пилотирует танк летчик С.Анохин. Гитлер своим вторжением сделал эти достижения советских конструкторов ненужными

Двухместный самолет Р-5 приспособлен для переброски 16 десантников в тыл противника. В оборонительной войне все это не потребовалось

Под прикрытием Сообщения ТАСС от 13 июня 1941 года титанические массы советских войск устремились к границам. Германское нападение застало войска в эшелонах. Если впереди перебита одна рельса, и эшелон остановлен, то снять танки с платформ невозможно

При подготовке к отражению агрессии авиацию оттягивают дальше от границ и рассредоточивают. При подготовке агрессии — стягивают к границам. В июне 1941 года в непосредственной близости от западных границ советское командование сосредоточило сверхмощную ударную авиационную группировку. На приграничных аэродромах советские самолеты стояли крылом к крылу. Это делало их чрезвычайно уязвимыми. Утром 22 июня целые аэродромы горели едиными гигантскими пожарами

Советский Союз был единственной страной мира, которая имела в 1941 году тяжелые танки. Их задача — взломать оборону противника и пропустить танки БТ на германские автострады. Советские тяжелые танки выдерживали по 20—30 и даже до 200 прямых попаданий германских противотанковых снарядов. Если бы они перешли границу, то остановить их было нечем. Но Гитлеру повезло, он нанес удар в тот самый момент, когда массы войск находились в движении

Сталин и Шапошников.

19 августа 1939 года Сталин принял окончательное решение подписать пакт с Германией о разделе Польши. В тот же день началась тайная мобилизация Красной Армии для войны против Германии. «Мобилизация — это война», — говорил Шапошников. Сталин с этим полностью соглашался

Молодой человек с двумя орденами — Р.П.Хмельницкий. Позади Ленина покровитель Хмельницкого — К.Е.Ворошилов

1940 год: полная мобилизация и милитаризация советской промышленности. Авиационные, танковые, орудийные, снарядные заводы перешли на режим военного времени, мужчин тайно забирают в армию, оружие производят старики, женщины и подростки. Советская промышленность давала столько снарядов, что хранить их было негде, надо было в 1941 году начинать войну...

203-мм гаубица Б-4. Каждый снаряд весит сто килограммов, не считая зарядов. Орудия такого типа можно применять только в наступательных операциях. Сосредоточение тяжелой гаубичной артиллерии — верный признак готовящегося наступления. Летом 1941 года в приграничных районах СССР было сосредоточено более пятисот артиллерийских полков, в том числе — артиллерийские полки большой мощности и дивизионы артиллерии особой мощности. На каждое орудие было заготовлено по 600 снарядов

1942 год. Встреча В.Молотова в Шотландии. Советский бомбардировщик ТБ-7 беспрепятственно прошел над всей Европой

ТБ-7 — лучший стратегический бомбардировщик мира. На больших высотах ТБ-7 по скорости превосходил любой истребитель и был полностью неуязвим для зенитной артиллерии. Почему Сталин не приказал строить такие бомбардировщики?

Японский самолет «Накадзима» Б-5Н2. Вес — 3,8 тонны. Макс. скорость — 378 км/ч. Дальность полета — 2000 км. Боевая нагрузка — 1 торпеда 800 кг)

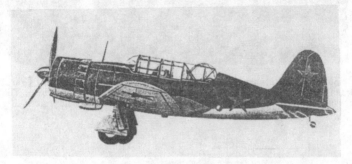

Советский самолет «Иванов», или Су-2. (Вес — 4 тонны. Макс. скорость — 486 км/ч. Дальность полета — 1200 км. Бомбовая нагрузка — 600 кг)

Японский «Накадзима» Б-5Н2 и советский «Иванов» Су-2 — самолеты-агрессоры. Оба создавались для внезапного нападения и для действий в условиях полного господства в воздухе

Бомба весом в пять тонн для бомбардировщика ТБ-7. Если бы Сталин отдал приказ строить ТБ-7, то в ночь на 23 июня 1941 года сотни ТБ-7 могли высыпать на Берлин тысячи тонн бомб. А 24 июня повторить...

Член Военного Совета Украинского фронта Н.С.Хрущев у реки Сан (29 сентября 1939г.)

В приграничных районах Красная Армия потеряла 25 000 вагонов артиллерийских снарядов. Почему снаряды хранили в вагонах? Куда их собирались везти? Если готовилась оборона, надо было снаряды выдать войскам. Если готовилось отступление, то незачем было снаряды сосредоточивать в приграничных районах

← ⌐

Коммунистическая партия заскрипела офицерскими сапогами. Никита Хрущев в растерзанной Польше на новой советско-германской границе. Все, что сказал Хрущев в этот исторический момент, стало достоянием истории: «Пусть немцы творят преступления, потом в Европу придет Красная Армия-освободительница...»

Шепетовка, начало июля 1941 года: момент пленения советских солдат 16-й армии. Посмотрите в эти лица. Война только началась, где советские солдаты успели так отощать, они же не прошли еще через **германские** концлагеря?

До германского нападения, 13 июня 1941 года, Сталин начал тайную переброску в западные районы СССР семи армий Второго стратегического эшелона. Эти армии имели только наступательные задачи. Армии Второго стратегического эшелона в значительной степени были укомплектованы заключенными ГУЛАГа. В возможность германского нападения Сталин не верил, но до германского нападения дал оружие в руки заключенных. Если бы Гитлер не напал, долго ли мог Сталин держать сотни тысяч вооруженных зэков на своих западных границах?

воин любой другой страны, знает, что переход границы противником означает войну, и действует, не дожидаясь приказов. Караульная служба на то и придумана, чтобы каждого солдата по многу раз поставить в ситуацию, в которой от него требуется самостоятельное решение на применение оружия. Право и долг солдата — убивать каждого, кто пытается проникнуть на охраняемый объект. Советский закон особо охраняет право каждого солдата на самостоятельное применение оружия, и тот же закон жестоко карает каждого солдата, который не воспользовался своим оружием в случае, когда этого требовали обстоятельства.

Солдат на государственной границе — это солдат на боевом посту. В оборонительной войне ему не нужны приказы и директивы.

Нормальное начало оборонительной войны — это ситуация, когда продрогший за ночь солдат уже было собрался завернуться в шинель и уснуть, предварительно ткнув ногой своего сменщика, но вдруг протер глаза и увидел противников, переходящих реку. Солдат открывает беглый огонь по супостату и шумом стрельбы поднимает тревогу. Просыпается командир отделения, ругается спросонья и, сообразив, что происходит, гонит остальных своих солдат в траншею. А по всей границе на сотни километров уже разгорелась стрельба. Появился командир взвода. Он координирует огонь своих отделений. Появляются другие командиры рангом постарше. Бой начинает принимать организованный характер. Летит донесение в штаб полка, а оттуда в штаб дивизии...

Так должна начинаться оборонительная война. А совершенно секретная директива от 5 мая 1941 года предусматривала вступление миллионов солдат Красной Армии в войну по единому приказу, который поступит от советского Главного командования. Полусонный солдат на границе может видеть нападение противника, а как товарищи в Кремле могут знать о начале войны?

Разве что они сами установили дату ее начала.

В оборонительную войну вступает сначала солдат, потом сержант, потом взводный командир. В наступательной войне все идет с обратной стороны. В нее сначала вступает Главнокомандующий, начальник Генерального штаба, затем командующие фронтами, флотами, армиями. Рядовой солдат узнает о начале агрессивной войны самым последним. В оборонительную войну миллионы солдат вступают каждый по одному, в агрессивную — все как один.

Солдаты Гитлера вступали на территорию противника все как один, час в час, минута в минуту. Солдаты Сталина тоже всегда так делали: и в Финляндии, и в Монголии, и в Бессарабии. Именно так они должны были вступить в войну и с Германией.

Директива от 5 мая отдана, но срок начала войны пока остается в полном секрете. Ждите сигнала и будьте готовы в любой момент, говорит директива советским генералам. Отдав директиву 5 мая, Сталин тут же занял пост Главы советского правительства, для того чтобы самому лично дать сигнал на выполнение директивы.

Гитлер дал своим войскам приказ на выполнение директивы немного раньше...

2

Мы не знаем и, по-видимому, никогда не узнаем содержания совершенно секретной директивы от 5 мая 1941 года; ясно, что это была директива о войне с Германией, но война должна была начаться не германским вторжением, а каким-то другим образом. Если бы среди различных вариантов был предусмотрен и вариант, в котором войну начинает Германия, то в этом случае 22 июня 1941 года советские лидеры в Кремле могли просто по телефону открытым текстом или любым другим самым примитивным способом сообщить командующим приграничными округами: «Откройте сейфы, возьмите директиву от 5 мая и делайте то, что в ней написано».

Если бы в директиве от 5 мая было несколько вариантов и один оборонительный среди них, то можно было просто по телефону сказать командующему приграничным округом: первые девять вариантов зачеркни, а последний, десятый, выполняй. Но в директиве оборонительных вариантов не было. Вот почему директива от 5 мая никогда не была введена в действие. В первый момент германского вторжения советская директива полностью потеряла смысл, она мгновенно устарела, точно так же, как «устарели» все советские автострадные танки, включая даже те, что были выпущены 21 июня 1941 года.

Вместо того чтобы ввести в действие директиву, которая лежит в сейфе каждого командующего, советские лидеры в Кремле с самого первого момента войны вынуждены импровизировать. Они вынуждены отказаться от введения в действие уже готовой директивы, которую каждый командующий приграничным округом держит в своих руках. Вместо введения готовой директивы Тимошенко и Маленков вынуждены тратить время на сочинение новой директивы. Затем будет тратиться время на шифрование, передачу, прием, расшифрование. Кстати сказать, директива, отданная 22 июня, тоже насквозь агрессивная, но она немного сдерживает наступательный порыв советских войск.

3

Не следует думать, что совершенно секретная директива от 5 мая 1941 года попала в сейфы и там ждала своего часа. Совсем нет. Директива была передана на исполнение. Командующие округами сделали очень многое. В соответствии с ней были проведены грандиозные перегруппировки советских войск к границам, были сняты сотни километров проволочных заграждений и тысячи мин в приграничных районах, были выдвинуты к самым границам и уложены на грунт сотни тысяч тонн боеприпасов, в приграничные районы были вывезены сотни тысяч тонн самых разнообразных запасов, необходимых для скорой и неизбежной войны.

15 июня 1941 года для генералов, которые командовали армиями, корпусами, дивизиями, настала пора узнать немного больше о намерениях высшего советского руководства. В этот день штабы пяти приграничных военных округов отдали боевые приказы, разработанные на основе совершенно секретной директивы от 5 мая.

Круг посвященных расширился на несколько сотен человек. Приказы, отданные в среднем командном звене Красной Армии 15 июня 1941 года, тоже остаются совершенно секретными, но их было несколько, и потому они цитируются чаще и полнее. Вот ставшая известной историкам фраза из приказа, который был отдан штабом Прибалтийского особого Военного округа 15 июня командующим армиями и командирам корпусов, входящих в данный округ: «В любую минуту мы должны быть готовы к выполнению боевой задачи».

А теперь вернемся к секретной речи Сталина 5 мая 1941 года. Полному залу Сталин в **секретной** речи говорит об агрессивной войне против Германии, которая начнется... в 1942 году. В тот же день в **совершенно секретной** директиве командующие приграничными округами получают указание быть готовыми к агрессии в любой момент.

Еще совпадение: 13 июня 1941 года ТАСС передает Сообщение о том, что Советский Союз не собирается нападать на Германию и перебрасывает войска на германские границы учений ради, а 15 июня советские генералы в приграничных округах получат приказ только для их ушей: быть готовыми к захвату рубежей на чужой территории в любой момент.

4

В мае—июне 1941 года скрыть советские приготовления к «освобождению» Европы было уже невозможно. Сталин знает это. Поэтому он на весь мир в Сообщении

ТАСС «наивно» объявляет, что СССР к нападению не готовится. Конечно, Гитлер и германская разведка такой грубой фальшивке не поверят — вот на этот случай Сталин «секретно» сообщает тысячам своих офицеров (а заодно и германской разведке), что Советский Союз нападет на Германию... в 1942 году.

Намерений скрыть уже нельзя, но срок скрыть можно, на это и рассчитана сталинская «секретная» речь: «Ты не веришь, Гитлер, моим открытым сообщениям, тогда верь «секретным».

Гитлер имел достаточно благоразумия, чтобы не верить ни тому, ни другому.

ГЛАВА 21
ЗУБАСТОЕ МИРОЛЮБИЕ

> Надо застать противника врасплох,
> уловить момент, когда его войска раз-
> бросаны.
>
> *И. Сталин*

1

8 мая 1941 года, через два дня после «секретной» сталинской речи, ТАСС передало в эфир Опровержение.
Через месяц, 13 июня 1941 года, ТАСС передаст в эфир
очень странное Сообщение*. Для того чтобы понять Сообщение ТАСС от 13 июня, мы должны внимательно
прочитать и постараться понять Опровержение от 8 мая.

Вот оно:

«Японские газеты публикуют сообщения агентства
Домей Цусин, в котором говорится... что Советский Союз
концентрирует крупные военные силы на западных границах... концентрация войск на западных границах про-
изводится в чрезвычайно крупном масштабе. В связи с
этим прекращено пассажирское движение по Сибирской
железной дороге, т. к. войска с Дальнего Востока перебрасываются главным образом к западным границам. Из
Средней Азии туда же перебрасываются крупные военные силы... Военная миссия во главе с Кузнецовым вы-
ехала из Москвы в Тегеран. Назначение миссии, отмечает
агентство, связано с вопросом о предоставлении Советскому Союзу аэродромов в центральной и западной частях Ирана.

---

* Принято считать это Сообщение ТАСС «сообщением от
14 июня». Но оно было передано по советскому радио 13 июня
1941 года.

ТАСС уполномочен заявить, что это подозрительно крикливое сообщение Домей Цусин, позаимствованное у неизвестного корреспондента Юнайтед Пресс, представляет плод больной фантазии его авторов... никакой «концентрации крупных военных сил» на западных границах СССР нет и не предвидится. Крупица правды, содержащаяся в сообщении Домей Цусин, переданная к тому же в грубо искаженном виде, состоит в том, что из района Иркутска перебрасывается в район Новосибирска — ввиду лучших квартирных условий в Новосибирске — одна стрелковая дивизия. Все остальное в сообщении Домей Цусин — сплошная фантастика».

А теперь посмотрим, кто же прав: Домей Цусин и Юнайтед Пресс или ТАСС.

Домей Цусин говорит о советской миссии в Иране, а ТАСС опровергает это. Через три месяца советские войска вошли в Иран и действительно построили там себе аэродромы (и не только аэродромы, а и многое другое). О каком Кузнецове речь идет, поди догадайся, у нас Кузнецовых чуть меньше, чем Ивановых. И не в нем дело. Дело в том, что вторжение состоялось. Японские газеты, используя американские источники, точно предсказали события. Опровержение ТАСС уже с этой точки зрения представляется ложным.

Домей Цусин: «концентрация войск в чрезвычайно крупном масштабе». Правильно. Помимо прочего на германских границах Сталин сосредоточил двадцать механизированных и пять воздушно-десантных корпусов. Кто еще до или после этого в истории всех цивилизаций концентрировал такое количество чисто наступательных войск против одного противника?

ТАСС говорит про одну стрелковую дивизию «из Иркутска в Новосибирск». Послушаем других свидетелей. Генерал-лейтенант Г. Шелахов (в то время генерал-майор, начальник штаба 1-й Краснознаменной армии Дальневосточного фронта): «Согласно директиве НКО от 16 апреля 1941 года из состава Дальневосточного фронта на запад отправлены управления 18-го и 31-го стрелковых корпусов, 21-я и 66-я стрелковые дивизии, 211-я и 212-я воздушно-десантные бригады и некоторые части специального назначения» (ВИЖ. 1969. № 3. С. 56). Переброска воздушно-десантных войск — это верный признак подготовки к наступлению. Переброска воздушно-десантных бригад в дополнение к пяти воздушно-десантным корпусам, уже создаваемым в западных районах страны, свидетельствует о подготовке наступательной операции чудовищных масштабов, которые никогда раньше во всей истории не проводились и, даст Бог, никогда в будущем не будут проводиться. А ложное «опровержение» ТАСС, скрывающее переброску войск, включая и воздушно-десантные, свидетельствует о том, что наступательная операция готовится в условиях абсолютной секретности как совершенно внезапная для противника. Жуков на такие затеи был горазд. Кстати, 212-я воздушно-десантная бригада — это любимая бригада Жукова. В августе 1939 года она находилась в личном резерве Жукова вместе с батальоном Осназа НКВД и была использована в момент нанесения внезапного сокрушительного удара по японским войскам. Бригада использовалась в завершающем ударе по тылам 6-й японской армии.

Теперь Жуков тайно перебрасывает эту лучшую бригаду Красной Армии с Дальнего Востока в состав 3-го воздушно-десантного корпуса на румынскую границу. Гитлер не позволил использовать бригаду и весь 3-й воздушно-десантный корпус (как, впрочем, и все остальные) по прямому назначению. После начала «Барбароссы» 3-й воздушно-десантный корпус за ненадобностью в оборонительной войне был переформирован в 87-ю стрелковую дивизию (впоследствии 13-я гвардейская), которая действительно отличилась потом в оборонительных боях. Если Сталин готовился к обороне, почему бы сразу не формировать обычные стрелковые дивизии вместо воздушно-десантных бригад и корпусов?

Тайное движение дальневосточных войск мы можем проследить по многим источникам. Маршалы Советского Союза Г.К. Жуков и И.Х. Баграмян подтверждают прибытие 31-го стрелкового корпуса с Дальнего Востока в Киевский особый военный округ 25 мая 1941 года. Это означает, что в момент передачи «опровержения» 31-й стрелковый корпус был где-то на Транссибирской магистрали. Генерал-полковник И.И. Людников сообщает, что, развернув, отмобилизовав и возглавив 200-ю стрелковую дивизию, он получил приказ войти в состав 31-го стрелкового корпуса. Затем корпус (как все его многочисленные собратья) двинулся тайно непосредственно на германскую границу. Гитлер не позволил 31-му стрелковому корпусу завершить начатый путь.

Пути других корпусов, дивизий и бригад, тайно перебрасываемых с Дальнего Востока, каждый желающий может сам проследить по многочисленным воспоминаниям советских генералов и маршалов, показаниям пленных советских солдат-дальневосточников, оказавшихся 22 июня у германских и румынских границ, по германским разведывательным сводкам и по многим другим источникам.

2

ТАСС говорит про одну стрелковую дивизию, которую перебрасывают из Иркутска в Новосибирск «для улучшения квартирных условий». Много лет я безуспешно ищу следы этой таинственной дивизии. Всех, кто объявляет Сообщения ТАСС глупыми и наивными, всех, кто не верит в эту трогательную наивность, прошу оказать мне содействие и найти хоть какие-нибудь упоминания о дивизии, которая разгрузилась весной 1941 года в Новосибирске.

Вместо этих сведений я нахожу множество других: дивизии в Иркутске и Новосибирске, в Чите и Улан-Удэ, в Благовещенске и Спасске, в Имане и Барабаше, в Хабаровске и в Ворошилове только грузились, а разгружались не через сотни километров в соседнем городе, а у западных границ. Вот и книга, опубликованная именно в Иркутске (Забайкальский военный округ), говорит о странной погрузке многих дивизий, и все — на западную границу. Вот тайно в апреле грузится 57-я танковая дивизия полковника В.А. Мишулина. Назначение ему неизвестно.

57-я танковая дивизия попадает в Киевский особый военный округ и получает приказ начать разгрузку в районе Шепетовки.

А тем временем поток войск на Транссибирской магистрали (и всех других магистралях) нарастает. Мы знаем, что 25 мая 1941 года дальневосточные корпуса начали разгрузку на Украине (например, 31-й стрелковый корпус в районе Житомира), а на следующий день командующий Уральским военным округом получает приказ перебросить две стрелковые дивизии в Прибалтику (Генерал-майор А. Грылев, профессор В. Хвостов. «Коммунист». 1968. № 12. С. 67). В тот же день Забайкальскому военному округу и Дальневосточному фронту приказывают подготовить к отправке на запад еще девять дивизий, включая три танковые (там же). А на Транссибирскую магистраль уже вступает 16-я армия. К Транссибирской магистрали уже потянулись 22-я и 24-я армии.

3

Самая главная ложь «опровержения» ТАСС даже не «в квартирных условиях». «Никакой концентрации нет и не предвидится» — вот что главное. Во-первых, она есть, и германское вторжение подтвердило, что советская концентрация превосходила самые смелые предсказания. Во-вторых, в момент переброски всех этих бригад и корпусов предвиделась еще более мощная и поистине небывалая железнодорожная операция в мировой истории — переброска Второго стратегического эшелона Красной Армии.

Директива о начале переброски Второго стратегического эшелона была передана 13 мая. Вот в предвидении ее и было опубликовано «опровержение» ТАСС. Ровно через месяц переброска Второго стратегического эшелона началась, и тогда ТАСС вновь выступил со своим Сообщением, что ничего серьезного в Советском Союзе не происходит, кроме обычных перевозок резервистов на учения.

Пусть ТАСС вещает про обычных резервистов, а мы послушаем других свидетелей.

Генерал-майор А.А. Лобачев в то время был членом военного совета 16-й армии. Он рассказывает про 26 мая 1941 года:

«Начальник штаба доложил, что из Москвы получена важная шифровка, касающаяся 16-й армии... Приказ из Москвы предлагал передислоцировать 16-ю армию на новое место. М.Ф. Лукину надо было немедленно явиться в Генеральный штаб за получением указаний, а полковнику М.А. Шалину и мне — организовать отправку эшелонов.

— Куда? — спросил я Курочкина.

— На запад.

Посоветовались и решили, что первыми будут отправлены танкисты, затем 152-я дивизия и остальные соединения и наконец — штаб армии с приданными частями.

— Отправлять эшелоны ночью. Никто не должен знать,что армия уходит, — предупредил командующий...

К отходу танковых эшелонов приехали Курочкин и Зимин, собрали начальствующий состав 5-го корпуса, пожелали генералу Алексеенко и всем командирам не уронить традиции забайкальцев...

Люди слушали эти теплые напутствия, и каждый думал, что, пожалуй, не о боевой подготовке, а о боевых действиях скоро пойдет речь» (Трудными дорогами. С. 123).

Далее генерал Лобачев рассказывает удивительные вещи. Командующий армией генерал Лукин, сам Лобачев и начальник штаба 16-й армии полковник М.А. Шалин (будущий начальник ГРУ. — *В.С.*) знают, что 16-я армия перебрасывается на запад, но не знают куда точно. Всем остальным генералам из 16-й армии «секретно» объявляют, что назначение армии — иранская граница: нижестоящему командному составу объявляется цель перемещения — учения; женам командного состава — армия уходит в лагеря.

В оборонительной войне по крайней мере генералов не надо обманывать относительно направления, где придется действовать армии. Но в 16-й армии три высших командира знают про западные границы, остальные генералы получили преднамеренно ложную информацию про Иран.

В германской армии в то же самое время делалось то же самое: распространялась ложь, очень похожая на правду, об операции «Морской лев». Преднамеренный обман войск относительно направления действий — это всегда верный признак подготовки внезапного наступления. Чтобы скрыть от противника, надо скрыть и от своих войск. Так делали все агрессоры. Так делал Гитлер. Так делал Сталин.

Интересно, но в апреле 1941 года все понимают, что вообще-то 16-я армия уходит на войну. Вот жена Лобачева спрашивает его в упор:

«— Воевать едешь?

— Откуда ты взяла?

— Да что, я газет не читаю, что ли?»

Это очень интересный психологический момент, к которому следует еще вернуться. Я опросил сотни людей того поколения, и все они предчувствовали войну. Я удивляюсь: откуда же эти предчувствия исходили. Все отвечают: а из газет!

Мы, современные люди, редко на пожелтевших страницах тех лет находим прямые указания на скорую и неизбежную войну. Но вот люди того поколения, читая между строк, знали, что война надвигается неизбежно: не могли же они в Сибири знать о приготовлениях Гитлера. Может, по **советским** приготовлениям они чувствовали, что войны не избежать?

Но мы отвлеклись. Вернемся к рассказу генерала Лобачева. Он вспоминает о невероятной степени секретности, с которой перебрасывалась армия: эшелоны отправлялись только ночью; поезда на крупных и средних станциях не останавливались; переброска штаба 16-й армии осуществлялась в товарных вагонах с полностью закрытыми дверями и окнами; на небольших станциях, где останавливались эшелоны, выходить из вагонов никому не разрешалось. В то время пассажирский поезд проходил Транссибирскую магистраль более чем за 11 суток, товарные шли медленнее. Можно возить в полностью закрытых вагонах солдат и офицеров. Но тут речь идет о штабе армии. Такая степень секретности необычна даже по советским стандартам. В 1945 году по Транссибирской магистрали шел поток войск в обратном направлении для внезапного нападения на японские войска в Маньчжурии и Китае. Ради маскировки все генералы ехали в офицерской форме, имея на погонах гораздо меньше звезд, чем заслужили, но все же они ехали в пассажирских вагонах. А вот в 1941 году генералов везли в товарных. Зачем?

ГЛАВА 22

ЕЩЕ РАЗ О СООБЩЕНИИ ТАСС

...Сталин был не из тех, чьи наме-
рения объявлялись открыто.

Роберт Конквест

1

13 июня 1941 года московское радио передало не совсем обычное Сообщение ТАСС, в котором утвержда-
лось, что «Германия так же неуклонно соблюдает условия
советско-германского пакта о ненападении, как и Советский Союз...» и что «эти слухи (т. е. слухи о готовящемся нападении Германии на СССР. — *В.С.*) являются
неуклюже состряпанной пропагандой враждебных СССР
и Германии сил, заинтересованных в дальнейшем расширении и развязывании войны...» На следующий день
центральные советские газеты опубликовали это сообщение, а еще через неделю Германия совершила нападение на СССР.

Кто был автором Сообщения ТАСС, известно всем.
Характерный стиль Сталина узнали и генералы в советских штабах, и зеки в лагерях, и западные эксперты.

Небезынтересно, что после войны Сталин чистил
ТАСС, но никому из руководителей этой организации
не было предъявлено обвинений в распространении сообщения, которое можно было счесть «явно вредитель-
ским». Вину за передачу Сообщения ТАСС Сталин мог
бы взвалить на любого члена Политбюро (в удобное для
Сталина время). Но он этого тоже не сделал и тем самым
принял всю ответственность перед историей на себя лично.

Как в советской, так и в зарубежной печати об этом
Сообщении ТАСС писали очень много. Все, кто касался

этой темы, над Сталиным смеялись. Сообщение ТАСС иногда рассматривается чуть ли не как проявление близорукости. Однако в Сообщении ТАСС от 13 июня 1941 года таинственного и непонятного гораздо больше, чем смешного. Ясным является только один вопрос: об авторе этого сообщения. Все остальное — загадка.

Сообщение ТАСС никак не вяжется с характером Сталина.

Человек, знавший о Сталине больше других, — его личный секретарь Борис Бажанов — так характеризует Сталина: «скрытен и хитер чрезвычайно», «он в высокой степени обладал даром молчания и в этом отношении был уникален в стране, где все говорили слишком много».

А вот другие характеристики. «Он был непримиримым врагом инфляции слов — болтливости. Не говори, что думаешь...» (А. Авторханов).

«В критические моменты у Сталина действие опережало слово» (А. Антонов-Овсеенко).

Выдающийся исследователь сталинской эпохи Роберт Конквест отмечает молчаливость и скрытность Сталина как одну из наиболее сильных черт его личности: «Очень сдержан и скрытен», «нам все еще приходится вглядываться в мрак исключительной скрытности Сталина», «Сталин никогда не рассказывал, что у него на уме, даже в отношении политических целей».

Умение молчать, по меткому выражению Д. Карнеги, встречается среди людей гораздо реже, чем любые другие таланты. С этой точки зрения Сталин был гением — он умел молчать. И это не только сильнейшая черта его характера, но и сверхмощное оружие борьбы. Своим молчанием он усыплял бдительность противников, поэтому удары Сталина всегда были так внезапны и потому неотразимы. Отчего же Сталин заговорил, да так, чтобы слышали все? Где скрытность? Где хитрость? Где действия, опережающие слова? Если у Сталина есть какие-то соображения о дальнейшем развитии событий, почему не обсудить это в тесном кругу соратников? Почему бы не помолчать в конце концов? К кому обращается Сталин? К Красной Армии? Кто же передает важные сообщения (речь идет о войне и мире, о жизни и смерти) своей армии через столичное радио и центральные газеты? Армия, флот, тайная полиция, концлагеря, промышленность, транспорт, сельское хозяйство, все люди большого и малого ранга являются частью государственной системы, и все они подчиняются не газетным сообщениям, а своим начальникам, которые по особым (часто тайным) каналам получают приказы от вышестоящих начальников.

Сталинская империя была централизована, как никакая другая, и механизм государственного управления, особенно после великой чистки, был отлажен так, что любой приказ немедленно передавался с самого высшего уровня до самых последних исполнителей и тут же неукоснительно выполнялся. Грандиозные операции, например, арест и уничтожение сторонников Ежова и фактическая смена всего руководящего аппарата тайной полиции, были проведены быстро и эффективно, причем так, что сигнал о начале операции не только не был расшифрован никем со стороны, но неизвестно даже, когда и как Сталин передал сигнал на проведение этой огромной операции.

Если в июне 1941 года у Сталина были какие-то мысли, которые немедленно нужно было довести до миллионов исполнителей, почему не воспользоваться обкатанной машиной управления, которая передает любые приказы немедленно и без искажений? Если бы это было серьезное сообщение, то по всем тайным каналам оно было бы продублировано.

Маршал Советского Союза А.М. Василевский свидетельствует, что за этим сообщением в печати «не последовало никаких новых принципиальных указаний относительно Вооруженных Сил и пересмотра ранее принятых решений» (Дело всей жизни. С. 120). Далее маршал говорит, что в делах Генерального штаба и наркомата обороны ничего не изменилось и «не должно было измениться».

По военным тайным каналам Сообщение не только не было подтверждено. Наоборот, у нас есть документы о том, что одновременно с Сообщением ТАСС в военных округах, например, в Прибалтийском особом, был издан приказ войскам, по смыслу и духу прямо противоположный Сообщению ТАСС (Архив МО СССР. Фонд 344. Опись 2459. Дело 11. Лист 31).

Публикации в военных газетах (особенно недоступных посторонним) были тоже прямо противоположного содержания Сообщению ТАСС. (Например, вице-адмирал И.И. Азаров. Осажденная Одесса. С. 16).

Сообщение ТАСС никак не вяжется не только с характером Сталина, но и с центральной идеей всей коммунистической мифологии. Любой коммунистический тиран (а Сталин особенно) всю свою жизнь повторяет простую и понятную фразу: враг не дремлет. Эта магическая фраза позволяет объяснить и отсутствие мяса в магазинах, и «освободительные походы», и цензуру, и пытки, и массовые чистки, и закрытую границу — и вообще все что угодно. Фразы «враг не дремлет», «мы окружены врагами» — не только идеология — это острейшее оружие партии. Этим оружием были уничтожены все и всяческие оппозиции, этим оружием были установлены и упрочены все коммунистические диктатуры... И вот однажды, только однажды в истории всех коммунистических режимов, глава самого мощного из этих режимов заявил на весь мир, что угрозы агрессии не существует.

Давайте же не считать Сообщение ТАСС глупым, смешным, наивным. Давайте считать это сообщение странным, непонятным, необъяснимым. Давайте постараемся понять смысл этого сообщения.

2

13 июня 1941 года — одна из самых важных дат советской истории. По своему значению она, конечно, гораздо важнее, чем 22 июня 1941 года. Советские генералы, адмиралы и маршалы в своих мемуарах описывают этот день гораздо подробнее, чем 22 июня. Вот совершенно стандартное описание того дня.

Генерал-лейтенант Н.И. Бирюков (в то время генерал-майор, командир 186-й стрелковой дивизии 62-го стрелкового корпуса Уральского Военного округа): «13 июня 1941 года мы получили из штаба округа директиву особой важности, согласно которой дивизия должна была выехать в «новый лагерь». Адрес нового расквартирования не был сообщен даже мне, командиру дивизии. И только проездом в Москве я узнал, что наша дивизия должна сосредоточиться в лесах западнее Идрицы» (ВИЖ. 1962. № 4. С. 80).

Напомним читателю, что в мирное время дивизия имеет «секретные», а иногда «совершенно секретные» документы. Документ «особой важности» может появиться в дивизии только во время войны и только в исключительном случае, когда речь идет о подготовке операции чрезвычайной важности. Многие советские дивизии за четыре года войны не имели ни одного документа этой высшей степени секретности. Обратим также внимание на кавычки, которые генерал Бирюков использует для «нового лагеря».

186-я дивизия была в Уральском округе не единственной, получившей такой приказ. ВСЕ дивизии округа получили такой же приказ.

Официальная история округа (Краснознаменный Уральский. С. 104) четко фиксирует эту дату: «Первой начала погрузку 112-я стрелковая дивизия. Утром 13 июня с маленькой железнодорожной станции отошел эшелон... За ним пошли другие эшелоны. Затем началась отправка частей 98-й, 153-й, 166-й стрелковых дивизий». К отправке готовились 170-я и 174-я стрелковые дивизии, артиллерийские, саперные, зенитные и другие части. Для управления уральскими дивизиями были созданы управления двух корпусов, а они в свою очередь подчинены штабу новой 22-й армии (командующий генерал-лейтенант Ф.А. Ершаков).

Вся эта масса штабов и войск под прикрытием успокаивающего Сообщения ТАСС двинулась тайно в белорусские леса.

22-я армия была не одна.

Генерал армии С.М. Штеменко: «Перед самым началом войны под строжайшим секретом в пограничные округа стали стягиваться дополнительные силы. Из глубины страны на запад перебрасывались пять армий» (Генеральный штаб в годы войны. С. 26).

Генерал армии С.П. Иванов добавляет: «Одновременно с этим к передислокации готовились еще три армии (Начальный период войны. С. 211).

Возникает вопрос: почему все восемь армий не начали движение одновременно? Ответ простой. В марте, апреле, мае была проведена грандиозная тайная переброска советских войск на запад. Весь железнодорожный транспорт страны был вовлечен в эту колоссальную тайную операцию. Она завершилась вовремя, но десятки тысяч вагонов должны были вернуться на тысячи километров назад. Поэтому 13 июня, когда началась новая сверхогромная тайная переброска войск, всем армиям просто не хватило вагонов.

Масштабы предшествующей переброски представить почти невозможно. Точных цифр у нас нет. Но вот некоторые отрывочные свидетельства.

Бывший заместитель народного комиссара государственного контроля И.В. Ковалев: «В мае — начале июня транспортной системе СССР пришлось осуществить перевозки около 800 000 резервистов... Эти перевозки нужно было провести скрытно...» (Транспорт в Великой Отечественной войне. С. 41).

Генерал-полковник И.И. Людников: «...В мае ... в районе Житомира и в лесах юго-западнее его сосредоточился воздушно-десантный корпус» (ВИЖ. 1966. № 9. С. 66).

Маршал Советского Союза И.Х. Баграмян описывает май в Киевском особом военном округе: «25 мая в состав войск прибудет управление 31-го стрелкового корпуса с Дальнего Востока... Во второй половине мая мы получили директиву Генерального штаба, в которой предписывалось принять из Северо-Кавказского военного округа управление 34-го стрелкового корпуса, четыре 12-тысячные дивизии и одну горнострелковую дивизию... Предстояло в короткий срок разместить почти целую армию... В конце мая в округ стали прибывать эшелон за эшелоном. Оперативный отдел превратился в подобие диспетчерского пункта, куда стекалась вся информация о прибывающих войсках» (ВИЖ. 1967. № 1. С. 62).

Такова была обстановка в мае. Именно в такой обстановке 13 июня началась новая небывалая тайная перегруппировка войск, которые должны были образовать Второй стратегический эшелон Красной Армии.

В своих ранних публикациях по данному вопросу я называл численный состав Второго стратегического эшелона — 69 танковых, моторизованных и стрелковых дивизий, не считая десятков отдельных полков и сотен отдельных батальонов. Дальнейшее исследование показало, что я ошибался. В настоящее время я имею сведения о 77 дивизиях и большом числе полков и батальонов, начавших тайное движение на запад под прикрытием Сообщения ТАСС.

Вот одно из десятков свидетельств на эту тему.

Генерал-лейтенант артиллерии Г.Д. Пласков (в то время полковник): «53-я дивизия, в которой я был начальником артиллерии, дислоцировалась на Волге. Старший командный состав вызвали в штаб нашего 63-го корпуса. На совещание прибыл командующий округом В.Ф. Герасименко. Прибытие большого начальства немного насторожило: значит, предстоит что-то важное. Командир корпуса А.Г. Петровский, обычно спокойный, невозмутимый, заметно волновался.

— Товарищи, — сказал он. — Приказано отмобилизовать корпус. Мы должны укомплектовать части по штатам военного времени, для чего использовать неприкосновенный запас. Необходимо срочно призвать остальной приписной состав. План очередности погрузки, подачи эшелонов и отправления получите у начальника штаба корпуса генерал-майора В.С. Бенского.

Совещание длилось недолго. Все было ясно. И хотя генерал Герасименко намекнул, что мы следуем на учения, все понимали, что дело куда серьезнее. Еще ни разу на учения не брали полный комплект боевых снарядов. Не призывали людей из запаса...» (Под грохот канонады. С. 125).

Теперь мы посмотрим, что происходило в Первом стратегическом эшелоне в момент, когда советское радио передавало такие, казалось бы, наивные заявления.

«14 июня Военный Совет Одесского военного округа получил распоряжение о создании армейского управления в Тирасполе» (ВИЖ. 1978. № 4. С. 86). Речь идет о 9-й армии. «14 июня Военный Совет Прибалтийского особого военного округа утвердил план передислокации ряда дивизий и отдельных полков в приграничную полосу» (Советская военная энциклопедия. Т. 6. С. 517).

«Одновременно с выдвижением войск из глубины страны началась скрытая перегруппировка соединений внутри пограничных округов. Под видом изменения дислокации летних лагерей соединения подтягивались ближе к границе... Большинство соединений перемещалось в ночное время...» (Генерал армии С.П. Иванов. Начальный период войны. С. 211).

Вот несколько совершенно стандартных свидетельств тех дней:

Генерал-майор С.Иовлев (в то время командир 64-й стрелковой дивизии 44-го стрелкового корпуса 13-й армии): «15 июня 1941 года командующий Западным особым военным округом генерал армии Д.Г. Павлов приказал дивизиям нашего корпуса подготовиться к передислокации в полном составе... Станция назначения нам не сообщалась...» (ВИЖ. 1960. № 9. С. 56).

Генерал-полковник Л.М. Сандалов (в то время полковник, начальник штаба 4-й армии Западного особого военного округа). «На южном крыле 4-й армии появилась новая дивизия — 75-я стрелковая. Она выдвинулась из Мозыря и поставила в лесах тщательно замаскированные палаточные городки» (Пережитое. С. 71).

Официальная история Киевского военного округа: «87-я стрелковая дивизия генерал-майора Ф.Ф. Алябушева 14 июня под видом учений была выдвинута к государственной границе» (Киевский Краснознаменный. История Краснознаменного Киевского военного округа. 1919—1972. С. 162). Метод выдвижения войск к границе под видом учений — это не местная самодеятельность.

Маршал Советского Союза Г.К. Жуков (в то время генерал армии, начальник Генерального штаба): «Нарком обороны С.К. Тимошенко рекомендовал командующим войсками округов проводить тактические учения соединений в сторону государственной границы, с тем чтобы подтянуть войска ближе к районам развертывания по планам прикрытия. Эта рекомендация наркома обороны проводилась в жизнь округами, однако с одной существенной оговоркой: в движении не принимала участия значительная часть артиллерии» (Воспоминания и размышления. С. 242).

Маршал Советского Союза К.К. Рокоссовский (в то время генерал-майор, командир 9-го механизированного корпуса) поясняет простую причину, почему войска выходили к государственной границе без артиллерии, — артиллерию было приказано выслать к границам чуть раньше (Солдатский долг. С. 8).

Маршал Советского Союза К.А. Мерецков (в то время генерал армии, заместитель наркома обороны): «По моему указанию было проведено учение механизированного корпуса. Корпус был выведен в порядке тренировки в приграничный район да там и оставлен. Потом я сказал Захарову, что в округе имеется корпус генерал-майора Р.Я.Малиновского, который во время учений тоже надо вывести в приграничный район» (На службе народу. С. 204).

Маршал Советского Союза Р.Я. Малиновский (в то время генерал-майор, командир 48-го стрелкового корпуса Одесского военного округа) подтверждает, что этот приказ был выполнен: «Корпус еще 7 июня выступил из района Кировограда в Бельцы и 14 июня был на месте. Это перемещение произошло под видом больших учений» (ВИЖ. 1961. № 6. С. 6).

Маршал Советского Союза М.В. Захаров (в то время генерал-майор, начальник штаба Одесского военного округа): «15 июня управление 48-го стрелкового корпуса, 74-я и 30-я стрелковые дивизии под видом учений сосредоточились в лесах в нескольких километрах восточнее г. Бельцы» («Вопросы истории». 1970. № 5. С. 45). Маршал отмечает, что управление корпуса, корпусные части и 74-я стрелковая дивизия были подняты по боевой тревоге. Он говорит, что в «учениях» в этот момент принимала участие и 16-я танковая дивизия.

Маршал Советского Союза И.Х.Баграмян (в то время полковник, начальник оперативного отдела Киевского особого военного округа): «Нам пришлось готовить всю оперативную документацию, связанную с выдвижением пяти стрелковых и четырех механизированных корпусов из районов постоянной дислокации в приграничную зону» (Так начиналась война. С. 64); «15 июня мы получили приказ начать... выдвижение всех пяти стрелковых корпусов к границе... Они забрали с собой все необходимое для боевых действий. В целях скрытности движение осуществлялось только по ночам» (Там же. С. 77).

Генерал-полковник И.И. Людников (в то время полковник, командир 200-й стрелковой дивизии 31-го стрелкового корпуса) был одним из тех, кто этот приказ выполнял.

«В директиве округа, поступившей в штаб дивизии 16 июня 1941 года, предписывалось выступить в поход... в полном составе... сосредоточиться в лесах в 10—15 км северо-восточнее пограничного города Ковеля. Движение предлагалось совершать скрытно, только ночью, по лесистой местности» (Сквозь грозы. С. 24).

Маршал Советского Союза К.С. Москаленко (в то время генерал-майор артиллерии, командир 1-й противотанковой бригады): «Прибывали все новые эшелоны с людьми и боевой техникой» (На юго-западном направлении. Воспоминания командарма. С. 19).

Маршал Советского Союза А.И. Еременко (в то время генерал-лейтенант, командующий 1-й армией): «20 июня штаб 13-й армии получил распоряжение командования Западного военного округа передислоцироваться из Могилева в Новогрудок» (В начале войны. С. 109).

К государственным границам перебрасывались не только армии, корпуса, дивизии. Мы находим сотни свидетельств переброски гораздо меньших подразделений. Пример.

Генерал-лейтенант В.Ф. Зотов (в то время генерал-майор, начальник инженерных войск СЗФ): «Саперные батальоны были отмобилизованы по штатам военного времени... десять батальонов, прибывших с Дальнего Востока, были вооружены полностью» (На Северо-Западном фронте (1941—1943). Сборник статей участников боевых действий. С. 172).

В моих коллекциях не только воспоминания генералов и маршалов. Офицеры меньшего ранга говорят о том же.

Полковник С.Ф. Хвалей (в то время заместитель командира 202-й моторизованной дивизии 12-го механизированного корпуса 8-й армии): «В ночь на 18 июня 1941 года наша дивизия ушла на полевые учения» (На Северо-Западном фронте (1941—1943). С. 310). Тут же полковник говорит: «так получилось», что подразделения дивизии к началу войны оказались прямо за пограничными заставами, т. е. в непосредственной близости от государственной границы.

Известен небольшой отрывок из боевого приказа, который в тот же день, 18 июня 1941 года, получил полковник И.Д. Черняховский (в последующем генерал армии), командир танковой дивизии того же 12-го механизированного корпуса: «...Командиру 28-й танковой дивизии полковнику Черняховскому с получением настоящего приказа привести в боевую готовность все части в соответствии с планами поднятия по боевой тревоге, но самой тревоги не объявлять. Всю работу проводить быстро, но без шума, без паники и болтливости, иметь положенные нормы носимых и возимых запасов, необходимых для жизни и боя...» (ВИЖ. 1986. № 6. С. 75). Очень жаль, что весь приказ не опубликован. Он остается секретным, как и полвека назад. Согласно германским трофейным документам, первая встреча с 28-й танковой дивизией произошла под Шяуляем. Но дивизия имела задачу выйти к самой границе.

Маршал бронетанковых войск П.П. Полубояров (в то время полковник, начальник автобронетанкового управления СЗФ): «Дивизия (28-я танковая) должна была выйти из Риги на рубеж советско-германской границы» (На Северо-Западном фронте (1941—1943). С. 114). Германское вторжение просто застало эту дивизию, как и многие другие, в пути, поэтому она просто не успела выйти на самую границу.

А вот воспоминания майора И.А. Хизенко (Ожившие страницы). Первая глава называется «Идем к границе». Речь идет о 80-й стрелковой дивизии 37-го стрелкового корпуса. «...Вечером 16 июня генерал Прохоров* собрал штабных работников на совещание. Объявил приказ командующего Киевским особым военным округом о выходе дивизии в новый район сосредоточения... Идут разговоры, что предстоящий марш будет необычным...»

Этот список можно продолжать бесконечно. В моей личной библиотеке так много документов о движении войск к границам, что хватило бы для того, чтобы написать несколько толстых книг на эту тему. Но не будем утомлять читателя именами генералов и маршалов, номерами армий, корпусов и дивизий. Давайте попытаемся представить всю картину в целом. Всего в Первом стратегическом эшелоне находилось 170 танковых, моторизованных, кавалерийских и стрелковых дивизий. 56 из них находились вплотную к государственным гра-

---

* Генерал-майор Прохоров Василий Иванович — командир 80-й стрелковой дивизии 37-го стрелкового корпуса. — *В.С.*

ницам. Им пока некуда было двигаться. Но даже и тут все, что могло двигаться к самой границе, двигалось и пряталось в пограничных лесах.

Генерал армии И.И. Федюнинский (в то время полковник, командир 15-го стрелкового корпуса 5-й армии) свидетельствует, что вывел четыре полка из состава 45-й и 62-й стрелковых дивизий «в леса, поближе к границе» (Поднятые по тревоге. С. 12).

Остальные 114 дивизий Первого стратегического эшелона находились в глубине территории западных пограничных округов и могли быть придвинуты к границе. Нас интересует вопрос: сколько же из этих 114 дивизий начали движение к границам под прикрытием успокаивающего Сообщения ТАСС? Ответ: ВСЕ! «12—15 июня западным военным округам был отдан приказ: все дивизии, расположенные в глубине, выдвинуть ближе к государственным границам» (А. Грылев, В. Хвостов. — «Коммунист». 1968. № 12. С. 68). К этим 114 дивизиям Первого стратегического эшелона мы прибавим 77 дивизий Второго стратегического эшелона, которые, как мы уже знаем, тоже начали выдвижение на запад или готовились это сделать.

Итак, 13 июня 1941 года — это начало самого крупного в истории всех цивилизаций перемещения войск. Теперь самое время снова взять в руки Сообщение ТАСС от 13 июня и перечитать его внимательно. Сообщение ТАСС говорит не только о намерениях Германии (историки почему-то концентрируют свое внимание на этой вводной части сообщения), но и о действиях Советского Союза (эту часть сообщения историки не считают интересной).

«Слухи о том, что СССР готовится к войне с Германией, являются ложными и провокационными... проводимые сейчас летние сборы запасных Красной Армии и предстоящие маневры имеют своей целью не что иное, как обучение запасных и проверку работы железнодорожного аппарата, проводимые, как известно, каждый год, ввиду чего изображать эти мероприятия как враждебные Германии по крайней мере нелепо».

Сравнивая это заявление с тем, что происходило на самом деле, мы обнаружим некоторое несовпадение в словах и делах.

В Сообщении ТАСС говорится: «проверка железнодорожного аппарата». Позволим себе в этом усомниться. Переброска советских войск началась в феврале, в марте усилилась, в апреле — мае достигла грандиозных размеров, а в июне приобрела поистине всеобщий характер; в движении не участвовали только те дивизии, которые уже вплотную были придвинуты к границам, те, которые готовились к вторжению в Иран, и те, которые оставались на Дальнем Востоке. Полное сосредоточение советских войск на германской границе планировалось 10 июля (Генерал армии С.П. Иванов. Начальный период войны. С. 211). Почти полгода железнодорожный транспорт (главный транспорт государства) был парализован секретными воинскими перевозками. В первом полугодии 1941 года государственный план был сорван по всем показателям, кроме военных. Главной причиной этого был транспорт, второй причиной — скрытая мобилизация мужского населения во вновь формируемые армии. Называть срыв государственного плана термином «проверка» не совсем правильно. Это, конечно, не проверка. В Сообщении ТАСС говорится «обычные учения», а советские маршалы, генералы и адмиралы это опровергают:

Генерал-майор С. Иовлев: «Необычность сборов, не предусмотренных планами боевой подготовки, настораживала людей» (ВИЖ. 1960. № 9. С. 56).

Вице-адмирал И.И. Азаров: «Как правило, учения проводились ближе к осени, а тут они начинались в середине лета» (ВИЖ. 1962. № 6. С. 77).

Генерал-полковник И.И. Людников: «Обычно резервистов призывают после уборки урожая... В 1941 году это правило было нарушено» (ВИЖ. 1966. № 9. С. 66). Генерал армии М.И. Казаков в тот момент находился в Генеральном штабе и лично встречал генерал-лейтенанта М.Ф. Лукина и других командармов, тайно направлявшихся на западную границу. Генерал Казаков категоричен:

«Ясно, что они ехали не на маневры» (Над картой былых сражений. С. 64).

Обратим внимание на то, что все маршалы и генералы употребляют термин «под видом учений». Учения — это только предлог, чтобы скрыть настоящую цель перегруппировки концентрации советских войск. А какова настоящая причина — никто не говорит. Четыре десятилетия после окончания войны истинная цель этой переброски так и остается государственным секретом Советского Союза.

Тут читатель может спросить: так, может быть, Сталин почувствовал недоброе и концентрировал войска для обороны? Но все то, о чем идет речь, — не оборонительные мероприятия. Войска, которые готовятся к обороне, зарываются в землю. Это нерушимое правило, усвоенное каждым унтером со времен русско-японской и всех последующих войн. Войска, которые готовятся к обороне, прежде всего перехватывают самые широкие поля, по которым будет наступать противник, перекрывают дороги, устанавливают проволочные заграждения, роют противотанковые рвы, готовят оборонительные сооружения и укрытия позади водных преград. Но Красная Армия не делала ничего подобного. Советские дивизии, армии и корпуса уничтожали ранее построенные оборонительные сооружения. Ранее установленные проволочные и минные заграждения не устанавливались, а снимались. Войска концентрировались не позади водных преград (что удобно для обороны), а впереди них (что удобно для наступления).

Советские войска не перехватывали широкие поля, удобные для продвижения противника, а прятались в лесах, точно так же, как и германские войска, которые готовились к наступлению.

Может быть, все эти мероприятия — просто демонстрация мощи? Конечно, нет. Демонстрация должна быть видна противнику. Красная Армия же, наоборот, не демонстрировала, а старалась скрыть свои приготовления. Да и само Сообщение ТАСС написано не для того, чтобы противника напугать, а для того, чтобы его успокоить.

Поразительно, что в эти дни германская армия делала то же самое: двигалась к границам, пряталась в лесах, но это движение было очень трудно скрыть. Советские разведывательные самолеты «по ошибке» летали над германской территорией. Их никто не сбивал. Над германской территорией летали не только рядовые летчики, но и командиры гораздо более высокого ранга. Вот командир 43-й истребительной авиационной дивизии Западного особого военного округа генерал-майор авиации Г.Н. Захаров смотрит на германские войска сверху: «Создавалось впечатление, что в глубине огромной территории зарождалось движение, которое притормаживалось здесь, у самой границы, упираясь в нее, как в невидимую преграду, и готовое вот-вот перехлестнуть через край» (Повесть об истребителях. С. 43).

Интересно, что германские летчики тоже летали над советской территорией, и тоже «по ошибке», их тоже никто не сбивал, и они видели точно такую же картину! В старых трофейных архивах я нашел впечатление германского летчика, который описывает советские войска именно этими же словами!

Германские военные историки сделали больше всех, для того чтобы понять смысл происходящих в июне 1941 года событий. Я преднамеренно не цитирую германские документы, чтобы не повторять то, что уже сказано в Германии. Я только подчеркиваю, что слова советских офицеров, генералов и маршалов полностью подтверждаются тем, что говорила германская разведка еще до 22 июня 1941 года: Красная Армия гигантскими потоками устремилась к своим западным границам.

Существует много других независимых каналов, и все они говорят то же самое. Один из заместителей авиаконструктора А.Н. Туполева, Г. Озеров, в тот момент вместе с Туполевым и всем его конструкторским бюро сидел в тюрьме. Книга Озерова была написана в Советском Союзе, но распространялась через Самиздат, т. е. минуя цензуру. Отсюда она попала на Запад и была опубликована в Западной Германии. Даже в советских тюрьмах чувствовался жуткий ритм гигантского движения Красной Армии к западным границам. «Живущие на дачах по Белорусской и Виндавской дорогам жалуются — ночью нельзя спать, гонят эшелоны с танками, пушками!» (Туполевская шарага. С. 90).

После опубликования моих первых статей по данному вопросу я получил много писем. Когда-нибудь я напечатаю их отдельной книгой. Даже без всяких комментариев они дают картину чудовищного движения советских войск на запад. Мне пишут люди самых разных национальностей, разных судеб. Среди них эстонцы, евреи, поляки, молдаване, русские, латыши, немцы, венгры, литовцы, украинцы, румыны. Все они в тот момент по разным причинам находились на «освобожденных» территориях. Потом война разбросала этих людей по всему свету. Письма идут из Австралии, Соединенных Штатов, Франции, Германии, Аргентины, из Западной Германии и даже... из Советского Союза. Я получил письмо из Канады от бывшего солдата Русской освободительной армии. В 1941 году он был в Красной Армии, он шел к границе, он прятался со своим полком в приграничных лесах, где его застала война. Потом плен, Русское освободительное движение, снова плен, побег и долгая жизнь под чужими именами в чужих странах. Солдат указал мне несколько книг бывших бойцов и командиров РОА, чудом уцелевших после войны. Интересно, что все эти авторы начинают свои книги с момента начала тайного движения к границе.

Кроме писем лично мне, некоторые свидетели или люди, близко знавшие их, пишут письма в научные журналы, и некоторые из этих писем опубликованы. Вот письмо из Великобритании. Британский гражданин Джеймс Рушбрук обращает внимание на книгу Стефана Сценде «Обещание, которое Гитлер выполнил», книга написана в 1944 году и опубликована в 1945-м в Швеции. Автор — польский еврей, оказавшийся во Львове в

1941 году. Вот его впечатление о днях, предшествующих 22 июня: «Эшелоны, набитые войсками и военным снаряжением, все чаще и чаще идут через Львов на запад. Моторизованные части идут через главные улицы города, а на железнодорожной станции все движение — чисто военное» (С. 88). Я благодарю всех, кто пишет мне и в журналы, добавляя все новые и новые крупицы к картине всеобщего движения Красной Армии на запад.

Кроме секретных архивов есть достаточное количество открытых официальных публикаций, среди которых истории советских военных округов, армий, корпусов, дивизий.

Каждый, кто интересуется данным вопросом, может найти за очень короткое время сотни и даже тысячи сообщений типа: «Перед самой войной, в соответствии с указаниями Генерального штаба Красной Армии, некоторые соединения Западного особого военного округа начали выдвигаться к Государственной границе» (Краснознаменный Белорусский военный округ. С. 88). Но если кто-то не считает все эти источники достоверными, есть подтверждение, которое опровергнуть невозможно, — это сама история войны. Разгромив Первый стратегический эшелон и прорвав его оборону, передовые германские части внезапно столкнулись с новыми дивизиями, корпусами и армиями (например, с 16-й армией под Шепетовкой в конце июня), о существовании которых германские командиры даже не подозревали. Весь план «блицкрига» строился из расчета молниеносного разгрома советских войск, находящихся прямо у границ, но, выполнив этот план, германская армия обнаружила перед собой новую стену из армий, которые выдвигались из-за Волги, с Северного Кавказа, с Урала, Сибири, Забайкалья, с Дальнего Востока. Даже для одной армии нужны тысячи вагонов. Их нужно подать на станции погрузки, загрузить армию, тяжелое вооружение, транспорт, запасы и перевезти на тысячи километров. Если германские войска встретили сибирские, уральские, забайкальские армии в конце июня, значит, их перевозка на запад началась не 22 июня, а раньше.

3

Вместе с массами советских войск началось перемещение советского флота. «Советский Балтийский флот вышел из восточной части Финского залива накануне войны» (Эстонский народ в Великой Отечественной войне Советского Союза. 1941—1945. Т. 1, С. 43). Посмотрим на карту. Если флот вышел из восточной части Финского залива, то есть только одно направление движения — на запад. Флот, конечно, шел не на учения: «Флот имел задачу активно действовать на морских коммуникациях противника» (Там же). Удивительная вещь: еще нет войны, еще Сталин не знает, что Гитлер на него нападет, а советский флот уже вышел из баз, имея боевую задачу на активные наступательные действия!

Одновременно с переброской войск шло интенсивное перебазирование авиации. Авиационные дивизии и полки небольшими группами в темное время суток под видом учений перебрасывались на аэродромы, некоторые из которых находились ближе чем 10 км от границы. Но об этом речь впереди. Сейчас мы только напомним, что помимо боевых подразделений авиации шла усиленная переброска новейших самолетов, еще не включенных ни в какие полки и дивизии.

Генерал-полковник Л.М. Сандалов: «С 15 июня мы начнем получать новую боевую технику. Кобринский и Пружанский истребительные полки получат истребители Як-1, вооруженные пушками, штурмовой полк — самолеты Ил-2, бомбардировочный — Пе-2» (На московском направлении. С. 63). Напомним читателю, что истребительные полки того времени имели по 62 самолета каждый, штурмовые — по 63, а бомбардировочные — по 60. Следовательно, только в одной дивизии (10-я смешанная авиационная) ожидалось в этот момент поступление 247 новейших самолетов. Тут же генерал сообщает, что дивизия действительно начала получать новую технику, но старые самолеты оставались в дивизии. Таким образом, дивизия превращалась в гигантский боевой организм, насчитывающий несколько сотен самолетов. Архивные документы показывают, что этот процесс происходил повсеместно. Например, находящаяся рядом и тоже придвинутая к самым границам 9-я смешанная насчитывала 176 новейших МиГ-3, а также несколько десятков Пе-2 и Ил-2. Но новая техника шла и шла.

Утром 22 июня тот же Западный фронт получил приказ принять на аэродром Орша 99 самолетов МиГ-3 (Командование и штаб Советской Армии в Великой Отечественной войне 1941—1945 гг. С. 41). Если их приказали принять утром 22 июня, то, по-видимому, вечером 21 июня самолеты были готовы к отправке.

Главный маршал авиации А.А. Новиков сообщает, что 21 июня Северный фронт (где он тогда был командующим ВВС в звании генерал-майора авиации) получил эшелон истребителей МиГ-3 (ВИЖ. 1969. № 1. С. 61).

А кроме истребителей сплошным потоком шли танки, артиллерия, боеприпасы, топливо. «На рассвете 22 июня на станцию Шяуляй прибыл для разгрузки эшелон тяжелого артиллерийского полка» (Битва за Ленинград. 1941—1944. С. 22). Не один эшелон, конечно, и не только с пушками. Вот кое-что об автомобилях. «К концу июня 1941 года на железных дорогах простаивали 1320 поездов с автомобилями» (ВИЖ. 1975. № 1. С. 81). Германские войска напали 22 июня, а уже к концу июня такое количество эшелонов с автомобилями простаивало в прифронтовой полосе. Стандартный вес воинского эшелона того времени — 900 тонн (45 двадцатитонных вагонов). Если на каждом вагоне находился один автомобиль, то, значит, ожидали разгрузки 59 400 автомобилей. Однако часто в условиях, когда нападение противника не предвиделось (а оно не предвиделось), автомобили грузили «змеей»: передние колеса автомобиля ставили в кузов предыдущего, а в свою очередь в его кузов колеса следующего и т.д. Таким образом, за счет экономии в один эшелон загружалось большее число автомобилей. Кто-то перед войной собрал такое количество вагонов и автомобилей, погрузил автомобили в вагоны и доставил к западным границам. Ясно, что этот процесс начался еще до войны. Но вот разгрузить эти машины не успели... А тут же рядом нескончаемым потоком шли эшелоны с боеприпасами. «Красная звезда» 28 апреля 1985 года отмечает: «Вечером 21 июня 1941 года коменданту железнодорожного участка станции Лиепая сообщили: «Примите специальный состав. Он с боеприпасами. Нужно отправить его по назначению в первую очередь». Лиепая в то время находилась очень близко от границы, но эшелон идет транзитом, т. е. к самой границе.

На всех фронтах боеприпасы находились в железнодорожных вагонах, что обычно делается перед подготовкой наступления на большую глубину. В оборонительной войне проще, надежнее и дешевле располагать боеприпасы на заранее подготовленных рубежах. Израсходовав боеприпасы на одном рубеже, войска налегке быстро отходят на второй рубеж, где заранее приготовлены боеприпасы, затем на третий и т.д... Но перед наступлением боеприпасы размещают на подвижном транспорте, это очень дорого и опасно. «Юго-Западный фронт только на небольшой станции Калиновка имел 1500 вагонов с боеприпасами» (Г.А. Куманев. Советские железнодорожники в годы Великой Отечественной войны (1941— 1945). С. 36).

У меня много материалов о спасении эшелонов с боеприпасами в 1941 году. Но не все, конечно, удалось спасти.

Генерал-полковник артиллерии И.И. Волкотрубенко сообщает, что в 1941 году только один Западный фронт потерял 4216 вагонов с боеприпасами (ВИЖ. 1980. № 5. С. 71). Но фронтов было не один, а пять. Не только Западный фронт терял вагоны с боеприпасами. Постараемся мысленно представить себе количество боеприпасов на всех фронтах, которые попали к противнику и которые удалось спасти. В середине июня все это под покровом Сообщения ТАСС в закрытых вагонах катилось прямо к германским границам.

Маршал Советского Союза С.К. Куркоткин сообщает, что в начале июня «советское правительство по предложению Генерального штаба утвердило план перемещения 100 тысяч тонн горючего из внутренних районов страны» (Тыл Советских Вооруженных Сил в Великой Отечественной войне 1941—1945 гг. С. 59). По всей видимости, кроме этого решения были и другие подобные: «на железнодорожных узлах и даже перегонах скопилось около 8500 железнодорожных цистерн с горючим» (Там же. С. 173). Если бы использовались только самые маленькие 20-тонные цистерны, то и тогда речь идет не о 100 тысячах тонн, а о большем количестве. Но основной цистерной в 1940 году была не 20-, а 62-тонная. Но эти 8500 цистерн — это только то, что стоит на станциях в ожидании разгрузки в начальные дни войны. Надо принять во внимание и то, что уже уничтожено авиацией противника на железнодорожных станциях в первые минуты и часы войны.

Генерал-полковник И.В. Болдин (в то время генерал-лейтенант, заместитель командующего Западным фронтом) сообщает, что 10-я армия (самая мощная на Западном фронте) имела достаточные запасы топлива на складах и в железнодорожных цистернах и в первые минуты и часы войны всего этого лишилась (Страницы жизни. С. 92).

Накануне войны вся эта масса цистерн шла к границам вместе с войсками, техникой, вооружением, боеприпасами...

4

Когда мы говорим о причинах поражений Красной Армии в начальном периоде войны, то почему-то забываем главную причину: Красная Армия находилась в вагонах. Любой исследователь может найти тысячи сообщений, подобных этим.

«В момент начала войны половина эшелонов 64-й стрелковой дивизии находилась в пути» (ВИЖ. 1960. № 9. С. 56).

«Война застала большую часть соединений 21-й армии в эшелонах, растянувшихся по железным дорогам на огромном пространстве от Волги до Днепра» (По приказу Родины. Боевой путь 6-й гвардейской армии в Великой Отечественной войне 1941—1945 гг. С. 5).

«Война застала 63-й стрелковый корпус в пути. Только первые эшелоны успели прибыть 21 июня на станции Добруш и Ново-Белица к месту разгрузки. Последующие подходили чрезвычайно разрозненно, до первых чисел июля на разные станции вблизи Гомеля. А ряд частей корпуса, например, все полки 53-й стрелковой дивизии, кроме 110-го стрелкового и 36-го артиллерийского, еще не доезжая Гомеля, были повернуты на север» (ВИЖ. 1966. № 6. С. 17).

Генерал армии С.П. Иванов (в то время полковник, начальник оперативного отдела штаба 13-й армии) рассказывает о 132-й стрелковой дивизии генерал-майора С.С. Бирюзова:

«Противник внезапно атаковал эшелон, в котором следовала к фронту часть сил дивизии и ее штаб. Пришлось вступить в бой прямо из вагонов и платформ» («Красная звезда», 21 августа 1984 г.).

Маршал Советского Союза С.С. Бирюзов (в то время генерал-майор, командир 132-й стрелковой дивизии): «В самый последний момент нас включили в состав 20-го механизированного корпуса. Ни командира, ни начальника штаба корпуса я не видел и, кстати сказать, не знал даже, где располагается их командный пункт. Левее нас действовала 137-я стрелковая дивизия под командованием полковника И.Т. Гришина. Она прибыла из Горького... Правый наш сосед был брошен в бой, как и мы, — прямо из вагонов, когда еще не все эшелоны прибыли к месту выгрузки» (Когда гремели пушки. С. 21).

Генерал армии С.М. Штеменко (в то время полков ник оперативного управления Генерального штаба): «Эшелоны с войсками идут на запад и юго-запад сплошным потоком. То одного, то другого из нас направляют на станции выгрузки. Сложность и переменчивость обстановки нередко вынуждала прекращать выгрузку и направлять эшелоны на какую-то иную станцию. Случалось, что командование и штаб дивизии выгружались в одном месте, а полки — в другом или даже в нескольких местах на значительном удалении» (Генеральный штаб в годы войны. С. 30).

«Вражеская авиация систематически наносила удары по железнодорожным станциям и путям. Графики движения нарушались. Выгрузка нередко осуществлялась не на станциях назначения, а в других пунктах. Были случаи, когда подразделения попадали в соседние армии и там вводились в бой» (В.А. Анфилов. Провал «блицкрига». С. 463).

«В пути находились одиннадцать дивизий 20-й, 21-й, 22-й армий. Не закончили сосредоточение 19-я армия генерала И.С. Конева и 16-я армия генерала М.Ф. Лукина» (История второй мировой войны (1939—1945). Т. 4. С. 47).

«Колоссальное скопление вагонов почти полностью парализовало работу многих узлов. На большинстве станций оставался только один свободный путь для пропуска поездов» (И.В. Ковалев. Транспорт в Великой Отечественной войне 1941—1945 гг. С. 59).

Генерал-полковник А.С. Клемин говорит о начале июля: «На дорогах находилось 47 000 вагонов с воинскими грузами» (ВИЖ. 1985. №3. С. 67).

Можно предположить, что все это погружено после 22 июня и направлено на фронты. Это неправильное предположение. После 22 июня фронты требовали только пустых вагонов, чтобы вывести штабеля вооружения, боеприпасов, топлива и других военных запасов, уже сконцентрированных у границ.

Чтобы представить себе трагичность ситуации, стоит снова вспомнить хотя бы генерала М.Ф. Лукина. Он, как командующий армией, уже воевал под Шепетовкой, а штаб его армии еще находился в Забайкалье. Эшелоны его армии растянулись на тысячи километров. Потом прибыл штаб, но батальон связи все еще находился в пути. Такие ситуации возникали повсеместно: на одних станциях выгружались штабы, которые не имели войск, в других местах — войска без штабов. Хуже было, когда эшелон останавливался не на станции, а в поле. Танковый батальон — огромная сила. Но в эшелоне он беззащитен. Если война застала эшелон с тяжелой техникой там, где нет мест для разгрузки, то приходилось или уничтожать эшелон, или бросать его.

Но и те дивизии, которые находились в Первом стратегическом эшелоне и выдвигались к границе своим ходом, оказались не в лучшем положении. Дивизия в колоннах на марше — это отличная цель для авиации. Вся Красная Армия представляла собой одну отличную цель.

5

Многие видели переброску советских войск, однако каждый видел только ее часть. Мало кто представляет ее истинный размах. Германская военная разведка считала, что происходит гигантское наращивание мощи, но даже она видела только Первый стратегический эшелон, не догадываясь о существовании Второго (и Третьего, о котором речь впереди). Я думаю, что многие советские генералы и маршалы, исключая самых выдающихся или прямо вовлеченных в эту переброску, тоже не представляют ее истинных размахов, а следовательно, и ее значения. Именно поэтому многие из них так спокойно рассказывают про нее. Незнание общей обстановки и истинных размахов концентрации советских войск совсем не случайно. Сталин принял драконовские меры маскировки. Сталинское Сообщение ТАСС — одна из этих мер.

Сам факт переброски войск скрыть было невозможно, но самое главное: размеры переброски и ее назначение Сталин скрыл от всей страны, от германской разведки и даже от будущих поколений.

Генерал-полковник авиации А.С. Яковлев (в то время личный референт Сталина) свидетельствует, что «в конце мая или начале июня» в Кремле состоялось совещание по вопросам маскировки (Цель жизни. Записки авиаконструктора. С. 252).

Ранее мы уже видели некоторые меры, которые принимались советскими генералами: войскам объявляли, что они едут на учения, хотя высший командный состав понимал, что это не учения. Другими словами, происходила целенаправленная дезинформация своих войск. Германское командование в то же самое время делало то же самое: в войсках ходили слухи о высадке в Великобритании, многие даже знали название операции — «Морской лев», в войсках появились переводчики английского языка и т.д.

Уместно напомнить, что дезинформация своих войск проводится только перед наступательной операцией, для того чтобы скрыть от противника свои намерения, время и направление главного удара. В оборонительной войне или перед ее началом свои войска обманывать не надо — офицерам и солдатам ставится простая и понятная задача: это твой рубеж, ни шагу назад! Сдохни тут, а врага не пропусти!

Тот факт, что советских солдат и командиров обманывали, — есть свидетельство подготовки к наступательной операции. Если бы готовилась оборонительная операция, почему бы не сказать войскам: да, братцы, обстановка напряженная, всякое может случиться, едем рыть окопы и в них сидеть. Если действительно войска едут рыть окопы, то особой разницы нет — сообщать им о цели поездки после прибытия или во время отправки.

Но такую новость советским офицерам и солдатам не сообщали ни при отправке, ни при прибытии. Перед ними ставилась другая цель, которую скрывали тогда, которую скрывают сейчас.

Чтобы представить себе степень секретности переброски войск, приведу только один пример из многих.

Маршал Советского Союза М.В. Захаров: «В начале июня начальник ВОСО Одесского военного округа полковник П.И. Румянцев зашел ко мне, в то время начальнику штаба ОдВО, в кабинет и таинственно доложил, что за последние дни через станцию Знаменка идут «Аннушки» с ростовского направления и выгружаются в районе Черкасс. «Аннушка» — это термин, определявший в органах ВОСО дивизию. Через два дня мною была получена шифровка из Черкасс за подписью заместителя командующего войсками Северо-Кавказского военного округа М.А. Рейтера, в которой испрашивалось разрешение занять несколько бараков вещевого склада нашего округа для размещения имущества прибывших в этот район войск с Северного Кавказа. Поскольку штаб ОдВО не был информирован о сосредоточении здесь войск, я позвонил по «ВЧ» в Оперативное управление Генштаба. К телефону подошел заместитель начальника управления А.Ф. Анисов. Сообщив ему о шифровке, полученной от М.А. Рейтера, я попросил разъяснить, в чем дело. Анисов ответил, что шифровку Рейтера надо немедленно уничтожить, что ему будут даны необходимые указания от Генштаба, а штабу округа в это дело не следует вмешиваться» («Вопросы истории». 1970. № 5. С. 42).

Далее маршал Захаров сообщает, что командующий войсками Одесского округа генерал-полковник Я.Т. Черевиченко тоже ничего не знал об «Аннушках». Советские войска всегда перебрасываются с соблюдением мер предосторожности, и советские войска всегда держат в секрете свои намерения. Это действительно так. Но всему есть мера. Командующий военным округом в Советском Союзе, особенно командующий приграничным округом, и его начальник штаба — это люди, наделенные чрезвычайными полномочиями и властью. Они в полной мере отвечают за все, что происходит на территории, которая находится под их контролем. Приведите мне другой пример, когда командующий округом и его начальник штаба не знают о том, что на территории их округа сосредоточиваются какие-то другие войска! Даже в ситуации, когда командование Одесского округа случайно узнало о сосредоточении каких-то войск на территории округа, Генеральный штаб (которым командовал Г.К. Жуков) требует о полученной информации забыть, а секретную шифровку, предназначенную только для глаз начальника штаба округа, — уничтожить. Даже в сейфе начальника штаба округа эта шифровка представляет опасность! Кстати, ранее я говорил, что в советских архивах есть очень много интересных документов об этом периоде, и все же самое интересное никогда не попадало в архив или было уничтожено.

Следы уничтожения видны в архивах, например: предложение начинается на одной странице, но следующей нет, а иногда и следующей сотни страниц нет. И эта уничтоженная шифровка в Одесском округе — только еще одно подтверждение моих слов.

Интересно поведение генерал-лейтенанта М.А. Рейтера в данной ситуации. Макс Рейтер — дисциплинированный немец, еще в Первой мировой войне был полковником в штабе русской армии, служака прусской закваски. Уж он-то знает, как хранить секреты. Но даже он, заместитель командующего Северо-Кавказским округом, оказавшись со своими «Аннушками» на территории чужого военного округа, считает вполне естественным связаться с равным по положению местным боссом и спросить разрешения (конечно, персональной шифровкой!) что-то сделать. Ему из Генерального штаба быстро вправили мозги, и больше он подобных шифровок не писал. А вот несколько другие примеры.

Генерал-полковник Л.М. Сандалов осматривает строительство оборонительных сооружений на самой границе в районе Бреста и с удивлением обнаруживает, что доты строят так близко от границы, что их видно с германской стороны. Он задает недоуменный вопрос В.И. Чуйкову. Чуйков, этот будущий сталинградский лис, вздыхает (притворно, конечно): очень жаль, но дело обстоит именно так, немцы заметят наше оборонительное строительство (На московском направлении. С. 53). Гудериан начинал войну именно с другой стороны реки и отмечает, что он все это хорошо видел: доты строили днем и ночью, причем ночью при ярком свете. Удивительная вещь: ни сам Сандалов, ни Чуйков, ни кто другой не прикажут оставить работу и перенести строительство на пару километров в тыл, чтобы противнику не было видно точного расположения огневых точек и направления амбразур, по которым он может легко вскрыть систему огня.

Маршал Советского Союза И.Х. Баграмян в другом округе в 1940 году наблюдает ту же картину: идет строительство укрепленного района (УР) «прямо на виду у немцев». Строительные участки огорожены заборчиками. «Мне эти заборчики напоминали фиговые листочки на античных статуях.

— Как вы думаете, — спросил я руководителя одной из строек, — догадываются немцы, что ваши строители сооружают тут, на берегу пограничной реки, за этим заборчиком?

— Безусловно! — ответил он не задумываясь. — Трудно было бы не догадаться о характере нашего строительства.

Я подумал: подобную тактическую неграмотность людей, выбиравших места для сооружения дотов, легко можно квалифицировать как вредительство. Так, видимо, и случалось в прежние времена» (ВИЖ. 1976. № 1. С. 54).

Да. В 1938 году за такие действия кого-то расстреляли бы. Но в 1940—1941 годах по какой-то причине во всех западных округах строили укрепления именно так, и никто ничего не боялся, и НКВД в это дело не вмешивался, никого не арестовывали и не расстреливали за это. Почему? «Явная демонстрация оборонительных работ» —

266

так Баграмян определяет это строительство и тут же добавляет, что «план строительства был утвержден вышестоящим начальством». За укрепленные районы отвечает лично командующий округом. Кто же этот идиот, утвердивший такой план? В тот момент — Г.К. Жуков. Тот самый Жуков, который только что вернулся из Монголии, где строил демонстративно оборону, а потом нанес внезапный удар по 6-й японской армии. Тот самый Жуков, который через несколько месяцев станет начальником Генерального штаба и введет драконовские правила сохранения тайны при перемещении войск, но «явная демонстрация оборонительных работ» будет продолжаться на границе и даже резко усилится.

Интересно поведение и Баграмяна в этой ситуации. Баграмян, хитрейший лис, каких только рождала человеческая порода, а вместе с тем талантливый командир, в лучшем смысле этого слова. За время войны он сделал самую блистательную карьеру во всей Красной Армии: начал войну полковником, закончил ее генералом армии, занимая должность, которая давала право получить звание Маршала Советского Союза, и он это звание получил. В данной ситуации Баграмян выполняет личное поручение Жукова на границе, действуя как подчиненный и как личный друг. Нет бы Баграмяну заорать, чтобы демонстративное строительство прекратили. Но нет, не заорал. Нет бы, встретив Жукова, сказать: «Георгий Константинович, беда! Идиоты укрепления на самой границе строят, миллионы те укрепления для страны сто́ят, но подавят их артиллерией в первый час войны, ибо знает противник положение каждого дота! И тебя за это расстреляют, и меня!» Но не стал Баграмян кричать и ногами топать. 22 июня именно так и случилось — укрепления накрыли, но не расстрелял Сталин Баграмяна и Жукова, не тронул, наоборот, возвысил. Из этого следует, что такое строительство, чтобы противник все хорошо видел, это не идиотизм, не неграмотность, а нечто другое.

Друзья Советского Союза объявили, что советские войска не рыли окопов, т. к. Сталин делал все, чтобы случайно не спровоцировать войну. Но обычный окоп с железобетонными укреплениями не идет ни в какое сравнение. Сталин строит демонстративно гигантскую оборонительную полосу и не боится, что это послужит поводом для германского нападения. Почему же войскам не дать приказ зарыться в землю? В сравнении с новой линией железобетонных укреплений окопы ситуацию политическую никак не могут омрачить. Но нет. Войскам прибывающим не давали приказа зарываться в землю. Их прятали в лесах. То, что для обороны, — преднамеренно покажем противнику, а прибывающие войска пусть никто не видит, — значит, эти войска не для обороны, а для других целей.

Странный контраст — назойливые демонстрации обороны у самых границ и уничтоженная шифровка в штабе военного округа. А ведь это две стороны одной медали. У Жукова так было раньше и так было потом всегда: усиленная подготовка обороны так, чтобы хорошо видел противник, и в то же время тайная концентрация прибывающих войск в лесах для внезапного удара.

Удары Жукова были всегда так внезапны...

6

13 июня Молотов вызвал к себе германского посла и передал ему текст Сообщения ТАСС (В. Хвостов и генерал-майор А. Грылев. — «Коммунист». 1968. № 12. С. 68). В Сообщении говорится, что Германия не хочет напасть на СССР, СССР не хочет напасть на Германию, но «враждебные СССР и Германии силы, заинтересованные в развязывании и расширении войны», пытаются их поссорить, распространяя провокационные слухи о близости войны. В Сообщении «эти враждебные силы» названы по именам: «Британский посол в Москве г. Криппс», «Лондон», «английская пресса».

Наше исследование будет неполным, если 13 июня 1941 года мы не побываем в Лондоне.

Резонно предположить, что 13 июня состоялась встреча в Лондоне между советским послом И.М. Майским и министром иностранных дел Великобритании А. Иденом. На встрече Майский бросает на стол Сообщение ТАСС, стучит кулаком по столу, топает ногами и требует убрать посла Криппса из Москвы, не сеять рознь между хорошими друзьями, Сталиным и Гитлером, прекратить провокационные слухи о войне между СССР и Германией. Вы так представляете эту встречу? Вы ошибаетесь. Дело обстояло совсем по-другому.

13 июня 1941 года действительно состоялась встреча между Майским и Иденом. Майский Сообщение ТАСС британскому правительству не передал, ногами не топал и кулаком не стучал. Встреча прошла в дружественной обстановке. Обсуждался серьезный вопрос: меры, которые предпримет Великобритания для помощи Красной Армии, «если в ближайшем будущем начнется война между СССР и Германией». Среди конкретных мер: прямые боевые действия британской авиации в интересах Красной Армии, военные поставки, координация действий военного командования двух стран (История второй мировой войны (1939—1945). Т. 3. С. 352).

13 июня сталинская дипломатия закладывает фундамент того, что вскоре будет названо термином «антигитлеровская коалиция». Со стороны Великобритании ничего плохого в этом нет: Великобритания ведет войну против Гитлера. Но Советский Союз ведет грязную игру. С Германией заключен пакт о ненападении и немедленно после этого — договор о дружбе. Если советское правительство считает, что эти документы больше не отвечают реально сложившейся ситуации, их надо аннулировать. Но Сталин этого не делает, он уверяет Гитлера в пылкой дружбе и разоблачает в Сообщении ТАСС тех, «кто хочет расширения войны». В это же время в Лондоне ведутся переговоры о военном союзе с противником

Германии, о конкретных военных мерах против Германии. Удивительно: еще до нападения Гитлера на СССР!

За нейтральностью дипломатического тона скрываются вполне серьезные вещи. Совсем недавно советская дипломатия вела с Германией переговоры о Польше: «...если на территории Польского государства произойдут изменения...» Теперь настало время, когда советские дипломаты заговорили о Германии за ее спиной подобным тоном. Удивительно, что на переговорах в Лондоне обе стороны употребляют термин «если начнется война», вместо «если Германия нападет». Другими словами, собеседники совсем не исключают того, что война может начаться не путем германской агрессии, а каким-то другим образом. Интересно, что на переговорах в Лондоне СССР ставится на первое место: «если возникнет война между СССР и Германией», именно так же говорится в Сообщении ТАСС: «слухи о близости войны между СССР и Германией». Почему не сказать наоборот: между Германией и СССР, если предполагается, что Германия будет агрессором?

Может быть, кто-то и тут возразит, что советский посол ведет разговоры без ведома Сталина, превышая полномочия, как те советские генералы, которые стягивают свои войска к границам, «не поставив Сталина в известность»? Нет. В данном случае номер не пройдет. Сам Майский подчеркивает, что, отправляясь в Лондон еще в 1932 году, он имел встречу с М.М. Литвиновым. Нарком иностранных дел Литвинов предупредил И.М. Майского о том, что он будет выполнять инструкции не Литвинова, а «более высоких инстанций». «Более высокими» в то время были только Молотов (глава правительства, в котором Литвинов был членом) и Сталин. В 1941 году Литвинова уже выгнали, остались только «более высокие инстанции» — Молотов и Сталин. Сам Майский пережил чистки и просидел на своем посту очень долго, сохранив при этом голову только потому, что инструкций «вышестоящих инстанций» не нарушал.

Чтобы окончательно составить себе представление о товарище Майском и советской дипломатии вообще, нужно добавить, что, вернувшись в Москву после 11 лет работы в Лондоне, он сопровождал Сталина на встречи с Черчиллем и Рузвельтом, требуя усиления помощи. А потом написал книгу: «Кто помогал Гитлеру».

Из этой книги мы узнаем, что Вторую мировую войну Гитлер сам начать не смог бы — Великобритания и Франция ему помогли. Далее советский посол перекладывает вину за «бесчисленные жертвы и страдания» на плечи страны, которая предлагала военную и экономическую помощь Сталину еще 13 июня 1941 года.

7

Сообщение ТАСС имеет целью прекратить слухи о неизбежной войне между СССР и Германией. Сталин решительно боролся с этими слухами. Начало июня — это внезапная вспышка террора в Москве. Полетели головы, в том числе и очень знаменитые.

Перед Гитлером стояла та же самая проблема. Приготовления к войне скрыть трудно. Люди их видят, высказывают всякие предположения. 24 апреля германский военно-морской атташе направил тревожное сообщение в Берлин о том, что он борется с «явно нелепыми слухами о предстоящей германо-советской войне». 2 мая посол Шуленбург докладывает о том, что он борется со слухами, но все германские сотрудники, приезжающие из Германии, привозят «не только слухи, но и подтверждающие их факты».

24 мая глава департамента иностранной прессы Министерства пропаганды Германии Карл Бёмер в пьяном виде что-то говорил лишнее об отношениях с Советским Союзом. Он был немедленно арестован. Гитлер лично занимался этим делом и, по словам Геббельса, придал этому событию «слишком серьезное значение». 13 июня

1941 года, в день, когда передавалось Сообщение ТАСС о том, что войны не будет, Карл Бёмер предстал перед Народным судом (потрясающе: народный суд, точно, как в Советском Союзе) и объявил свои речи пьяным бредом: конечно, никакой войны между Германией и Советским Союзом не будет! Это не спасло беднягу Бёмера от жестокого наказания, которое послужило хорошим уроком всей Германии: войны не будет! войны не будет! войны не будет! А чтобы ни у кого не было сомнений и за рубежом, Риббентроп разослал 15 июня совершенно секретные телеграммы своим послам: намечаются крупнейшие переговоры с Москвой. Послы должны под величайшим секретом это сообщить кое-кому. Например, советник германского посольства в Будапеште как особую тайну обязан был сообщить эту новость президенту Венгрии.

Принципы дезинформации для всех одинаковы: если не хочешь, чтобы секрет узнал враг, скрывай его и от друзей! И вот на следующий день после Сообщения ТАСС Германия предпринимает преднамеренную дезинформацию своей дипломатии и своих военных союзников. Мы знаем, что советское высшее командование делало то же самое в отношении советских войск.

Вглядываясь во мрак истории социализма германского и социализма советского, мы находим потрясающие сходства не только в лозунгах, песнях, идеологии, но и в исторических событиях. В истории национал-социализма есть событие, очень похожее на Сообщение ТАСС. 8 мая 1940 года германское радио объявило о том, что Великобритания намечает вторжение в Нидерланды. Далее следовало самое интересное: сведения о том, что две германские армии перебрасываются к границам Голландии, — это «нелепые слухи», пущенные в ход «британскими поджигателями войны». Что случилось после этого — хорошо известно: это сообщение германского радио и сообщение советского радио повторяют друг друга почти слово в слово. Главная мысль: мы не перебрасываем войска. Это придумали «британские поджигатели войны». Я знаю, что сравнение — это не доказательство, но в данном случае два сообщения не только похожи, это почти копии.

8

Советские историки после моих первых публикаций закричали: да, выдвижение советских войск происходило, но советские историки давно дали удовлетворительное (оборонительное) объяснение этой акции, поэтому не надо искать никакого другого объяснения, все и так понятно.

Нет, братцы! Не все понятно. И никто в Советском Союзе никогда не дал удовлетворительного объяснения. Именно отсутствие объяснения этих действий привлекло мое внимание. У советских генералов и маршалов не только нет объяснения, но ни один из них ни разу не назвал точное количество дивизий, принимавших участие в этом огромном движении: 191! Ни один из них никогда не назвал и приблизительную цифру. Можем ли мы ожидать от генерала удовлетворительное объяснение, если он или не знает, или сознательно скрывает истинный размах происходящих событий.

Выдающийся советский знаток начального периода войны В.А. Анфилов говорит о Западном особом военном округе: «Из внутренних районов округа в соответствии с директивой наркома обороны на запад выдвигались десять стрелковых дивизий» (Бессмертный подвиг. С. 189). Тут же он говорит про соседний Прибалтийский особый военный округ: «Ближе к границе выдвигались четыре стрелковые дивизии (23-я, 48-я, 126-я, 128-я)».

Все правильно, и мы найдем множество подтверждений, что дело обстояло именно так. Но разве в Прибалтийском особом военном округе кроме того не

273

выдвигались к границе 11-я и 183-я стрелковые дивизии? Разве все танковые и моторизованные дивизии в это время стояли на месте?

Некоторые советские маршалы, включая Г.К. Жукова, говорят, что из глубины страны выдвигались 28 стрелковых дивизий. Сущая правда. Но не вся. Маршал Советского Союза А.М. Василевский подчеркивает, что 28 дивизий только «положили начало выполнению плана сосредоточения» (Дело всей жизни. С. 119). 28 дивизий — это только начало. Мы знаем, что было и продолжение, которое во много раз превосходило начало, но маршал Василевский, сказав немного, замолкает, и точных цифр мы у него не найдем.

Для того чтобы дать объяснение явлению, нужно сначала точно определить его размеры. Любой исследователь, который пытается объяснить выдвижение советских войск и Сообщение ТАСС, прикрывающее это движение, не может приниматься нами всерьез до тех пор, пока он не попытается хотя бы приблизительно суммировать все, что об этом движении известно и открыто опубликовано.

Не удовлетворившись объяснениями экспертов в данном вопросе, я обратился к мемуарам генералов и маршалов, которые принимали участие в этом движении или им руководили. Тут-то я и обнаружил удивительную гибкость советской исторической науки и советских мемуаристов, которые от ответа уклонились.

Примеры.

Командующий войсками Одесского военного округа генерал-полковник Я.Т. Черевиченко 9—12 июня находился в Крыму, где принимал войска 9-го особого стрелкового корпуса. Это мы знаем от Маршала Советского Союза М.В. Захарова («Вопросы истории». 1970. № 5. С. 44). К этому корпусу мы еще вернемся. Корпус был очень необычным и не зря носил официальное название «особый». Но попробуйте найти хоть одну строчку у генерала Я.Т. Черевиченко об этом событии. Генерал по какой-то причине об этом умалчивает. Кстати, это тот самый Черевиченко, который принимает прибывающий корпус, но не знает, что на территории его округа тайно сосредоточивается целая армия генерал-лейтенанта И.С. Конева и его заместителя генерал-лейтенанта Макса Рейтера.

И.С. Конев стал во время войны Маршалом Советского Союза, мы хватаем его книгу в надежде найти объяснения того, как он оказался в чужом округе со своими «Аннушками» и зачем; но с удивлением обнаруживаем, что маршал начисто опустил весь начальный период войны. Он предпочитал писать про сорок пятый год и свою книгу так и назвал — «Сорок пятый». Мы хватаем мемуары генерала армии П.И. Батова — это его корпус генерал Черевиченко встречал в Крыму. Но, увы, Батов пропустил в своей книге все самое интересное. Батов в тот момент был заместителем командующего Закавказским военным округом. Возникает вопрос, как и почему он оказался в Крыму во главе отборного корпуса? Почему корпус назывался особым? Почему части и соединения корпуса отрабатывали элементы быстрой посадки войск и погрузки боевой техники на боевые корабли Черноморского флота и высадки на чужой берег с последующим захватом и разрушением нефтяных вышек и скважин? Почему в особом корпусе Батова велась небывалая, даже по стандартам Красной Армии, пропаганда «освободительной войны на территории агрессора»? Почему эту пропаганду вели специально для того прибывшие из Москвы высшие представители Главного управления политпропаганды? Почему 13 июня 1941 года личный состав 9-го особого корпуса до рядовых солдат включительно получил краткие русско-румынские разговорники? Ответы на все эти вопросы мы найдем после длительных поисков в других источниках, но только не в мемуарах генерала Батова, который этим поистине необычным корпусом командовал. Батов весь этот период просто и мило пропустил.

Не найдя ответов тут, мы поднимаемся на более высокий уровень. Но из тех, кто в тайны был посвящен полностью — Сталин, Молотов, Маленков, Берия, Тимошенко и Жуков, — мемуары писал один только Жуков. Что ж, и это немало. Жуков был начальником Генерального штаба, т. е. лично отвечал за дислокацию и перемещение войск, и без его разрешения ни один батальон с места двинуться не мог. Кроме того, Жукову лично подчинялась служба ВОСО — т. е. все, что связано с военным использованием железных дорог: не разреши Жуков — и ни один вагон с военным грузом с места не тронется. Наконец, любое Сообщение ТАСС, в котором упоминается Красная Армия, готовится в Генеральном штабе, т. е. в конторе Жукова.

Жуков — это единственный свидетель, который имел отношение ко всему комплексу затронутых в этой главе проблем. В своих мемуарах он или обязан взять на себя ответственность за передачу лживого Сообщения ТАСС, или должен от него отмежеваться: мол, всякие там безответственные штатские товарищи бухнули в колокола, прокричали в эфир глупейшее Сообщение ТАСС, действительной обстановки не зная и не поинтересовавшись в Генштабе, идет переброска войск или нет.

Итак, ответы на все вопросы должны быть в мемуарах Жукова. Мы с волнением открываем пухлый серый том «Воспоминаний и размышлений» и не обнаруживаем ни воспоминаний, ни размышлений. Жуков уходит от ответов. Его книга написана так, будто читатели умственно неполноценны. «Да, — говорит Жуков, — была переброска войск». Но цель ее не сообщает. Обходит Жуков молчанием и количество войск. Забывает сказать, кто и когда принимал решение на их переброску. Остается неясным, почему начало переброски войск и передача Сообщения ТАСС, опровергающего слухи о таких перебросках, совпали по времени. Нестыковка двух ведомств? Или, наоборот, — четкая координация действий?

Вместо цифр и объяснений Жуков дает пространное, на три страницы, описание переброски войск. Но хитрость в том, что описывает Жуков переброску войск не от своего имени, а цитирует своего друга Баграмяна, который в те времена доступа к государственным секретам не имел. Слушайте Баграмяна, который в те времена был только полковником! Слушайте Баграмяна, который был в Первом стратегическом эшелоне и не имел права знать ни состава, ни назначения, ни конечных районов движения Второго стратегического эшелона. Находясь в Первом стратегическом эшелоне, Баграмян мог видеть только незначительную часть прибывающих войск. Вот этим-то описанием Жуков и избавляет себя от необходимости говорить правду.

В данном случае использовать Жукову цитаты Баграмяна — это примерно то же самое, что астронавту, побывавшему на Луне, описывать Луну фрагментами из романов Жюля Верна и Герберта Уэллса, которым на Луне побывать не довелось.

За кого Жуков принимал своих читателей? Если мы желаем узнать мнение Ивана Христофоровича Баграмяна, то откроем его книги и прочитаем сами. Спору нет, Баграмян пишет много и хорошо, у него блистательная эрудиция, тонкий анализ и цепкая память, но он переброску войск Второго стратегического эшелона не планировал и ею не руководил. Планировал Жуков и руководил Жуков. И из книги Жукова мы хотели бы узнать его собственное мнение, мы хотели бы видеть ситуацию с головокружительной высоты его положения, а не с колокольни Ивана Христофоровича.

Крутой маневр Жукова за спину Баграмяна, неуклюжая попытка уйти от ответа — есть подтверждение тому, что тут не все чисто, не все гладко, тут есть нечто такое, что приходилось скрывать тогда, как приходится скрывать и пятьдесят лет спустя.

О Сообщении ТАСС и событиях, которые случились в тот день, говорят много. Но говорят только те, кто к тайне Второго стратегического эшелона допущен не был. А кто знал назначение перебрасываемых войск, те молчат или ссылаются на свидетельства непосвященных.

Им есть о чем молчать.

А теперь подведем итог тому дню.

На словах — «британские поджигатели войны» хотят столкнуть в войне СССР и Германию. На деле — Советский Союз тайно ведет переговоры с этими самыми «поджигателями войны» о военном союзе против Германии.

На словах — войск не перебрасываем. На деле — перебрасываем их столько, сколько никто никогда не перебрасывал.

На словах — учения. На деле — предстоит нечто более серьезное.

ГЛАВА 23

О БРОШЕННЫХ ВОЕННЫХ ОКРУГАХ

> Такой порядок давно установлен в Красной Армии: войска еще на подходе, а командование уже выезжает к месту, где предстоит действовать.
>
> *Маршал Советского Союза*
> *К.К. Рокоссовский*

1

Советский генерал, продвигаясь по служебной лестнице, проходит должности командира дивизии, корпуса, командующего армией... А потом — должность командующего округом. Это не просто следующая ступень. Это — скачок. Командующий округом — это воинский начальник высокого ранга, а кроме того, он — своего рода военный губернатор территорий в сотни тысяч, а иногда и миллионы квадратных километров, на которых проживают миллионы и десятки миллионов людей. Командующий округом отвечает не только за войска, но и за использование в интересах войны населения, промышленности, транспорта, средств связи, сельского хозяйства, природных ресурсов.

Перед войной территория Советского Союза была разделена на шестнадцать военных округов. Восемь округов были приграничными, восемь других границ с иностранными государствами не имели и считались внутренними. Каждый округ важен по-своему. В одних — много войск, в других — меньше войск, но мощный промышленный и мобилизационный потенциал.

13 мая 1941 года семь командующих внутренними военными округами (Московский военный округ — исключение) получили директиву особой важности: в каж-

дом из семи округов развернуть по одной новой армии, на формирование армий обратить все штабы и войска округов, командующим округами лично возглавить новые армии и ровно через месяц, 13 июня 1941 года, начать перегруппировку на запад.

Итак, семь командующих внутренними округами превратились в командующих армиями. Но семью генералами не обойдешься. Каждому командующему армией нужны заместители, нужен штаб, нужны начальники артиллерии, инженерных войск, связи, тыла. Где набрать столько генералов? Проблемы нет. У Сталина все подготовлено, все предусмотрено. Рассказ о перегруппировке войск я начал с дивизий Уральского военного округа. Вот на их примере и объясним сталинское решение. В Уральском военном округе создается 22-я армия. Командующий округом генерал-лейтенант Ф.А. Ершаков лично возглавил армию. Член военного совета округа корпусной комиссар Д.С. Леонов стал членом военного совета 22-й армии. Начальник штаба округа генерал-майор Г.Ф. Захаров стал начальником штаба 22-й армии, а штаб округа превратился в штаб армии. Начальники артиллерии, инженерных войск, связи, разведки, начальники всех отделов и управлений округа заняли соответствующие должности в 22-й армии. Они забрали всех своих заместителей и подчиненных, погрузились в эшелоны и отбыли.

Вопрос: кого же оставить на Урале? Урал — это Магнитка. Это — Уралмаш. Это — никому тогда не известный, но набирающий силу Танкоград. Урал — это стальной пояс, связывающий Европу и Азию в неделимый монолит. Урал — это ресурсы, это заводы, это — рабсила в лагерях.

Не опасно ли оставлять все эти территории без военного губернатора? Мне подскажут, что любой командир имеет заместителя, который на то и придуман, чтобы замещать командира на время его отсутствия. Но в том-то и дело, что заместитель командующего Уральским военным округом генерал-лейтенант М.Ф. Лукин еще раньше получил приказ убыть в Забайкалье. Там он сформировал 16-ю армию, и в момент передачи Сообщения ТАСС его армия из Забайкалья тайно выдвигается на запад. Поэтому во главе Уральского округа после ухода всего командного состава оказался никому не известный генерал-майор А.В. Катков практически без всякого штаба.

То же самое произошло и в Харьковском военном округе. Мы знаем, что накануне войны на румынской границе формировалась **18-я армия.** Командование и штаб этой армии — это командование и штаб Харьковского военного округа. Командующий округом генерал-лейтенант А.К. Смирнов, начальник штаба генерал-майор В.Я. Колпакчи, начальник авиации округа генерал-майор С.К. Горюнов и все их подчиненные были переброшены на румынскую границу в новую 18-ю армию, оставив военный округ без всякого руководства.

19-я армия — это все войска и штабы Северо-Кавказского военного округа. Командующий округом генерал-лейтенант И.С. Конев объединил все войска своего округа в 19-ю армию, встал во главе этой армии и тайно двинулся на запад, бросив округ без всякого военного контроля. Теоретически вместо него должен был оставаться его заместитель, немецкий коммунист генерал-майор Макс Рейтер, но мы уже знаем, что и он в это время находился не на Кавказе, а на Украине, точнее, в Черкассах, куда прибывали эшелоны 19-й армии. То, что Рейтер был на Украине, мы знаем не только из мемуаров Маршала Советского Союза М.В. Захарова, но и из многих других источников, например, из мемуаров Маршала Советского Союза И.Х. Баграмяна (Так начиналась война. С. 63).

Взглянем на командный состав ВВС Северо-Кавказского военного округа: командующий ВВС — генерал-майор авиации Е.М. Николаенко, начальник штаба ВВС — полковник Н.В. Корнеев, командир истребительной авиационной дивизии — генерал-майор авиации Е.М. Белецкий. После Сообщения ТАСС мы их видим на тех же должностях, но только не в округе, а в 19-й армии, тайно перебрасываемой на Украину;

20-я армия — это Орловский военный округ. Командующий округом генерал-лейтенант Ф.Н. Ремезов объединил все свои войска и войска Московского военного округа под своим командованием, забрал штаб округа, превратив его в штаб 20-й армии, и двинулся тайно на запад, бросив центр России на произвол судьбы без военного контроля.

21-я армия — это Приволжский военный округ. Командующий Приволжским округом генерал-лейтенант В.Г. Герасименко стал командующим 21-й армией, начальник штаба округа генерал В.Н. Гордов — начальником штаба 21-й армии. Начальники родов войск и служб, сотня других командиров в своих титулах сменили слова «Приволжского военного округа» на — «21-й армии». Например, если вам встретится информация о том, что Главный маршал авиации Г.А. Ворожейкин в начале 1941 года (в то время, конечно, в меньшем звании) возглавлял авиацию Приволжского военного округа, не заглядывая в архивы, можете утверждать, что после 13 июня он стал начальником авиации 21-й армии и тайно двинулся к германской границе. Если вы знаете, что генерал-полковник инженерных войск Ю.В. Бордзиловский в то же время в том же округе (в меньшем, конечно, звании) служил в инженерном отделе, то, не боясь ничего, утверждайте, что после Сообщения ТАСС он служил в инженерном отделе 21-й армии.

В Сибирском военном округе (командующий генерал-лейтенант С.А. Калинин) была сформирована 24-я армия, а в Архангельском (генерал-лейтенант В.Я. Качалов) — 28-я армия.

В один день, 13 июня 1941 года, в момент передачи странных сообщений по советскому радио, на бескрайних территориях Центральной России, Северного Кавказа, Сибири, Урала, от Архангельска до Кубани и от Орла до Читы, прежний военно-территориальный порядок практически перестал существовать. Если бы вспыхнул бунт, то его нечем было подавить: ВСЕ дивизии ушли к германским границам. Мало того, но и решение на подавление было бы некому принимать: практически все генералы тоже ушли тайно на запад. Бунты подавляет НКВД, но в случае достаточно серьезных событий одними войсками НКВД не обойдешься — нужна армия. Кстати, в войсках НКВД в тот же момент происходили не менее странные события, но об этом потом.

Возникает вопрос: что же происходит? Может, Сталин не доверяет своим командующим и решил их всех одновременно сместить? Нет, это не так. Всех, кому Сталин не доверял, он предусмотрительно истребил, а на их места поставил тех, кому доверял. Необходимо обратить внимание на то, что взамен ушедших генералов часто никого не оставалось. Командующий округом, забрав своих заместителей, начальника штаба и весь штаб, уходил тайно на запад, а вместо него Сталин не назначал нового генерала. Например, командующий Сибирским военным округом генерал-лейтенант С.А. Калинин превратил все войска и штаб своего округа в 24-ю армию и тайно увел ее на запад, а новый генерал прибыл в Сибирь только в 1942 году (Советская военная энциклопедия. Т. 7. С. 33). Во всех других внутренних военных округах или новые командующие появились с опозданием на несколько месяцев, или это были генералы третьестепенной важности, которых никогда раньше и никогда потом не удостоили чести командовать округом или армией. Яркий пример тому — генерал-майор М.Т. Попов в Приволжском военном округе.

Нам остается только предположить, что всем командирам и их войскам предстояло совершить нечто более серьезное, чем сохранение советской власти во внутренних районах Советского Союза. Если замышлялось нечто менее важное, то все они оставались бы на своих местах.

Из восьми внутренних военных округов Московский был исключением. Понятно — Москва. Тут в отличие от всех других внутренних округов командовал не генерал-лейтенант и даже не генерал-полковник, а генерал армии И.В. Тюленев.

Но вот под прикрытием Сообщения ТАСС советские генералы, штабы, войска покидают внутренние военные округа. И даже исключительное положение Московского военного округа не спасло его от этой участи. Все войска округа были переданы на усиление Первого стратегического эшелона и 20-й армии Второго стратегического эшелона. Все запасы вооружения, боеприпасов, имущества из Московского военного округа были отправлены на западные границы. После этого настала очередь и командования. Ясно, что генерал И.В. Тюленев в тот момент имел очень высокое звание (и пользовался у Сталина особым доверием), чтобы просто командовать армией. Решением Политбюро в присутствии Сталина Тюленев назначается командующим Южным фронтом. Убывая туда, он забрал весь штаб Московского военного округа во главе с генерал-майором Г.Д. Шишениным. Состав Южного фронта нам уже знаком: 9-я (сверхударная) и 18-я (горная ударная) армии, 9-й особый стрелковый и 3-й воздушно-десантный корпуса, авиация фронта.

Решение преобразовать управление и штаб московского военного округа в управление Южного фронта и перебросить их в Винницу было принято 21 июня 1941 года, но есть достаточно сведений, что для офицеров штаба это решение не было неожиданным, более того, многие отделы штаба в этот момент уже были в районе румынских границ. Вот, например, генерал-майор А.С. Осипенко, заместитель командующего ВВС МВО, в начале июня 1941 года уже находился на румынской границе.

Командование и штаб Московского округа убыли в Винницу, по существу, бросив столичный округ, не передавая дел никому, т. к. взамен убывающих командиров никто не был назначен.

Неужели и Московский военный округ остался без военного руководства? Да. Правда, уже после нападения Германии 26 июня 1941 года в командование округом вступил генерал-лейтенант П.А. Артемьев (Ордена Ленина Московский военный округ. С. 204). Формально кто-то тут есть. А фактически — никого! Артемьев — не военный. Он — чекист. Должность, с которой он пришел в Московский военный округ, — начальник управления оперативных войск НКВД. В июле Сталин назначил и члена Военного совета Московского военного округа — это дивизионный комиссар войск НКВД (в последующем генерал-лейтенант) К.Ф. Телегин. Это тоже чекист чистых кровей, служивший раньше в частях Осназ, во время великой чистки — политический комиссар Московского округа внутренних войск НКВД, затем у него — некий ответственный пост в центральном аппарате НКВД.

Удивительная вещь. Даже во времена великой чистки военные округа оставались военными. Теперь Московский округ НКВД от Московского военного округа ничем не отличается. Теоретически Московский военный округ существует, но в Москве боевых частей Красной Армии нет, есть только две дивизии НКВД и двадцать пять отдельных истребительных батальонов, тоже НКВД.

Генерал-лейтенант К.Ф. Телегин вспоминает, что в момент, когда в штаб Московского военного округа пришли «новые люди», т. е. чекисты, многие отделы штаба были резко ослаблены, а важнейших — без которых военный округ не может существовать — оперативного и разведывательного, — вообще не было. «Новые люди» плохо понимали военную специфику, и им пришлось «потратить немало сил и времени на ознакомление с состоянием округа, его задачами и возможностями».

Итак, под прикрытием Сообщения ТАСС военные командиры высших рангов во главе армий, и один даже — во главе штаба фронта, тайно перебрасываются к Германским границам, бросив на произвол судьбы (и НКВД) ВСЕ внутренние военные округа. Неоспоримо, что такого не случалось никогда в советской истории ни раньше, ни позже, как неоспоримо и то, что такое движение прямо связано с войной, которая для Советского Союза совершенно неизбежна и неотвратима. Если бы были хоть малейшие сомнения в неизбежности войны, то хоть бы где-то остались командиры на своих местах.

НО! Эти действия советского командования — не подготовка к оборонительной войне. В длительной оборонительной войне не всех командиров отправляют к границам противника, кое-кого оставляют на тех территориях, где противник может внезапно появиться. Кроме того, в длительной оборонительной войне совершенно необходимо присутствие настоящих военных, а не полицейских, генералов в важнейших индустриальных и транспортных центрах страны и для их защиты, и для полного и правильного использования всего военного потенциала тыловых территорий для нужд войны.

И только в случае, если советское командование планирует молниеносную внезапную войну на территории противника, в расчете на предвоенные мобилизационные запасы больше, чем на вооружение, которое может быть произведено в ходе войны, то тогда генералам в индустриальных центрах делать нечего, их место — на границах противника.

Не далеко ли нас заводят рассуждения? Нет, не далеко. Генерал-лейтенант К.Ф. Телегин, вам слово: «Поскольку предполагалось, что война будет вестись на территории противника, находившиеся в предвоенное время в пределах округа склады с мобилизационными запасами вооружения, имущества и боеприпасов были передислоцированы в приграничные военные округа» (ВИЖ. 1962. № 1. С. 36).

Разве я что-то сам придумал?

ГЛАВА 24

ПРО ЧЕРНЫЕ ДИВИЗИИ

> Сталин не остановится перед упот-
> реблением насилия в невиданных раз-
> мерах.
>
> *Л. Троцкий,*
> *21 июня 1939 г.*

1

Главное сходство между Первым и Вторым стратегическими эшелонами — самые мощные армии из их состава развертывались не против Германии, а против
нефтяных полей Румынии. Главная разница между Первым и Вторым стратегическими эшелонами цветовая. Да.
У эшелонов был разный цвет. Первый стратегический
эшелон — это зеленый и серо-зеленый (защитный, как в
армии говорят), цвет миллионов солдатских гимнасте-
рок. Защитный цвет был доминирующим и во Втором
стратегическом эшелоне, но он был обильно разбавлен
черным цветом.

Однажды мне пришлось присутствовать на встрече с
отставным генералом Ф.Н. Ремезовым, который в 1941
году под прикрытием Сообщения ТАСС бросил Орловский военный округ, объединил все его войска и войска
Московского военного округа в 20-ю армию и, возглавив ее, тайно повел на запад. Разговор шел в своем кругу, без посторонних, и потому довольно откровенно.
Слушатели — офицеры и генералы штаба округа, которые данный вопрос знают не только по мемуарам от-
ставных генералов. Заспорили. В пылу спора бойкий
полковник генералу Ремезову вопрос поставил прямо:
«Отчего 69-й стрелковый корпус вашей 20-й армии нем-

цы в документах называют «черным корпусом»? Вразумительного ответа генерал Ремезов не дал. Он все сбивался на 56-ю армию, которой командовал позже, некоторые дивизии которой из-за нехватки военных серых шинелей одели в черные железнодорожные. Но это было в декабре.

Ремезов явно от ответа уклонялся. Его спрашивают про июнь 1941 года, когда нехватки еще не было и когда солдат в бою в шинели, конечно, не бегал — жарко. В 69-м стрелковом корпусе многие солдаты были **летом** одеты в черную форму. Этих солдат было достаточно много, чтобы германская войсковая разведка обратила внимание и неофициально назвала 69-й корпус «черным».

Такой корпус был не единственным. 63-й стрелковый корпус 21-й армии Второго стратегического эшелона тоже проходит по германским документам как «черный корпус». Командир 63-го стрелкового корпуса комкор Л.Г. Петровский по любым стандартам был выдающимся полководцем. В возрасте 15 лет принимает участие в штурме Зимнего дворца. Прошел всю Гражданскую войну, имел три тяжелых ранения. Завершил войну в должности командира полка, возраст — 18. В 20 лет блестяще оканчивает Академию Генерального штаба. Командует лучшими соединениями Красной Армии, включая 1-ю Московскую Пролетарскую стрелковую дивизию. В возрасте 35 лет — заместитель командующего Московским военным округом.

Комкор Петровский проявил себя в боях полководцем стратегического масштаба. В августе 1941 года он получает воинское звание генерал-лейтенанта и назначение командовать 21-й армией. 63-й стрелковый корпус в этот момент после ожесточенных боев находился в окружении. Сталин приказал корпус бросить и немедленно принять армию. Петровский просит отсрочить на несколько дней приказ о вступлении в командование армией, присланный за ним самолет отправляет обратно, посадив в него раненых солдат.

Петровский вывел свой «черный корпус» из окружения и вновь вернулся в тыл противника, чтобы вывести из окружения еще одну дивизию — 154-ю стрелковую (командир дивизии комбриг Я.С. Фокаков). Во время прорыва из окружения Петровский был смертельно ранен. Германские солдаты, обнаружив и опознав на поле боя труп Петровского, по приказу вышестоящего командования похоронили советского генерала со всеми воинскими почестями. На его могиле был установлен огромный крест с надписью на немецком языке: «Генерал-лейтенант Петровский, командир «черного корпуса».

Советские источники подтверждают этот необычный жест германского командования в отношении советского генерала. Подробно о действиях 63-го «черного корпуса» можно прочитать в ВИЖ (1966. № 6). Советская военная энциклопедия (Т. 6. С. 314) подтверждает правильность этой статьи. О «черном корпусе» Петровского можно найти упоминания в книге генерал-лейтенанта артиллерии Г.Д. Пласкова (Под грохот канонады. С. 163).

Необычная черная форма и в других армиях Второго стратегического эшелона отмечалась германской разведкой. Когда эта форма преобладала над обычной зеленой, полки, дивизии, а иногда и целые корпуса получали названия «черных». 24-я армия Второго стратегического эшелона, тайно выдвигавшаяся из Сибири, не была исключением. В ходе боев несколько ее полков и дивизий получили у немцев название «черных». Но еще до вступления в бой с дивизиями и корпусами этой армии происходили весьма интересные вещи.

В конце июня эшелоны этой армии растянулись на тысячи километров. В это время командующий армией генерал-лейтенант С.А. Калинин (бросив Сибирский военный округ) уже находится в Москве и решает проблему, как 24-ю армию кормить. Он попадает на прием к секретарю Московского городского комитета партии. Слово генерал-лейтенанту С.А. Калинину: «Секретарь МГК связался по телефону с Наркоматом внутренних дел.

— Товарищ, с которым я только что говорил, — пояснил секретарь МГК, — имеет большой опыт организации питания. Длительное время занимался этим делом на строительстве канала Волга—Москва. Он поможет вам.

Минут через двадцать в кабинет секретаря вошел высокий, туго затянутый ремнем статный командир войск НКВД с тремя ромбами в петлицах гимнастерки. Мы быстро обо всем договорились с ним» (Размышления о минувшем. С. 132—133).

Жаль только, что генерал Калинин стесняется назвать по именам секретаря МГК и стройного, затянутого, с тремя ромбами.

После первых боев 24-я армия попадает в правильные руки: командование принял генерал-майор НКВД Константин Ракутин. А генерал-лейтенант С.А. Калинин по личному приказу Сталина возвращается в Сибирь. Нет, нет, не командовать округом. Округ так и остается брошенным. Калинин по приказу Сталина формирует десять новых дивизий. Слово Калинину: «Соединения формировались в таких местах, где прежде вообще не было воинских частей. С посещения этих пунктов я и начал свою работу.

Первый мой вылет был в один из городов Сибири. Еще за несколько лет до войны там, в лесной глухомани, был построен барачный городок для лесорубов. Его-то и использовали для размещения частей формируемого соединения.

Почти со всех сторон городок обступила непроходимая тайга» (Там же. С. 182).

Все про «барачные городки для лесорубов» — у Александра Исаевича Солженицына: «Архипелаг ГУЛАГ», все три тома. Итак, десять новых дивизий (более 130 000 человек) в Сибирском военном округе формируются не на местах, где были раньше воинские части, а в «барачных городках». Возразят, что, конечно же, не зеков обращают в солдат. Просто генерал Калинин использует пустые бараки для размещения прибывающих резервистов, тут их готовят и превращают в солдат. Хорошо. Согласимся с этим. Куда же в этом случае девались «лесорубы»? Отчего «городок» (да не один) пуст? Да просто оттого, что генерал Калинин «лесорубами» ДО НАЧАЛА ВОЙНЫ укомплектовал 24-ю армию и тайно подготовил ее к отправке на запад. Вот почему полки и дивизии в этой армии и во всех других армиях Второго стратегического эшелона имели черный цвет: «лесорубов» часто даже не переодевали в военную форму. Вот почему армия, которую Калинин тайно перебросил на запад, состоит на довольствии не Управления устройства тыла Генерального штаба РККА, а Главного управления лагерей Народного Комиссариата внутренних дел. Вот почему на 24-ю армию Сталин ставит вместо получекиста Калинина чекиста чистых кровей Ракутина. Он-то лучше знает, как с «лесорубами» обращаться.

2

Хорошо известно, что во время войны Сталин почистил ГУЛАГ, отправив на фронт способных носить оружие. Иногда за недостатком времени и обмундирования зека отправляли на фронт в его одежде. В принципе разница невелика: те же кирзовые сапоги, что и у солдата, зимой — та же шапка на рыбьем меху, в любой сезон — бушлат, который от солдатского только и отличается что цветом.

Но живет в нас неизвестно откуда пришедшее мнение, что вот, мол, Гитлер напал, Сталин и послал зеков искупать «вину».

А между тем германские войска встретились с «черными» дивизиями и корпусами в начале июля 1941 года. А начали эти дивизии и корпуса выдвижение к западным границам 13 июня 1941 года. А армии Второго стратегического эшелона, в состав которых входили все эти «черные» дивизии и корпуса, начали формироваться еще в июне 1940 года, когда Гитлер повернулся к Сталину спиной, убрав с советских границ почти все свои дивизии.

Каждая армия Второго стратегического эшелона создавалась специально в расчете на внезапное появление на западных границах. Каждая армия — на крупнейшей железнодорожной магистрали. Каждая — в районе концлагерей: мужики там к порядку приучены, в быту неприхотливы и забрать их из лагерей легче, чем из деревень: все уже вместе собраны, в бригады организованы, а главное, если мужиков из деревень забирать, без слухов о мобилизации и войне не обойтись. А Сталину все надо тихо, без слухов. Для того он и Сообщение ТАСС написал. Для того и мужиков предварительно в лагеря забрали, тут к дисциплине приучили, а теперь — на фронт без шума.

Много лет спустя о той поре напишут книги и сложат песни. Помните у Высоцкого:

> И другие заключенные
> Пусть читают у ворот
> Нашу память застекленную —
> Надпись «Все ушли на фронт».

Или вот у бывшего уголовника Михаила Демина: «Почти вся армия Рокоссовского состояла из лагерников» (Блатной. С. 26).

В своей жизни Рокоссовский командовал только одной армией — 16-й. Он забыл в своих мемуарах сообщить, из кого она состояла. Эта забывчивость ему свойственна. Свои мемуары он начинает словами: «Весной 1940 года я с семьей побывал в Сочи», забыв сказать, что сам до этого побывал в ГУЛАГе.

Правда, дальше в книге Рокоссовский вскользь говорит: «Жизнь убедила меня, что можно верить даже тем, кто в свое время по каким-то причинам допустил нарушение закона. Дайте такому человеку возможность искупить свою вину, и увидите, что хорошее в нем возьмет верх: любовь к Родине, к своему народу, стремление во что бы то ни стало вернуть их доверие сделают его отважным бойцом» (Маршал Советского Союза К.К. Рокоссовский. Солдатский долг. С. 136).

Этим Рокоссовский вполне однозначно признает, что у него было достаточно возможностей убедиться в том, что из зека можно сделать солдата.

Но не это главное.

Главное в том, что Сталин предоставил зекам «возможность искупить свою вину» и «стать отважными бойцами» ДО НАПАДЕНИЯ ГИТЛЕРА. Армии, специально приспособленные принять в свой состав зеков в качестве пушечного мяса, начали формироваться еще до того, как возник план «Барбаросса»! 16-я армия — родоначальница Второго стратегического эшелона, была создана (в Забайкалье, где зеков достаточно) на Транссибирской магистрали для быстрой переброски на запад. Она и до Рокоссовского была штрафной армией. Рокоссовский принял ее только в августе 1941 года. А до него ею правил другой генерал — жертва чисток — Михаил Федорович Лукин, которому предстоит отличиться под Смоленском в жесточайшем сражении, ему предстоит тяжелое ранение, плен, ампутация ноги, германское признание доблести, отказ от сотрудничества, четыре страшных года германских лагерей, освобождение и снова ГУЛАГ, точнее — тюрзак.

Встреча с 16-й армией Лукина в начале июля 1941 года для германского командования была полной неожиданностью, как и существование всего Второго стратегического эшелона. Поэтому об этой встрече германские архивы хранят особо много документов. Каждый желающий в этих архивах может найти сотни и тысячи фотографий, запечатлевших моменты пленения советских солдат Второго стратегического эшелона. И тут, среди лиц молодых парней, нет-нет да и мелькнет лицо мужика, тертого жизнью, мужика в полувоенной форме без знаков различия. И не поймешь, в черном он бушлате или в зеленом. Но даже и зеленый бушлат не делает его похожим на солдата. А еще у каждого из них — мощные мозолистые руки, бритый лоб и худоба на лице. Откуда бы это, они же еще не прошли через **германские** концлагеря! А я вам объясню, откуда худоба: Рокоссовские из ГУЛАГа шли в армию, предварительно подкормившись в Сочи, а эти мужики — минуя Сочи.

Если германская армия встретила дивизии и корпуса, укомплектованные зеками в начале июля, но в составе армий, прибывающих из далеких уральских, сибирских, забайкальских провинций, значит, **Сталин дал зекам боевое оружие в руки до 22 июня 1941 года.**

3

Не знаю, что было известно **в первой половине июня** германской военной разведке и что ей было не известно. Но давайте представим, что ей известно совсем немного, только небольшие отрывки и фрагменты, которые известны нам сейчас, а именно:

1. К западным границам Советского Союза тайно выдвигаются несколько армий.

2. В составе этих армий определенное количество солдат, иногда целые дивизии (около 15 000 человек каждая) и даже целые корпуса (более 50 000 человек каждый) одеты в необычную черную форму, похожую на тюремную.

3. Минимум одна из этих армий полностью состоит на довольствии ГУЛАГа НКВД.

4. Советское правительство в Сообщении ТАСС категорически и публично отрицает необычность этих перебросок войск и их массовость, говоря об «обычных учениях».

Начальнику военной разведки сопредельного государства требуется оценить обстановку и дать срочно рекомендации правительству. Главный вопрос, на который надо дать категорический ответ: если мы не нападем, что будет делать Сталин — отнимет у зеков оружие и вернет их в ГУЛАГ или просто отпустит их по домам? Или, может быть, у Сталина есть еще какие варианты использования вооруженных зеков, тайно стягиваемых к германским границам.

ГЛАВА 25

ПРО КОМБРИГОВ И КОМДИВОВ

> ...Мог одолеть сильного противника лишь тот, кто прежде всего победил свой собственный народ.
>
> *Шан Ян.*
> *V век до Р.X.*

Рассказ о «черных» дивизиях и корпусах мы начали с 63-го стрелкового корпуса 21-й армии. И тут упомянули комкора Петровского и комбрига Фоканова. Отчего же они не генералы? Ответ тут простой. В «черных» корпусах и дивизиях не только солдаты и офицеры, но и высшие командиры были ветеранами «барачных городков для лесорубов».

До 1940 года в Красной Армии для высшего командного состава были установлены воинские звания «комбриг», «комдив», «комкор», «командарм». В качестве знаков различия использовались ромбы в петлицах: один ромб для комбрига, два — комдив и т.д. Но вот Сталин в мае 1940 года делает подарок высшему командному составу своей армии — вводит генеральские звания, лампасы, звезды вместо ромбов. Новые звания: генерал-майор, генерал-лейтенант, генерал-полковник, генерал армии никак не связаны со старыми воинскими званиями. Правительственная комиссия произвела полную переаттестацию всего высшего командного состава, при этом многие комбриги стали полковниками, т. е. были понижены на уровень, на котором находились еще несколько лет назад. Некоторые комбриги стали генерал-майорами, а комбриг И.Н. Музыченко — генерал-лейтенантом. Многие командармы стали генерал-полковниками — О.И. Городовиков, Г.М. Штерн, Д.Г. Павлов, Н.Н. Воронов. Командарм В.Я. Качалов был опущен ниже — генерал-лейтенант. Но вот комкор Г.К. Жуков получает высшее генеральское звание — генерал армии. Кстати, малоизвестный факт: Жуков был генералом № 1. Ему первому присвоили генеральское звание во всей Красной Армии. Всего постановлением советского правительства в июне 1940 года 1056 высших командиров получили воинские звания генералов и адмиралов.

Введение генеральских званий — это сталинский пряник после большой порки 1937—1938 годов. С чего это товарищ Сталин так добр? Да с того, что он планирует всех своих командиров в обозримой перспективе пустить в дело. В противном случае с пряником можно было бы и не спешить.

Но Сталину мало одной тысячи генералов. Создаются все новые и новые дивизии, формируются корпуса и армии. И на генеральские должности ставятся полковники. Мы еще встретим не меньше ста полковников на генеральской должности — командир дивизии. А раньше уже встречали полковника И.И. Федюнинского даже в должности командира 15-го стрелкового корпуса 5-й армии.

Но командиров не хватает. Пока Гитлер стоял к Сталину лицом, Сталин вроде бы обходился наличным составом. Но Гитлер повернулся лицом на запад, а к Сталину спиной. И вот Сталину очень понадобились командиры высшего ранга. Много командиров! Вот почему тюремные вагоны спешат в Москву. Тут бывших командиров, прошедших ГУЛАГ, вежливо встречают на Лубянке, объясняют, что произошла ошибка. Уголовное дело прекращается, судимость снимается. Командиры спешат в Сочи, а оттуда — под боевые знамена.

Не каждому командиру одинаковое почтение. Некоторым — генеральские звания. Среди них генерал-майор К.К. Рокоссовский, будущий Маршал Советского Союза. Но большинство выпущенных из тюрем так и остаются со своими старыми воинскими званиями: комбриги, комдивы, комкоры. Странное создалось в Красной Армии положение: существуют параллельно две системы воинских званий для высшего командного состава, две системы знаков отличия, две разные формы одежды. Одни командиры ходят горделиво со звездами, с красными лампасами (в армии это называется полосатые штаны), и в нарядных парадных мундирах, другие, делая ту же работу, носят скромные ромбики.

У Мельгунова описан и документально подтвержден прием, используемый чекистами в Киеве во времена Красного террора. Не отвечающего на вопросы чекисты без лишних слов клали в гроб и зарывали в землю. А потом откапывали. И продолжали допрос. В принципе «в предвоенный период» Сталин делает то же самое: в годы великой чистки тысячи командиров попали в ГУЛАГ, некоторые из них имеют смертные приговоры, другие имеют длительные сроки и отбывают их на Колыме. По многим свидетельствам (например, «Колымские рассказы» В. Шаламова), жизнь тут совсем не лучший вариант в сравнении с расстрелом. И вот людей, уже простившихся с жизнью, везут в мягких вагонах, откармливают в номенклатурных санаториях, дают в руки былую власть и «возможность искупить вину». Звания генеральского не присваивают (т. е. не дают никаких гарантий вообще) — командуй, а там посмотрим... Можем ли мы представить себе, как все эти комбриги и комдивы рвутся в дело? В настоящее дело!

Попробуйте невинного приговорить к смерти, а потом дайте ему работу, за выполнение которой последуют прощение и восстановление на былой высоте. Как вы думаете, постарается он выполнить работу?

Сталинский расчет точен. Многие из освобожденных служили Сталину верой и правдой, рвались в бой и своими делами и кровью доказали, что доверия достойны. Среди них комдив Г.А. Ворожейкин, поставленный командовать авиацией 21-й армии Второго стратегического эшелона. Уже в первых боях отличился и в июле 1941 года получил звание генерал-майора авиации. В августе он — начальник штаба ВВС Красной Армии. Получая каждый год новое звание, в 1944 году он стал маршалом.

Комбриг А.В. Горбатов, выпущенный в марте 1941 года, получает должность заместителя командира 25-го стрелкового корпуса 19-й армии Второго стратегического эшелона. Он поднимается до звания генерала армии и до должности командующего воздушно-десантными войсками Советской Армии.

Вот как он описывает свое освобождение:

«Жена побывала в НКВД, прилетела оттуда, как на крыльях, рассказала, что ее очень хорошо приняли, говорили вежливо, интересовались, как она живет, не надо ли ей помочь деньгами...

...В ночь на 5 марта 1941 года, в два часа, на легковой машине следователь доставил меня на Комсомольскую площадь к моим знакомым. Сдав меня, вежливо распрощался.

— Вот мой телефон. Если что, звоните ко мне в любое время. Рассчитывайте на мою помощь.

Как реликвию, я взял с собой мешок с заплатами, галоши и черные, как смоль, куски сахара и сушки, которые хранил на случай болезни» (А.В. Горбатов. Годы и войны. С. 168—169).

Сравнение с закапыванием в гробу и откапыванием — не моя идея. Это я у генерала армии Горбатова позаимствовал: «Пятое марта я считаю днем своего второго рождения».

Комбрига Горбатова выпустили (как и многих других), точно рассчитав время: месяц отпуска в санатории, прием дел, а тут и время — Сообщение ТАСС. И вот бравый комбриг со своими «Аннушками» уже тайно движется на запад.

А «сувениры» ГУЛАГа, как заправский зек, он заначил не зря. Не понадобились, и хорошо. А некоторым понадобились. Вот комбриг И.Ф. Дашичев галоши надел второй раз. Выпущенный в марте 1941-го, он сел в октябре и сидел минимум до 1953 года.

Комбригов, комдивов, комкоров использовали для пополнения и Первого стратегического эшелона. Вот комбриг С.П. Зыбин получил 37-й стрелковый корпус, комдив Э. Магон — 45-й стрелковый корпус 13-й армии, комбриг М.С. Ткачев — 109-ю стрелковую дивизию 9-го особого стрелкового корпуса. Комбриг Н.П. Иванов — начальник штаба 6-й армии. Комдив А.Д. Соколов — командир 16-го механизированного корпуса 12-й армии. Комдив Г.А. Буриченков — командующий Южной зоной ПВО. Комдив П.Г. Алексеев — командующий ВВС 13-й армии. Комбриг С.С. Крушин — начальник штаба ВВС Северо-Западного фронта. Комбриг А.С. Титов — начальник артиллерии 18-й армии. И многие, многие другие.

Комбригами и комдивами заполняли пустоты после того, как Второй стратегический эшелон тайно двинулся к границам.

Вот комбриг Н.И. Христофанов — военный комиссар Ставропольского края. Комбриг М.В. Хрипунов — начальник отдела в штабе Московского военного округа. Штаб, как мы знаем, после ухода всех командиров на румынскую границу был занят чекистами, которые в военных делах не очень понимают. Вот в помощь себе беднягу Хрипунова из ГУЛАГа и выписали.

Но все же главное предназначение комдивов, комбригов, комкоров — Второй стратегический эшелон. Этот эшелон комплектуется «лесорубами», вот и командиров сюда таких же. Тут мы и находим комкора Петровского. Мы помним, что последняя его должность была — заместитель командующего Московским военным округом. После этого — сел. Освободили в ноябре 1940 года и приказали формировать 63-й стрелковый корпус. Вот когда появились «черные» корпуса! Из трех дивизий корпуса, двумя командуют комбриги Я.С. Фоканов и В.С. Раковский. Третьей дивизией командует полковник Н.А. Прищепа. Не комбриг — но... сидел. Полковников тоже ведь сажали, а потом выпустили для укомплектования Второго стратегического эшелона. И майоров, и капитанов, и лейтенантов тоже.

Соседний, 67-й, корпус той же армии переполнен комбригами. Даже во главе корпуса комбриг Ф.Ф. Жмаченко (впоследствии генерал-полковник). Взгляните на любую армию, выдвигающуюся тайно из глубины страны, и везде вы увидите табуны выпущенных накануне комбригов. Вот в 22-й армии два корпуса и на обоих комбриги: Поветкин — 51-й корпус, И.П. Карманов — 62-й. Взгляните на начальников штабов, начальников артиллерии, инженерных войск, тыла и любой другой службы или рода войск — все это выпущенные из тюрем. В этой армии две дивизии очень черные, явно из «лесорубов», но и командиры из той же среды: 112-я стрелковая — комбриг Я.С. Адамсон, 174-я — комбриг А.И. Зыгин.

Не будем загромождать изложение десятками других имен и номеров дивизий и корпусов. Каждый, кого интересует история Второй мировой войны, может сам собрать коллекцию имен, выпущенных из тюрьмы высших командиров, которым Сталин «предоставил возможность».

Коммунисты говорят, что это защитная реакция Сталина: почувствовав недоброе, он укрепляет свою армию. Нет, это не защитная реакция! Процесс освобождения комбригов, комдивов и комкоров был начат Сталиным до того, как возник план «Барбаросса». Пик этого процесса приходится не на момент, когда германские войска стояли на советских границах, а на момент, когда они ушли во Францию.

А теперь представьте, что это к границам вашего государства Сталин настойчиво прорубает коридоры, уничтожая нейтральные государства, которые стоят на его пути. Одновременно Сталин дает «второе рождение» неизвестному, но огромному количеству командиров, осужденных на быструю или медленную смерть. Этим людям дали в руки оружие и власть, но каждый из них, по существу, смертник, горящий желанием делом и кровью (своей и чужой) вернуться на высоты, с которых Сталин его сверг. И вот масса войск под руководством выпущенных из тюрем командиров тайно устремилась к вашим границам, при этом Сталин официально заверяет, что ничего серьезного не происходит. Как бы вы в этой ситуации поступили?

ГЛАВА 26

ЗАЧЕМ БЫЛ СОЗДАН ВТОРОЙ СТРАТЕГИЧЕСКИЙ ЭШЕЛОН

> Мобилизация есть война, и иного
> понимания ее мы не мыслим.
>
> *Маршал Советского Союза*
> *Б.М. Шапошников*

1

Коммунисты объясняют создание и выдвижение Второго стратегического эшелона Красной Армии в западные районы страны тем, что вот-де Черчилль предупредил, Зорге предупредил, еще кто-то предупредил, одним словом, выдвижение Второго стратегического эшелона — это реакция Сталина на действия Гитлера.

Но это объяснение не выдерживает критики.

Генерал армии И.В. Тюленев в самый первый момент вторжения германских войск разговаривает в Кремле с Жуковым. Вот слова Жукова: «Доложили Сталину, но он по-прежнему не верит, считает это провокацией немецких генералов» (Через три войны. С. 141).

Таких свидетельств я могу привести тысячу, но и до меня много раз доказано, что Сталин в возможность германского нападения не верил до самого последнего момента, даже после вторжения и то не верил.

У коммунистических историков получается нестыковка: Сталин проводит самую мощную перегруппировку войск в истории человечества для того, чтобы предотвратить германскую агрессию, в возможность которой он не верит!

Выдвижение Второго стратегического эшелона — это не реакция на действия Гитлера. Создание Второго стратегического эшелона началось **до** знаменитого «предупреждения» Черчилля, **до** «важных» сообщений Зорге, до начала массовых перебросок германских войск на советские границы.

Переброска войск Второго стратегического эшелона — это железнодорожная операция, которая требовала длительной подготовки, точного предварительного планирования. Маршал Советского Союза С.К. Куркоткин сообщает, что Генеральный штаб передал все необходимые документы по перевозкам войск в Наркомат путей сообщения 21 февраля 1941 года (Тыл Советских Вооруженных Сил в Великой Отечественной войне 1941—1945 гг. С. 33). Но и Генеральному штабу требовалось время на то, чтобы эти документы тщательно подготовить, нужно было точно указать железнодорожникам, когда, куда, какой транспорт подавать, как маскировать погрузку и переброску, какие маршруты использовать, где готовить места массовой разгрузки войск. Но чтобы подготовить все это, Генеральный штаб должен был точно определить, где и какие войска, в какое время должны появиться. Значит, решение о создании Второго стратегического эшелона и начало планирования его переброски и боевого использования мы должны искать где-то раньше. И мы находим...

Создание войск во внутренних округах и переброска их в западные приграничные — это процесс, начатый **19 августа 1939 года.** Начатый решением Политбюро, он никогда не прекращался, постепенно набирая силу. Вот только один военный округ для примера — Уральский. В сентябре 1939 года в нем формируются две новые дивизии: 85-я и 159-я. 85-ю мы находим 21 июня 1941 года у самых германских границ в районе Августова на участке, где НКВД режет колючую проволоку. 159-ю мы тоже находим на самой границе в Рава-Русской, в составе 6-й (сверхударной) армии. В конце 1939 года в том же Уральском военном округе создаются 110-я, 125-я, 128-я стрелковые дивизии, и каждую из них мы потом находим на германских границах. Причем 125-я, по советским источникам, — «непосредственно на границе» Восточной Пруссии. Уральский округ формировал еще много полков и дивизий, и все они тихо и без шума перебирались поближе к границам.

Пока Второй стратегический эшелон официально не существует, пока его армии находятся на положении призраков, высшее советское военное руководство отрабатывает способы взаимодействия войск Первого и Второго стратегических эшелонов. Вот во второй половине 1940 года генерал армии Д.Г. Павлов проводит совещание с командующими армиями и начальниками штабов Западного особого военного округа. В иерархии советских генералов и адмиралов Д.Г. Павлов занимает четвертое место.

В Западном особом военном округе готовятся командно-штабные учения. Отрабатываются способы действий командиров, штабов, систем связи в начальный период войны. Советским штабам в ходе учений предстоит перемещаться на запад точно так, как они готовятся делать это в начале войны. Начальник штаба 4-й армии Л.М. Сандалов задает недоуменный вопрос: «А те штабы, которые находятся у самой границы? Куда им двигаться? (Генерал-полковник Л.М. Сандалов. Пережитое. С. 65). Нужно отметить, что при подготовке оборонительной войны никто не держит штабов «у самой границы», а советские штабы были выдвинуты сюда и тут находились постоянно с момента установления общих границ с Германией.

Интересна также реакция начальника штаба приграничной армии: у него приказ «передвигаться» ассоциируется только с понятиями «передвигаться на запад», «передвигаться через границу». Он даже представить себе не может, что в войне штаб можно перемещать куда-то еще.

На совещании вблизи границ кроме командиров Первого стратегического эшелона присутствуют высокие гости из Второго стратегического эшелона во главе с командующим Московским военным округом генералом армии И.В. Тюленевым, который занимает в ряду тысячи генералов третье место. Пользуясь присутствием Тюленева, генерал армии Д.Г. Павлов объясняет командующему 4-й армии генерал-лейтенанту В.И. Чуйкову (будущему Маршалу Советского Союза) назначение Второго стратегического эшелона:

«...Когда из тыла подойдут войска внутренних округов, — Павлов посмотрел на Тюленева, — когда в полосе вашей армии будет достигнута плотность — семь с половиной километров на дивизию, тогда можно будет двигаться вперед и не сомневаться в успехе» (Там же).

Присутствие командующего Московским военным округом генерала армии И.В. Тюленева на совещании в приграничном военном округе очень знаменательно. Уже в 1940 году он знал свою роль в начальном периоде войны: со своим штабом появиться в приграничном округе, когда Первый стратегический эшелон перейдет государственную границу. К слову сказать, в феврале 1941 года под напором Жукова, принявшего Генеральный штаб, советский план был изменен, и генерал армии Тюленев со своим штабом должен был тайно перебрасываться не на германскую, а на румынскую границу, ибо основные усилия Красной Армии были сконцентрированы именно там.

Плотность войск «семь с половиной километров на дивизию», о которой говорят советские генералы, — это стандарт для наступления. В то время для оборонительных действий дивизии давалась полоса местности в три-четыре раза большая. Тут же на совещании отрабатывается и еще один важный вопрос о том, как маскировать выдвижение советских войск к границам: «выдвижение... новых дивизий можно провести под видом учебных сборов».

13 июня 1941 года — это момент, когда 77 советских дивизий внутренних военных округов «под видом учебных сборов» устремились к западным границам. В этой ситуации Адольф Гитлер не стал дожидаться, когда советские генералы создадут «уставную плотность — семь с половиной километров на дивизию», и нанес удар первым.

После того как Германия начала превентивную войну, Второй стратегический эшелон (как и Первый) использовался для обороны. Но это совсем не означает, что он для этого создавался.

Генерал армии М.И. Казаков говорит о Втором эшелоне: «После начала войны в планы его использования пришлось внести кардинальные изменения» (ВИЖ. 1972. № 12. С. 46).

Генерал-майор В. Земсков выражается более точно: «Эти резервы мы вынуждены были использовать не для наступления в соответствии с планом, а для обороны» (ВИЖ. 1971. № 10. С. 13).

Генерал армии С.П. Иванов: «В случае если бы войскам Первого стратегического эшелона удалось... перенести боевые действия на территорию противника еще до развертывания главных сил, Второй стратегический эшелон должен был нарастить усилия Первого эшелона и развивать ответный удар в соответствии с общим стратегическим замыслом» (Начальный период войны. С. 206). В этой фразе не должен смущать термин «ответный удар». Значение этого термина можно понять, оглянувшись на Зимнюю войну.

Даже сорок лет спустя советская версия гласит, что Финляндия напала, а Красная Армия только нанесла «ответный удар».

3

О настроениях во Втором стратегическом эшелоне рассказывает генерал-лейтенант С.А. Калинин. Перед началом тайного выдвижения на запад он готовит войска Сибирского военного округа (превращенные затем в 24-ю армию) к боевым действиям.

В ходе учений генерал заслушивает мнение младшего офицера: «Да и укрепления-то, наверное, не потребуются. Ведь мы готовимся не к обороне, а к наступлению, будем бить врага на его же территории» (Размышления о минувшем. С. 124). Генерал Калинин передает слова молодого офицера с некоторой иронией: вот какой наивный. Но он не говорит, откуда у молодого офицера такие настроения. Если офицер не прав, генерал Калинин должен был бы его поправить, а кроме того, указать всем командирам от батальона до корпуса, что младшие офицеры чего-то не понимают, что направленность боевой подготовки односторонняя. Генерал Калинин должен был немедленно опросить командиров в соседних батальонах, полках, дивизиях, и если это «неправильное» мнение повторится, издать громовой приказ по 24-й армии об изменении направленности боевой подготовки. Но генерал Калинин этого не делает, и его войска продолжают готовиться «воевать на территории противника».

Не вина молодых командиров в том, что они к обороне не были готовы, но даже не вина и генерала Калинина. Он только командующий одной армии, но все армии готовились воевать «на территории противника». Интересно заявление того же генерала в той же книге (С. 182—183). Сдав 24-ю армию генералу К.И. Ракутину, Калинин вернулся в Сибирь и тут «в барачных городках для лесорубов» готовит десять новых дивизий. Слово Калинину: «С чего же начинать? На чем сосредоточить при обучении войск главное внимание — на обороне или наступлении? Положение на фронтах оставалось напряженным. Войска Красной Армии продолжали вести тяжелые оборонительные бои.

Опыт боев показал, что мы далеко не всегда умело строили оборону. Оборонительные позиции зачастую плохо оборудовались в инженерном отношении. Подчас даже на первой позиции не имелось системы траншей. Боевой порядок оборонявшихся чаще всего состоял из одного эшелона и небольшого резерва, что снижало стойкость войск. Во многих случаях люди были плохо подготовлены к противотанковой обороне, существовала известная танкобоязнь...

Вместе с тем думалось: «Не всегда же мы будем обороняться. Отступление — дело вынужденное...»

К тому же оборона никогда не считалась и не считается главным видом боевых действий... Значит, нужно готовить войска к наступательным боям... Поделился я с командирами. Пришли к единому мнению: главные усилия при обучении направлять на тщательную отработку вопросов тактики наступательных действий».

Главная задача государства и его армии осенью 1941 года — остановить врага хотя бы у стен Москвы, и всем ясно, что к обороне Красная Армия не готова. Но ее и не готовят. Не готова к обороне — ну и ничего! Все равно будем готовиться к наступлению! Только к наступлению!

Если даже после германского вторжения, когда германская армия угрожает самому существованию коммунистического режима, генерал Калинин продолжает учить войска только наступлению, к чему же он их готовил до германского вторжения?

4

Второй стратегический эшелон в результате германской превентивной акции пришлось использовать не по прямому назначению, а для обороны. Но у нас достаточно документов для того, чтобы установить первоначальное предназначение Второго стратегического эшелона и роль, которая отводилась ему в советских планах войны. Тут, как и в Первом эшелоне, каждая армия имела свою неповторимую индивидуальность, свое лицо, свой характер. Большинство армий выдвигались налегке, представляя собой как бы мощный каркас, который после прибытия и тайного развертывания в лесах западных районов страны предстояло дополнить, достроить. Стандартный состав армий Второго стратегического эшелона: два стрелковых корпуса по три стрелковые дивизии в каждом. Это не ударная, а обычная армия сокращенного состава.

По прибытии в западные районы каждая армия немедленно приступала к отмобилизованию и дополнению своих дивизий и корпусов. Отсутствие механизированных корпусов с огромным количеством танков в составе большинства армий Второго стратегического эшелона вполне логично. Во-первых, такие корпуса создавались в основном в западных районах страны. В случае необходимости их не надо перебрасывать на запад из далеких уральских и сибирских провинций: проще прибывающие оттуда облегченные армии дополнить такими корпусами уже в западных районах страны. Еще лучший вариант: использовать подавляющее большинство механизированных корпусов в первом внезапном ударе, чтобы он получился необычайно мощным, после этого ввести в бой Второй стратегический эшелон и передать его облегченным армиям все танки, которые уцелеют после первых операций.

Но среди армий Второго стратегического эшелона были и исключения. 16-я армия была явно ударной. В ее составе был полностью укомплектованный механизированный корпус, который имел более 1000 танков, кроме того, вместе с этой армией на запад выдвигалась отдельная 57-я танковая дивизия (полковник В.А. Мишулин), которая находилась в оперативном подчинении командующего 16-й армией. Всего с учетом этой дивизии в 16-й армии было более 1200 танков, а при полном укомплектовании эта цифра должна была превзойти 1340. Еще более мощной была 19-я армия, тайно перебрасываемая с Северного Кавказа. В ее составе было четыре корпуса, включая один механизированный (26-й). Есть достаточно сведений о том, что 25-й механизированный корпус (генерал-майор С.М. Кривошеин) тоже предназначался 19-й армии. Это была явно сверхударная армия. Даже ее стрелковые корпуса имели необычную организацию и возглавлялись командирами очень высокого ранга. Например, 34-й стрелковый корпус (генерал-лейтенант Р.П. Хмельницкий) имел в своем составе четыре стрелковые и одну горнострелковую дивизии и несколько тяжелых артиллерийских полков. Присутствие горнострелковых дивизий в армии не случайно. 19-я армия, самая мощная армия Второго стратегического эшелона, тайно развертывалась НЕ ПРОТИВ ГЕРМАНИИ.

В этом проявляется весь советский замысел: самая мощная армия Первого стратегического эшелона — против Румынии, самая мощная армия Второго стратегического эшелона — прямо за ее спиной, тоже против Румынии.

Платные друзья Советского Союза пустили в ход легенду о том, что Второй стратегический эшелон предназначался для «контрударов». Если так, то самый мощный «контрудар» готовился по румынским нефтяным полям.

Вторая по мощи во Втором стратегическом эшелоне 16-я армия развертывалась рядом. Она могла тоже использоваться против Румынии, но более вероятно — против Венгрии на стыке 26-й (ударной) и 12-й (горной ударной) армий, отрезая источники нефти от потребителя.

Но Гитлер своим вторжением все это развертывание нарушил, и 16-ю, и 19-ю армии срочно пришлось перебрасывать под Смоленск, отсрочив на несколько лет «освобождение» Румынии и Венгрии.

Командующий 16-й армией генерал-лейтенант М.Ф. Лукин не говорит, на каких территориях планировалось использовать 16-ю армию, которой он командовал в тот момент. Но в любом случае это не советские территории: «Мы собирались воевать на территории противника» (ВИЖ. 1979. № 7. С. 43). На той же странице Маршал Советского Союза А.М. Василевский подчеркивает, что Лукину надо верить: «в его словах много суровой правды». Василевский — сам выдающийся мастер воевать на «территориях противника». Это он в 1945 году нанес внезапный удар по японским войскам в Маньчжурии, продемонстрировав высший класс того, как надо наносить внезапный предательский удар в спину противнику, занятому войной на других фронтах.

5

Сразу после раздела Польши осенью 1939 года огромное количество советских войск из мест постоянной дислокации были переброшены на новые границы. Но новые территории не были приспособлены для дислокации большого количества войск, особенно современных войск с большим количеством боевой техники.

Официальная История второй мировой войны (Т. 4. С. 27): «Войска западных приграничных округов испытывали большие трудности. Все приходилось строить и оборудовать заново: ...базы и пункты снабжения, аэродромы, дорожную сеть, узлы и линии связи...»

Официальная История Белорусского военного округа (Краснознаменный Белорусский военный округ. С. 84): «Перемещение соединений и частей округа в западные области Белоруссии вызывало немалые трудности... Личный состав 3-й, 10-й, 4-й армий... занимался ремонтом и строительством казарм, складов, лагерей, оборудованием полигонов, стрельбищ, танкодромов. Войска испытывали огромное напряжение».

Генерал-полковник Л.М. Сандалов: «Перемещение сюда войск округа связано с огромными трудностями. Казарменный фонд был ничтожно мал... Для войск, не обеспеченных казарменными помещениями, строились землянки» (На московском направлении. С. 41).

Но войска все прибывали. Генерал Сандалов говорит, что для размещения войск в 1939—1940 годах использовались склады, бараки, любые помещения. «В Бресте скопилось огромное количество войск... В нижних этажах казарм устраивались четырехъярусные нары» (Там же).

Начальник Управления боевой подготовки Красной Армии генерал-лейтенант В.Н. Курдюмов на совещании командного состава в декабре 1940 года говорил, что войска в новых районах часто вместо боевой подготовки вынуждены заниматься хозяйственными работами.

На том же совещании начальник автобронетанкового управления генерал-лейтенант танковых войск Я.Н. Федоренко говорил, что почти все танковые соединения за 1939—1940 год сменили свою дислокацию иногда по три-четыре раза. В результате — «больше половины частей, перешедших на новые места, не имели полигонов». Ценой огромных усилий в 1939 и 1940 годах войска Первого стратегического эшелона были устроены и расквартированы. Но вот с февраля 1941 года сначала медленно, а потом все быстрее начинается переброска в те же районы войск Второго стратегического эшелона.

И в этот момент произошло изменение, историками не замеченное: **советские войска перестали заботиться о том, как они проведут следующую зиму.** Войска Первого стратегического эшелона, бросив все свои землянки и недостроенные казармы, пошли в приграничную полосу. Речь идет о **всех** войсках и **непосредственно к границе** (Маршал Советского Союза И.Х. Баграмян. — ВИЖ. 1976. № 1. С. 62). Войска Второго стратегического эшелона, выдвигаемые из глубины страны, не использовали недостроенные казармы и военные городки, брошенные Первым стратегическим эшелоном. Прибывающие войска не собирались зимовать в этих местах и никак не готовились к зиме. Они больше не строили землянок, они не строили полигонов и стрельбищ, они даже не рыли окопов. Имеется множество официальных документов и мемуаров советских генералов и маршалов о том, что теперь войска располагались только в палатках.

Пример: ранней весной 1941 года формируется в Прибалтике 188-я стрелковая дивизия 16-го стрелкового корпуса 11-й армии. В мае она получает резервистов. Дивизия создает временный летний палаточный городок в районе Козлово Руда (45—50 км от государственной границы). Под прикрытием Сообщения ТАСС дивизия бросает этот городок и идет к границе. Любые попытки найти хоть намек на подготовку к зиме обречены на провал — дивизия не готовилась тут зимовать. Рядом идет развертывание 28-й танковой дивизии — та же картина. Во всех танковых, во всех вновь формируемых стрелковых дивизиях отношение к зиме изменилось — больше никого зима не пугает.

Маршал Советского Союза К.С. Москаленко (в то время генерал-майор, командир бригады) получает задачу от командующего 5-й армией генерал-майора М.И. Потапова: «Здесь начала формироваться твоя бригада. ...Займешь вот тут участок леса, построишь лагерь...» Мощная, полностью укомплектованная бригада в составе более 6000 человек с более сотней тяжелых орудий калибром до 85 мм оборудует лагерь за три дня. После этого начинается напряженная боевая подготовка 8—10 часов в день, не считая ночных занятий, самоподготовки, обслуживания вооружения, тренировок при оружии (На юго-западном направлении. С. 18).

Если советские войска готовятся к обороне, то надо зарываться в землю, создавая непрерывную линию траншей от Ледовитого океана до устья Дуная. Но они этого не делают. Если они намерены мирно провести еще одну зиму, то, начиная с апреля—мая, надо строить, строить и строить. Но и это не делается. Некоторые дивизии имеют где-то позади недостроенные казармы. Но многие дивизии создаются весной 1941 года и нигде ничего не имеют: ни казарм, ни бараков, но и не строят землянок Где они собирались проводить зиму, кроме как в Центральной и Западной Европе?

6

Генерал-майор А. Запорожченко делает такое описание: «Завершающим этапом стратегического развертывания явилось скрытое выдвижение ударных группировок в исходные районы для наступления, которое осуществлялось в течение нескольких ночей перед нападением. Прикрытие выдвижения было организовано силами заранее выдвинутых к границе усиленных батальонов, которые до подхода главных сил контролировали назначенные дивизиям участки фронта.

Перебазирование авиации началось в последних числах мая и закончилось к 18 июня. При этом истребительная и войсковая авиация сосредоточивалась на аэродромах, удаленных от границы до 40 км, а бомбардировочная — не далее 180 км» (ВИЖ. 1984. № 4. С. 42). В этом описании нас может удивить только дата 18 июня. Советская авиация не завершила перебазирование, а только начала его 13 июня под прикрытием Сообщения ТАСС. Отчего же генерал говорит про 18 июня? Дело в том, что он говорит не о Красной Армии, а о германском Вермахте. Там происходило то же самое: войска шли к границам ночами. Вперед были высланы усиленные батальоны. Прибывающие дивизии занимали исходные районы для наступления, проще говоря, прятались в лесах. Действия двух армий — это зеркальное изображение. Несовпадение — только во времени. Вначале советские войска действовали с опережением, теперь на две недели опережает Гитлер: у него меньше войск и перебрасывать их приходится на очень небольшое расстояние. Интересно, что в начале июня германская армия была в очень невыгодном положении, множество войск в эшелонах. Пушки в одном эшелоне, снаряды — в другом. Боевые батальоны разгружаются там, где нет штабов, а штабы — там, где нет войск. Связи нет, т. к. по соображениям безопасности работа многих радиостанций до начала боевых действий просто запрещена. Германские войска тоже не рыли землянок и не строили полигонов. Но главное сходство — огромное количество запасов, войск, авиации, госпиталей, штабов, аэродромов — у самых советских границ, и мало кто знает план дальнейших действий — это строжайший секрет высшего командования. Все то, что мы видим в Красной Армии и расцениваем как глупость, две недели назад делалось в германском Вермахте. Это не глупость, а подготовка к наступлению.

<h1 style="text-align:center">7</h1>

Что должно было случиться после полного сосредоточения Второго стратегического эшелона советских войск в западных районах страны? Ответ на этот вопрос был дан задолго до начала Второй мировой войны.

Генерал В. Сикорский: «Стратегическое выжидание не может продолжаться после того, как все силы будут мобилизованы и их сосредоточение закончено» (Будущая война. С. 240). Это говорит начальник Генерального штаба польской армии. Однако книга опубликована в Москве по решению советского Генерального штаба для советских командиров. Книга опубликована потому, что советская военная наука еще раньше пришла к твердому убеждению: «Самое худшее в современных условиях — это стремление в начальный период войны придерживаться тактики выжидания» («Война и революция». 1931. № 8. С. 11)*.

Начальник советского Генерального штаба Маршал Советского Союза Б.М. Шапошников в этом вопросе имел твердое мнение: «Длительное пребывание призванных резервистов под знаменами без перспектив войны может сказаться отрицательно на их моральном состоянии: вместо повышения боевой готовности последует ее понижение... Одним словом, как бы ни хотело командование, а тем более дипломатия, но с объявлением мобилизации по чисто военным причинам пушки могут начать стрелять сами.

Таким образом, нужно считать сомнительным предположение о возможности в современных условиях войны длительного пребывания мобилизованных армий в

---

* Ежемесячный журнал, выходивший в 1925—31 гг. — *Ред.*

314

состоянии военного покоя без перехода к активным действиям» (Мозг армии. Т. 3).

Советская военная наука и тогда и сейчас считает, что «мобилизация, сосредоточение, оперативное развертывание и ведение первых операций составляют единый неразрывный процесс» (ВИЖ. 1986. № 1. С. 15). Начав мобилизацию, а тем более сосредоточение и оперативное развертывание войск, советское командование уже не могло остановить или даже затормозить этот процесс. Это примерно то же самое, как бросить руку резко вниз, расстегнуть кобуру, выхватить револьвер, навести его на противника, одновременно взводя курок. После этого, нравится вам или нет, но выстрел неизбежен — ибо, как только ваша рука мгновенно устремилась вниз, противник с такой же скоростью (а то и быстрее) делает то же самое.

Историки до сих пор не ответили нам на вопрос: кто же начал советско-германскую войну 1941 года? При решении этой проблемы историки-коммунисты предлагают следующий критерий: кто первым выстрелил, тот и виновник. А почему бы не использовать другой критерий? Почему бы не обратить внимание на то, кто первым начал мобилизацию, сосредоточение и оперативное развертывание, т. е. кто все-таки первым потянулся к пистолету?

8

Защитники коммунистической версии хватаются за любую соломинку. Они говорят: Шапошников понимал, что выдвижение войск — это война. Современные советские стратеги понимают это. Но в 1941 году начальником Генерального штаба был уже не Шапошников, а Жуков. Может быть, он выдвигал войска, не понимая, что это война.

Нет, братцы, Жуков понимал все — и лучше нас.

Чтобы уяснить всю решительность действий советского высшего командования, мы должны вернуться в 1932 год в 4-ю кавалерийскую дивизию, лучшую не только во всей Красной кавалерии, но и во всей Красной Армии вообще. До 1931 года дивизия находилась в Ленинградском военном округе и располагалась в местах, где раньше стояла императорская конная гвардия. Каждый может сам себе представить условия, в которых жила и готовилась к боям эта дивизия. Меньше чем великолепными условия ее расквартирования назвать нельзя. Но вот в 1932 году дивизию по чрезвычайным оперативным соображениям перебросили на неподготовленную базу. Маршал Советского Союза Г.К. Жуков: «В течение полутора лет дивизия была вынуждена сама строить казармы, конюшни, штабы, жилые дома, склады и всю учебную базу. В результате блестяще подготовленная дивизия превратилась в плохую рабочую воинскую часть. Недостаток строительных материалов, дождливая погода и другие неблагоприятные условия не позволили вовремя подготовиться к зиме, что крайне тяжело отразилось на общем состоянии дивизии и ее боевой готовности. Упала дисциплина...» (Воспоминания и размышления. С. 118).

Весной лучшая дивизия Красной Армии находилась «в состоянии крайнего упадка» и «являлась небоеспособной». Командира дивизии определили в качестве главного виновника со всеми вытекающими для него последствиями, а для дивизии «подыскали нового командира». Вот этим-то командиром и стал Г.К. Жуков. Именно отсюда началось его восхождение. За работой Жукова следил не только командир корпуса С.К. Тимошенко, но и сам Нарком обороны К.Е. Ворошилов — дивизия носила его имя и считалась лучшей. Ворошилов ждал от Жукова, что тот восстановит былую славу 4-й кавалерийской дивизии, и Жуков драконовскими мерами эту славу восстановил, доказав, что ему можно ставить любую теоретически невыполнимую задачу.

В 1941 году все участники этой истории поднялись выше уровня, на котором были в 1933 году. Гораздо выше.

К.Е. Ворошилов — член Политбюро, Маршал Советского Союза, Председатель Комитета обороны; С.К. Тимошенко — Маршал Советского Союза, Нарком обороны; Жуков — генерал армии, заместитель Наркома обороны, начальник Генерального штаба. Это они втроем руководят тайным движением советских войск к германским границам.

Они знают лучше нас и не из теоретических расчетов, что даже одну дивизию нельзя оставить на зиму в неподготовленном лесу. Солдат может перезимовать в любых условиях. Не в этом проблема. Проблема в том, что у западных границ нет стрельбищ, полигонов, танкодромов, нет учебных центров, нет условий для боевой подготовки. Войска или немедленно надо вводить в бой, или последует неизбежная деградация уровня боевой подготовки. Они знают, что оставлять на зиму нельзя ни одной дивизии в неподготовленном месте. Они знают, что виновных найдут, и знают, что с виновными случится. Но они выводят в места, где нет условий для боевой подготовки, практически ВСЮ КРАСНУЮ АРМИЮ!

Война началась не так, как хотел Сталин, и поэтому кончилась не так: Сталину досталось только пол-Европы. Но чтобы понять и до конца оценить Сталина, давайте на мгновение представим себе ситуацию: Гитлер не напал на Сталина 22 июня 1941 года. Гитлер, к примеру, решил осуществить захват Гибралтара, а операцию «Барбаросса» отложил на два месяца.

Что в этом случае будет делать Сталин?

Выбора у Сталина уже не было.

Во-первых. Он не мог вернуть свои армии назад. Многим армиям и корпусам, созданным в первой половине 1941 года, вообще некуда было возвращаться, кроме «барачных городков для лесорубов». Переброска войск назад потребовала бы снова много месяцев, парализовала весь железнодорожный транспорт и означала бы экономическую катастрофу. Да и какой смысл, сначала полгода войска тайно сосредоточивать, а потом их полгода рассредоточивать? Но даже если бы после полного сосредоточения началось немедленное рассредоточение, то и тогда до зимы этот процесс завершить было невозможно.

Во-вторых. Сталин не мог оставить свои армии зимовать в приграничных лесах. Без напряженной боевой подготовки армии быстро теряют способность воевать. Кроме того, по какой-то причине Сталин сохранял в строжайшей тайне процесс создания и переброски на запад армий Второго стратегического эшелона. Мог ли он рассчитывать на полное сохранение тайны, если бы оставил на несколько недель эти несметные армии в приграничных лесах?

Центральный вопрос моей книги: ЕСЛИ КРАСНАЯ АРМИЯ НЕ МОГЛА ВЕРНУТЬСЯ НАЗАД, НО И НЕ МОГЛА ДОЛГО ОСТАВАТЬСЯ В ПРИГРАНИЧНЫХ РАЙОНАХ, ТО ЧТО ЖЕ ЕЙ ОСТАВАЛОСЬ ДЕЛАТЬ?

Коммунистические историки готовы обсуждать любые детали и выискивать любые ошибки. Но давайте отвлечемся от второстепенных деталей и дадим ответ на главный вопрос.

Все коммунистические историки боятся давать ответ на этот вопрос. Вот почему я привожу мнение генерала, который «с мая 1940 года — заместитель начальника Оперативного управления Генштаба; работал над оперативной частью плана стратегического развертывания Советских Вооруженных Сил на северном, северо-западном и западном направлениях» (Советская военная энциклопедия. Т. 2. С. 27). В его планировании все было правильно, вот почему, начав войну генерал-майором, он через полтора года стал Маршалом Советского Союза. Это он, а не Жуков правит Красной Армией в последние годы жизни Сталина и сходит с высоких постов вместе со смертью Сталина.

Маршал Советского Союза А.М. Василевский, вам слово: «Опасения, что на Западе поднимется шум по поводу якобы агрессивных устремлений СССР, надо было

318

отбросить. Мы подошли... к Рубикону войны, и нужно было сделать твердо шаг вперед» (ВИЖ. 1978. № 2. С. 68).

В каждом грандиозном процессе есть критический момент, после которого события принимают необратимый характер. Для Советского Союза этим моментом была дата 13 июня 1941 года. После этого дня война для Советского Союза стала совершенно неизбежной, и именно летом 1941 года, вне зависимости от того, как бы поступил Гитлер.

ГЛАВА 27

НЕОБЪЯВЛЕННАЯ ВОЙНА

> В условиях, когда мы окружены врагами, внезапный удар с нашей стороны, неожиданный маневр, быстрота решают все.
>
> *И. Сталин*

1

На западных границах Советский Союз имел пять военных округов, в которые тайно, но интенсивно стягивались войска. Все восемь внутренних военных округов были брошены советским командованием. Из внутренних военных округов к западным границам тайно ушли все армии, корпуса, дивизии и почти все генералы и штабы.

Помимо пяти западных приграничных и восьми внутренних округов, существовал Дальневосточный фронт и три восточных приграничных военных округа — Закавказский, Среднеазиатский, Забайкальский. Интересно взглянуть и на них.

В мае 1941 года в Среднеазиатском и Закавказском военных округах вопреки Опровержению ТАСС от 9 мая 1941 года шла интенсивная подготовка к «освобождению» Ирана. Среднеазиатскому округу отводилась главная роль, Закавказскому — вспомогательная. Как принято, последний аккорд подготовки — грандиозные учения в присутствии высшего командного состава Красной Армии. В мае на эти учения должен был выехать начальник Генерального штаба генерал армии Г.К. Жуков и его заместитель генерал-лейтенант Н.Ф. Ватутин.

Генерал армии С.М. Штеменко (в то время полковник в Главном оперативном управлении Генерального штаба): «В конце мая основной состав нашего отдела отправился в Тбилиси. Нас усилили за счет других отделов... Перед самым отъездом выяснилось, что ни начальник Генштаба, ни его заместитель выехать не могут, и учениями будут руководить командующие войсками: в ЗакВО — Д.Т. Козлов, в САВО — С.Г. Трофименко. Однако уже на другой день после нашего приезда в Тбилиси генерал-лейтенанта Козлова срочно вызвали в Москву. Чувствовалось, что в Москве происходит нечто не совсем обычное» (Генеральный штаб в годы войны. С. 20).

Так, приграничный Закавказский военный округ прямо накануне «освобождения» Ирана остался без командующего. Мне возразят, что у генерала Козлова есть заместитель — генерал-лейтенант П.И. Батов. Пусть он и командует округом. Нет, Батов занят. Батов сформировал из самых лучших войск Закавказского военного округа 9-й особый стрелковый корпус, перебросил его в Крым, и тут корпус во взаимодействии с Черноморским флотом ведет интенсивную подготовку к проведению морской десантной операции. Дивизию из состава именно этого корпуса Черноморский флот тренируется высаживать с боевых кораблей.

Закавказский военный округ оставался без командующего и без его заместителя до августа 1941 года, когда сюда вернулся генерал Д.Т. Козлов и провел «освобождение» Ирана. Гитлер спутал карты Сталина и тут. Из-за непредвиденных действий Гитлера «освобождение» Ирана пришлось проводить не только с опозданием на несколько месяцев, но и ограниченными силами, поэтому пришлось обойтись без «коренных социально-политических преобразований».

Я еще не выяснил, вызвал ли Сталин в начале июня 1941 года в Москву командующего Среднеазиатским военным округом генерала С.Г. Трофименко, но штаб округа был сильно ослаблен и «раскулачен». Еще в марте 1941 года из штаба САВО был вызван в Москву полковник Н.М. Хлебников и назначен начальником артиллерии 27-й армии в Прибалтике. Впоследствии Хлебников — генерал-полковник артиллерии. Кстати, официально 27-я армия появилась в западных районах страны в мае 1941 года, но кадры для нее собирали по дальним границам гораздо раньше. Вслед за Хлебниковым и многими другими полковниками и генералами в Москву вызвали начальника штаба округа генерал-майора (впоследствии генерал армии) М.И. Казакова.

Генерал Казаков в своей книге «Над картой былых сражений» говорил, что видел с самолета потрясающее количество железнодорожных эшелонов с войсками и боевой техникой, которые перебрасывались из Средней Азии.

Генерал армии А.А. Лучинский (в то время полковник, командир 83-й горнострелковой дивизии) был среди тех, кого везли в воинских эшелонах из Средней Азии. Лучинский едет в одном купе с генерал-майором И.Е. Петровым (впоследствии генерал армии). Воспоминания Лучинского о Петрове поистине бесценны. «Мы ехали в одном купе по вызову в Наркомат обороны, когда по радио прозвучало сообщение о нападении на нашу страну фашистской Германии». Лучинский не говорит, зачем его вызвали в НКО, но говорит про своего друга генерала Петрова: «Незадолго до войны он был назначен командиром 192-й стрелковой дивизии (Петров превратил дивизию в горнострелковую и тайно отправил на румынскую границу. — *В.С.*), а затем 27-го механизированного корпуса, во главе которого и отправился на фронт» (ВИЖ. 1976. № 9. С. 121—122).

27-й механизированный корпус тайно из Средней Азии перебрасывается к румынской границе, а командир корпуса в это время едет в Москву для получения боевой задачи. Мы уже не раз в этой книге встречали такую процедуру: например, 16-я армия тайно перебрасывается к румынским границам, а ее командующий, генерал-лейтенант М.Ф. Лукин, в Москве получает боевую задачу.

В короткой статье Лучинского о генерале Петрове все кажется привычным и будничным. Но давайте обратим внимание на порядок, в котором развиваются события. Сначала генерал-майор И.Е. Петров формирует 27-й механизированный корпус, грузит его в эшелоны и отправляет **на фронт,** а после этого уже в поезде он слышит сообщение, что Германия начала войну.

Но самое интересное произошло через несколько дней: 27-й механизированный корпус был расформирован в пути. В оборонительной войне такие чисто наступательные формирования просто не нужны. В июле 1941 года вслед за 27-м механизированным корпусом расформировали и все остальное. Всего их было двадцать девять.

Ситуация кажется абсурдной: 27-й механизированный корпус **ДО** нападения Гитлера едет на войну, но как только Гитлер начал войну, 27-й корпус расформировали еще до встречи с противником. Но это не абсурд. 27-й механизированный корпус из Средней Азии действительно перебрасывался на румынскую границу для того, чтобы воевать, но предназначался он воевать не в войне, которую начал Гитлер, а воевать в войне, которая должна была начаться совершенно иным способом.

Вывод: если бы Гитлер не напал, то 27-й механизированный корпус принял участие в войне, именно для этого он и ехал **на фронт.** Но Гитлер своими действиями предотвратил войну, для которой создавались 27-й механизированный корпус и двадцать восемь его собратьев, в каждом из которых предполагалось иметь более 1000 танков.

Кроме Петрова и Лучинского в поездах из Средней Азии ехало еще немало знаменитых командиров или тех, кому суждено было стать знаменитыми. Всех их я вам называть не буду. Назову только еще одного, и только потому, что в тот момент он был генерал-майором, а потом, как Казаков, как Петров, как Лучинский, стал генералом армии. Его зовут А.С. Жадов. О нем известно, что «в самый канун войны А.С. Жадов, командовавший в Средней Азии горнокавалерийской дивизией, был назначен командиром 4-го воздушно-десантного корпуса и прибыл на фронт уже в разгар боевых действий» (ВИЖ. 1971. № 3. С. 124).

Если вам кто-то скажет, что генералы собирались на западных границах для проведения «контрударов», так вы ему про генерала Жадова напомните, который сменил горнокавалерийскую дивизию в Средней Азии на воздушно-десантный корпус в Белоруссии. Неужели воздушно-десантные корпуса предназначены для контрударов или для отражения агрессии?

2

Забайкальский военный округ, несмотря на то что его войска находились не только на советской территории, но и в Монголии, где совсем недавно шла настоящая война с участием сотен танков и самолетов, тысяч орудий и десятков тысяч солдат, был брошен.

Среди всех внутренних и восточных приграничных округов Забайкальский был единственным, имевшим в своем составе армии. Их было две: 16-я и 17-я. 17-я армия оставалась в Монголии, но ее уже в 1940 году «облегчили» до такой степени, что из-за нехватки генералов должность заместителя командующего армией занимал полковник П.П. Полубояров. Но и его вызвали сначала в Москву, а затем отправили на Северо-Западный фронт.

Другая армия Забайкальского военного округа — 16-я, тайно ушла на запад. И хотя среди оставшихся жен распускали слухи об иранской границе, командиры 16-й армии знали, что едут воевать, и знали — против кого.

Штаб Забайкальского военного округа при уходе 16-й армии тоже «облегчили», перебросив многих офицеров и генералов в дивизии и корпуса 16-й армии. Пример: генерал-майор П.Н. Чернышев командовал 152-й стрелковой дивизией 16-й армии. Его подняли выше, назначив начальником отдела боевой подготовки всего Забайкальского военного округа. Но, «когда армия уходила, Петр Николаевич заявил, что пойдет со своей дивизией воевать, и добился того, чтобы его вернули в

152-ю» (Генерал-майор А.А. Лобачев. Трудными дорогами. С. 147).

Не только полковников и генералов средней руки загребали из Забайкалья. Отсюда забирали и действительно больших командиров. Самых больших — командующих округом. Почему командующих? Разве в Забайкальском округе не один командующий, а несколько? Вот именно, несколько. Правда, они не все разом командовали. По очереди. Но очередь не задерживалась. В 1940 году Забайкальским округом командует генерал-лейтенант Ф.Н. Ремезов. Его отправили командовать Орловским военным округом. Там он тайно сформировал 20-ю армию и под прикрытием Сообщения ТАСС повел ее к германской границе. После Ремезова Забайкальским округом мимолетно покомандовал генерал-лейтенант И.С. Конев. Отсюда его перебросили на Северо-Кавказский военный округ, где он тайно сформировал 19-ю армию и под прикрытием того же Сообщения ТАСС повел ее к румынским границам. А Забайкальский округ тут же принял генерал-лейтенант (впоследствии генерал армии) П.М. Курочкин. До Сообщения ТАСС Курочкин отгрузил 16-ю армию, пожелал командирам и бойцам успешно выполнить «любой приказ Родины». У 16-й армии самая длинная дорога. Оттого она вышла раньше, чтобы появиться у западных границ одновременно со всеми остальными армиями Второго стратегического эшелона.

А что же генерал-лейтенант П.М. Курочкин? Отправить целую армию эшелонами, да так, чтобы никто не дознался, — дело не простое. Курочкин задачу выполнил и вздохнул с облегчением. А 13 июня, в момент передачи Сообщения ТАСС, Курочкин получил приказ бросить Забайкальский округ и немедленно выехать в Москву за новым назначением. «Красная звезда» (26 мая 1984 г.) свидетельствует, что 22 июня 1941 года генерал-лейтенант Курочкин находился в вагоне скорого поезда, подходившего к Иркутску... А Забайкальский военный округ был брошен без командира. Советская военная энциклопедия (Т. 3. С. 357) сообщает, что новый командир в Забайкалье появился только в сентябре 1941 года.

3

Но не только из внутренних и полуфронтовых округов, но и с настоящего фронта перебрасывали генералов и офицеров на германские и румынские границы. На Дальнем Востоке существовал постоянный очаг войны, вооруженные стычки неоднократно перерастали в конфликты с участием сотен танков и самолетов с обеих сторон. В то время война между Японией и Советским Союзом казалась вполне возможной, а некоторым иностранным наблюдателям — даже неизбежной. Поэтому на Дальнем Востоке существовал не военный округ, а фронт в составе трех армий.

С конца 1940 года генералов (а также войска целыми дивизиями и корпусами) тайно, в возрастающем темпе перебрасывают на запад. Переброски не ограничивались генералами средней руки: многие высшие командиры уезжали с Дальневосточного фронта без достойной замены или без замены вообще. Так, без замены, на запад убыл начальник оперативного управления штаба фронта генерал-майор Т.П. Котов.

Генерал-майор П.Г. Григоренко (в то время подполковник в штабе Дальневосточного фронта) вспоминает: «Отозвали на запад Ивана Степановича Конева, Маркиана Михайловича Попова, Василия Ивановича Чуйкова и еще многих из числа высших военачальников».

Чтобы оценить даже этот очень короткий список, напомню, что генерал-лейтенант М.М. Попов (в последующем генерал армии) командовал на Дальнем Востоке 1-й армией, а генерал-лейтенант И.С. Конев (впоследствии Маршал Советского Союза) — 2-й армией. Всякие выдумки о том, что перемещения генералов производились в предвидении германского вторжения, я отметаю начи́сто. Попов встретил войну в должности командующего Северным фронтом на **финской** границе, а Конев выдвигал свою ударную армию к **румынским** границам.

Интересен путь генерала Конева от должности командующего 2-й армией на Дальнем Востоке до должности командующего 19-й армией на румынской границе. Конев едет не прямо. Петляет. Сдав 2-ю армию на Дальнем Востоке в апреле 1941 года (Советская военная энциклопедия. Т. 2. С. 409), Конев принимает Забайкальский военный округ. Отметившись в Забайкалье, он без всякой рекламы тихо появляется в Ростове и принимает Северо-Кавказский военный округ. Тут Конев завершает формирование 19-й армии, становится ее командующим и «в обстановке строжайшей секретности» (выражение генерала армии С.М. Штеменко для данного случая) в конце мая 1941 года начинает переброску дивизий и корпусов своей армии к румынским границам. За короткий срок — четыре должности, с самых восточных границ — на самые западные. Лиса в генеральской форме. Как его по-другому назовешь? Перед всеми наступательными (но не перед оборонительными) операциями Сталин прятал своих лучших генералов и маршалов. Это прежде всего относилось к Жукову, Василевскому, Коневу, Рокоссовскому, Мерецкову. Вот и весной 1941 года, как перед всеми величайшими наступательными операциями, Конев путает след так, чтобы даже его ближайшие друзья не знали, куда он пропал.

4

Не один Конев путал след. Даже если посмотреть на посты, которые Конев для отвода глаз временно принимал, то обнаружатся и другие командиры, использовавшие те же посты для заметания следов. Вот генерал-полковник Ф.И. Кузнецов, бросив командование Академией Генерального штаба, принял Северо-Кавказский военный округ, затем, бросив его Коневу, появляется на границах Восточной Пруссии в должности командующего Северо-Западным фронтом.

<h1 style="text-align:center">5</h1>

После таинственного исчезновения генерала Конева с Дальнего Востока оставленная им 2-я армия не получила достойной замены.

А в 1-й армии Дальневосточного фронта ситуация была даже интереснее. После отъезда генерала М.М. Попова на Северный фронт ему была назначена достойная замена — генерал-лейтенант А.И. Еременко (впоследствии Маршал Советского Союза). Но долго Еременко не командовал. 19 июня 1941 года он получил приказ сдать 1-ю армию и срочно прибыть в Москву за новым назначением.

Гитлер смешал все карты, и уже после начала германского вторжения Еременко становится командующим Западным фронтом вместо отстраненного генерала Д.Г. Павлова. Однако 19 июня такой оборот, конечно, не предвиделся. Павлов крепко сидел на должности командующего Западным фронтом. Сталин вызвал Еременко для выполнения какой-то другой миссии, которая так и осталась неизвестной и, возможно, невыполненной. Мне лично посчастливилось встречать Маршала Советского Союза Еременко и говорить с ним. Очень осторожно, чтобы не вызвать подозрений, я пытался этот вопрос прощупать. Мое впечатление, что Еременко не хитрит, а действительно не знает, зачем он понадобился Сталину 19 июня 1941 года. Я обратил внимание маршала на то, что он был совсем не один. Вот, говорю, и Курочкин в поезде ехал, и Сивков, и Курдюмов, и Жадов, и Петров, и Лучинский. Маршала это очень заинтересовало. Очень сожалею, что я не западный историк с паспортом демократической страны в кармане, поэтому далеко заводить беседу с маршалом просто не мог.

Заинтересованный Еременко мне подсказал еще пару генералов, которых забрали с Дальнего Востока, оголив почти начисто советскую оборону: генерал-майор Н.Э. Берзарин был заместителем командующего 1-й армией. Еременко сказал мне то, чего в мемуарах не пишет: уезжая с Дальнего Востока, он должен был сдать армию своему заместителю Берзарину. На то заместитель и придуман! Но Берзарина еще в конце мая Сталин вызвал в Москву и тайно назначил командовать 27-й армией в Прибалтике, недалеко от германских границ.

Могут и тут возражать, что Сталин вызвал Еременко, Берзарина и других генералов с Дальневосточного фронта для укрепления обороны. Чтобы окончательно отмести сомнения, назову еще одного генерала, которого мне тоже подсказал Еременко: генерал-майор В.А. Глазунов (впоследствии генерал-лейтенант, командующий воздушно-десантными войсками Красной Армии) в начале 1941 года командовал 59-й стрелковой дивизией в 1-й армии Дальневосточного фронта. Еременко очень любил 1-ю армию и не хотел ее бросать без командира на произвол «штабной крысы» Шелахова. Но заместителя у Еременко Сталин уже забрал, командиров корпусов — тоже, и опытных командиров дивизий давно на запад перебросили. Вот только на 59-й дивизии находился опытный, боевой, перспективный генерал Глазунов. Еременко сказал, что немедленно отправил шифровку в Генеральный штаб с предложением поставить на 1-ю армию генерала Глазунова. С дивизии прямо на армию — это большой скачок, но что же делать, если других боевых командиров на Дальнем Востоке уже не остается?

Москва согласилась, что Глазунов действительно достойный командир, и ответной шифровкой приказала Глазунову дивизию сдать, срочно прибыть на румынскую границу и получить под командование 3-й воздушно-десантный корпус. А 1-я армия Дальневосточного фронта так и осталась без боевого командира.

По приказу Сталина в начале июня 1941 года на западных границах были сосредоточены не только ВСЕ советские воздушно-десантные войска, включая и недавно переброшенные с Дальнего Востока, но в самый последний момент Сталин пехотных и кавалерийских генералов собирает с дальних границ и срочно переделывает их в командиров воздушно-десантных корпусов. Это относится не только к генералам Глазунову и Жадову, но и к генералам М.А. Усенко, Ф.М. Харитонову, И.С. Безуглому.

Срочная перешивка генералов из пехотных и кавалерийских в десантные — это не подготовка к обороне и даже не подготовка к контрнаступлению. Это четкие признаки готовящейся агрессии: неизбежной, скорой, чудовищной.

ГЛАВА 28

ЗАЧЕМ СТАЛИН РАЗВЕРНУЛ ФРОНТЫ

> Война бедных против богатых будет самой кровавой из всех войн, которые когда-либо велись между людьми.
>
> Ф. Энгельс

1

Термин «фронт» в советском военном языке означает прежде всего войсковое формирование численностью от нескольких сотен тысяч до миллиона и более солдат. Фронт включает в свой состав управление и штаб, несколько армий, соединения авиации, силы ПВО, части и соединения усиления, фронтовые тылы. Только в составе тыловых частей и учреждений, непосредственно подчиненных управлению каждого фронта, по довоенным данным, предполагалось иметь до 200 000 солдат. В мирное время фронты не существуют. Вместо них существуют военные округа. Фронты создаются в начале войны. (СВЭ. Т. 8. С. 332).

В 1938 году отношения с Японией обострились до такой степени, что в составе РККА был развернут Дальневосточный фронт. В состав фронта первоначально вошли две армии, затем, два года спустя, — еще одна. 13 апреля 1941 года с Японией был подписан договор о нейтралитете, но Дальневосточный фронт так и не был расформирован.

На советских западных границах в 1939—1940 годах кратковременно создавались фронты для «освободительных походов» в Польшу, Румынию, Финляндию. Но по завершении походов фронты немедленно расформировывались и вместо них вновь создавались военные округа. Историки упрекают Сталина: с Германией — пакт и с Японией — пакт, но против Японии развернут фронт, а против Германии — нет.

На первый взгляд нелогично. Но что делает Гитлер? Гитлер проявляет хитрость. В первой половине 1941 года фюрер против Великобритании развернул штабы с громкими названиями, но без войск, а против Советского Союза развернул почти все свои войска, но без громкозвучных штабов. С первого взгляда — против Великобритании мощные силы, но если присмотреться, то обнаруживается, что Гитлер отборные войска и лучших генералов тайно стягивает к границам Советского Союза. Так готовится внезапный удар. Но и Сталин поступает так же: на Дальнем Востоке создан фронт, но войска и генералы тайно его покидают. На западных границах продолжают официально существовать военные округа, но тут идет концентрация войск. Сравнение мощи Дальневосточного фронта и любого западного округа совсем не в пользу фронта. Пример: на Дальневосточном фронте — три армии, все обычные, а в Западном особом военном округе — четыре армии, в том числе три ударные и одна сверхударная. Кроме того, на территорию Западного особого военного округа прибывают еще три армии Второго стратегического эшелона. На Дальневосточный фронт никто не прибывает, наоборот, отсюда уводят корпуса и дивизии. На Дальневосточном фронте — один механизированный корпус, в Западном округе их шесть. На Дальневосточном фронте нет воздушно-десантных войск, в Западном округе — целый корпус. Сравнения можно продолжать и дальше. Но надо помнить, что Западный особый военный округ не самый мощный, Киевский — гораздо мощнее. Если его сравнить с Дальневосточным фронтом, то мы совсем разочаруемся во фронте. Фронт на Дальнем Востоке — это ширма, чтобы продемонстрировать всему свету: тут возможна война. Но и пять западных военных округов — тоже ширма, чтобы продемонстрировать: тут никакой войны не предвидится. А на самом деле пять западных приграничных округов давно уже превратились в нечто необычное. Обычными они были до 1939 года. А после подписания пакта в них сосредоточена такая ударная мощь, какую редко какой-либо советский фронт имел в ходе самых ожесточенных сражений войны.

На Дальнем Востоке создан фронт так, чтобы все об этом знали. А вот на западе созданы не один, а ПЯТЬ фронтов, но так, чтобы об этом никто не знал. В предыдущих главах я упоминал Северный, Северо-Западный, Западный, Юго-Западный и Южный фронты, и это не ошибка. Официально они созданы после германского вторжения — как реакция на это вторжение. Но заглянем в архивы и будем поражены: начиная с февраля 1941 года эти названия уже фигурируют в документах, которые были в то время совершенно секретными. Часть документов уже рассекречена и пущена в научный оборот. Цитирую: «В феврале 1941 года военным советом приграничных округов были направлены... указания о немедленном оборудовании фронтовых командных пунктов» (ВИЖ. 1978. № 4. С. 86).

Официально на западных границах — пять военных округов. Неофициально — каждый военный округ уже готовит фронтовой командный пункт, т. е. создает не военно-территориальную структуру, а чисто военную, которая возникает только во время войны и только для руководства войсками во время войны.

Коммунистические историки уверяют нас, что до 22 июня 1941 года между СССР и Германией существовал мир, который якобы 22 июня был нарушен Германией. Эта смелая гипотеза фактами не подтверждена. Факты говорят об обратном. **Развернув в феврале 1941 года командные пункты фронтов, Советский Союз фактически вступил в войну против Германии, хотя об этом и не заявил официально.**

Командующий военным округом в мирное время имеет две основные функции, и роль его двойственна. С одной стороны, он чисто военный командир, в подчинении которого находятся несколько дивизий, иногда — несколько корпусов или даже — несколько армий. С другой стороны, в мирное время командующий округом контролирует строго определенную территорию, выполняя роль наместника или военного губернатора.

В случае войны приграничный военный округ превращается во фронт. При этом могут возникнуть три ситуации.

Первая ситуация: фронт воюет на тех же территориях, где до войны находился военный округ. В этом случае командующий фронтом продолжает оставаться чисто военным командиром и, кроме того, продолжает контролировать вверенные ему территории, выполняя в тыловых районах роль военного губернатора.

Вторая ситуация: под давлением противника фронт отходит назад. В этом случае командующий фронтом остается боевым командиром и во время отхода забирает с собой органы территориального руководства.

Третья ситуация: с началом войны фронт уходит вперед на территорию противника. Только в предвидении этой ситуации проводится разделение функций командующего. Он становится чисто военным командиром и ведет свои войска вперед, а на территориях округа должен остаться кто-то поменьше рангом, для того чтобы выполнять функции военного губернатора.

В феврале 1941 года произошло событие, которое осталось незамеченным современными историками. В Западном особом военном округе была введена должность еще одного заместителя командующего округом. Какое это имеет значение? У генерала армии Д.Г. Павлова и без того есть несколько заместителей! Несколько месяцев дополнительная должность заместителя оставалась вакантной. Затем на эту должность прибыл генерал-лейтенант В.Н. Курдюмов.

Значение этого события огромно.

В мирное время в Минске находится командующий — генерал армии Д.Г. Павлов, его заместитель генерал-лейтенант И.В. Болдин, начальник штаба генерал-майор В.Е. Климовских. Мобилизационное предназначение Павлова — командующий Западным фронтом, Климовских — начальник штаба Западного фронта, а Болдин по плану должен стать командующим подвижной группой Западного фронта.

Я вот к чему веду речь: если бы Западному фронту предстояло воевать там, где он находился перед войной, т. е. в Белоруссии, то никаких структурных изменений вводить не надо. Но Западный фронт готовится уйти на территорию противника. Его поведут генералы Павлов, Болдин, Климовских. Если они уйдут и уведут с собой все армии, корпуса, дивизии, бригады, кто же останется в Минске? Вот на этот-то случай и введен дополнительный заместитель — генерал-лейтенант Курдюмов. В мирное время уже произошло разделение структур. Генерал армии Павлов сосредоточил свое внимание на чисто военных проблемах, а его новый заместитель — на чисто территориальных. Когда Западный фронт во главе с Павловым уйдет на территорию противника, генерал Курдюмов останется в Минске, выполняя роль чисто территориального военного губернатора, охраняя местные власти, линии коммуникаций, контролируя промышленность и транспорт, проводя дополнительные мобилизации и готовя резервы для фронта, который ушел далеко вперед.

Генерал Курдюмов командовал Управлением боевой подготовки РККА. Теперь он назначен в Минск. С точки зрения «освободительной» войны — это великолепное решение: генерал с таким опытом сидит на путях, по которым пойдут все новые и новые резервы на запад. Он лучше всех сможет дать проходящим войскам последние указания перед вступлением в бой.

Четыре армии, десять отдельных корпусов и десять авиационных дивизий, расположенных на территории Киевского особого военного округа, тоже готовятся уйти на территорию противника. Их поведет командующий Юго-Западным фронтом генерал-полковник М.П. Кирпонос. В предвидении этого необходимо срочно разделить две функции командующего: оставить ему только чисто военные, передав чисто территориальные кому-то другому. Для этого и вводится дополнительная должность заместителя, на которую назначается генерал-лейтенант В.Ф. Яковлев. Кирпонос с войсками уйдет вперед, Яковлев останется в Киеве. С начала февраля мы все более ясно видим разделение двух структур. В Тернополе создается тайный командный пункт — это центр военной структуры, в Киеве сохраняется штаб — это центр территориальной структуры. В Броварах, в районе Киева, создан сверхмощный подземный командный пункт для территориальной системы управления. В Тернополе создается командный пункт очень легкого типа: землянки в один накат. Вполне логично: военная структура не предназначена долго оставаться на Украине, зачем же воздвигать мощные бетонные казематы?

В Прибалтийском особом военном округе тоже произошло разделение структур. Высший командный состав убыл в Паневежис, который отныне является секретным центром чисто военной структуры Северо-Западного фронта, а в Риге оставлен второстепенный генерал Е.П. Сафронов, который будет осуществлять военно-территориальный контроль после ухода основной массы советских войск на запад.

В Одесском военном округе небольшой нюанс. Тут тоже произошло разделение структур. Но из штаба округа выделился не штаб целого фронта, а штаб самой мощной из всех советских армий — 9-й. Подавляющая часть офицеров штаба Одесского военного округа во главе с начальником штаба генерал-майором М.В. Захаровым тайно переведены в штаб **9**-й армии. Маршал Советского Союза И.С. Конев свидетельствует, что 20 июня штаб 9-й армии был поднят по боевой тревоге и тайно выведен из Одессы на полевой КП (ВИЖ. 1968. № 7. С. 42). Командующий Одесским военным округом генерал-полковник Я.Т. Черевиченко уже давно не в Одессе. Он тайно побывал в Крыму, где принимал прибывший с Кавказа 9-й особый стрелковый корпус и мимо Одессы в поезде едет на секретный командный пункт 9-й армии, которым ему поручено командовать. Маршал Советского Союза М.В. Захаров сообщает, что во время германского вторжения Черевиченко был в поезде (Вопросы истории. 1970. № 5. С. 46). 9-я армия должна была покинуть пределы советской территории, вот почему в Одессе ДО германского вторжения появился дополнительный генерал — Н.Е. Чибисов. После ухода военной структуры 9-й армии он должен был оставаться на полупустых, с военной точки зрения, территориях и осуществлять военно-территориальный контроль.

А Ленинградский военный округ — исключение. Тут тоже тайно создается Северный фронт, но разделения структур не происходит. Очень логично: Северный фронт пока не готовится уходить далеко вперед от территорий Карелии, поэтому нет нужды делить командиров на тех, кто пойдет далеко вперед, и тех, кто останется. Северный фронт будет действовать примерно на тех же территориях, где раньше располагался военный округ, поэтому двух разных структур тут создавать не надо. Две структуры нужны только там, где одни командиры и войска должны уйти вперед, а другие должны остаться. Вот поэтому в Ленинградском военном округе и не введена дополнительная должность заместителя.

И боевые действия, и контроль территории тут будут осуществляться из единого центра — из штаба Северного фронта. Он никуда не уйдет, поэтому для него не предусматривается никакая заменяющая его структура управления.

3

13 июня 1941 года, в день передачи по радио Сообщения ТАСС, произошло окончательное и полное разделение структур управления в западных приграничных военных округах, кроме Ленинградского. В тот день Нарком обороны отдал приказ вывести фронтовые управления на полевые командные пункты.

С этого момента в Белоруссии существуют две независимые военные системы управления: тайно созданный Западный фронт (командующий фронтом генерал армии Д.Г. Павлов, командный пункт в лесу, в районе станции Лесна) и Западный особый военный округ (командующий генерал-лейтенант В.Н. Курдюмов, штаб в Минске). Павлов продолжает играть роль командующего округом, но он уже официально — командующий фронтом, и его штаб уже выдвигается на тайный командный пункт, чтобы существовать независимо от Западного военного округа.

Две параллельные военные системы управления на одних и тех же территориях — это примерно то же самое, что два капитана на одном корабле, два лидера в одной коммунистической партии или два главаря в одной банде. Двойное военное руководство на одной территории существовать не может и создано только потому, что Западный фронт в ближайшее время должен эти территории покинуть.

В это же время на Украине возникли две независимые структуры военного управления: Юго-Западный фронт и Киевский особый военный округ. Маршал Советского Союза И.Х. Баграмян свидетельствует: была особая шифровка Жукова о том, чтобы «сохранить это в строжайшей тайне, о чем предупредить личный состав штаба округа» (Так начиналась война. С. 83).

Тут, как и в Минске, разыгрывается та же комедия: для постороннего взгляда военное руководство на Украине осуществляет только штаб Киевского особого военного округа. Личный состав штаба округа особо предупрежден и о какой-то иной системе военного руководства лишнего не болтает. Но помимо штаба округа на той же территории создана другая структура военного управления — Юго-Западный фронт. Долго ли на одной территории могут функционировать две независимые структуры военного управления?

Генерал-лейтенант войск связи П.М. Курочкин (в то время генерал-майор, начальник связи Северо-Западного фронта) сообщает то же самое про Прибалтику: «в район Паневежиса стали прибывать управления и отделы штаба. Окружное командование превратилось фактически во фронтовое, хотя формально до начала войны именовалось окружным. В Риге была оставлена группа генералов и офицеров, на которых возлагались функции руководства округом» (На Северо-Западном фронте (1941—1943). Сборник статей. С. 196).

Создание двух независимых систем управления неизбежно вызывает создание двух независимых систем связи. В Прибалтике фронтовую связь возглавил лично генерал-майор П.М. Курочкин, а его бывший заместитель полковник Н.П. Акимов руководит независимой системой связи военного округа.

Генерал Курочкин энергично создает систему связи для тайно существующего СЗФ. Это происходит «как бы с целью проверки». А чтобы не насторожить противника внезапной вспышкой переговоров по новым военным каналам связи, используются гражданские линии связи. Впрочем, слово «гражданские» надо взять в кавычки. Таких в Советском Союзе не было. В 1939 году государственная система связи была полностью военизирована и поставлена на службу армии. Наркомат связи был прямо подчинен Наркомату обороны. Во всех нормальных странах система военной связи является составной частью общегосударственной системы связи, а в Советском Союзе — наоборот: общегосударственная связь — составная часть военной связи, а Нарком связи СССР Пересыпкин официально является заместителем начальни связи Красной Армии.

Управление Северо-Западного фронта вышло на полевой командный пункт не на учения, а на войну: «создавалась высшая оперативная организация для управления боевыми действиями» (Генерал-лейтенант П.М. Курочкин. Позывные фронта. С. 117).

Фронтовая система связи для военного времени была заранее хорошо подготовлена и отлажена. «Все документы плана, частоты, позывные, пароли хранились в штабе округа, и в случае войны их нужно было рассылать в войска. Радиостанций же в округе насчитывалось несколько тысяч, следовательно, чтобы перестроить работу на военный лад, требовалась минимум неделя. Проводить эти мероприятия заблаговременно не разрешалось» (Там же. С 115). Отметим для себя, что вся система перестройки связи с мирного на военный режим в РККА была построена не на предположении, что противник может напасть и поэтому придется проводить перестройку практически мгновенно, а на предположении, что предварительный сигнал поступит из Москвы в определенное Москвой время. Другими словами, план перестройки связи был создан не для условий оборонительной войны, а для условий войны наступательной, агрессивной, с периодом тайной подготовки к ней. И этот тайный период последних приготовлений Красной Армии к вторжению настал. 19 июня начальник штаба Северо-Западного фронта генерал-лейтенант П.С. Кленов отдает приказ генерал-майору войск связи Курочкину:

«— Действовать по большому плану. Вам понятно, о чем идет речь?

— Да, мне все понятно, — доложил я» (П.М. Курочкин. На Северо-Западном фронте (1941—1943). Сборник статей. С. 195).

Жаль, что нам не все понятно про «большой план», и никто из советских генералов не объясняет, что такое «большой план». Но нам ясно, что планы у советских генералов были, и их уже ввели в действие. Через несколько дней должно было что-то случиться в соответствии с «большим планом», но Гитлер своими действиями не позволил «большой план» осуществить, заставив советских командиров действовать не по намеченным планам, а импровизировать.

Вот как генерал Курочкин обеспечивает выполнение «большого плана»: «Отдел связи округа выслал документы, относящиеся к организации радиосвязи... в штабы армий и соединения окружного подчинения. Все эти документы, соответствующим образом переработанные, должны были пройти через корпусные, дивизионные, полковые, батальонные командные инстанции и дойти до экипажа каждой радиостанции. На это уйдет, как я уже говорил, не меньше недели» (Там же. С. 118).

Итак, совершенно секретные сведения, которые можно доводить до исполнителей **только в случае войны,** начиная с 19 июня доводились до тысяч исполнителей. Это необратимый процесс. Вернуть секреты и спрятать в сейфах больше нельзя. Как только материалы вышли из сейфов, война стала полностью неизбежна. Подготовка наступательной войны чем-то похожа на подготовку государственного переворота: план готовит очень небольшая группа людей, не доверяя тысячам будущих участников ни крупицы информации. Как только руководители заговора довели до тысяч исполнителей частицы своего плана, выступление становится совершенно неизбежным. В противном случае заговорщики теряют внезапность, которая является их главным козырем, и заставляют противника принимать экстренные ответные меры.

Но, может быть, генерал-лейтенант Кленов отдал приказ довести до тысяч исполнителей элементы «большого плана» в предвидении германской агрессии? Никак нет. Генерал Кленов категорически не верит в возможность германского вторжения. Даже после того как оно началось, Кленов отказывается верить и не предпринимает никаких мер для отражения агрессии. К генералу Кленову и его агрессивным предложениям на декабрьском (1940 года) совещании высшего командного состава мы еще вернемся во втором томе этой книги. Кленов предлагал вести только агрессивные войны, которые начинаются внезапным ударом Красной Армии. По агрессивности он превосходил даже самого Жукова и имел храбрость спорить с Жуковым в присутствии Сталина о том, как надо наносить внезапный удар. А в возможность германского вторжения он не верил, как и его покровитель член Политбюро А.А. Жданов, как, впрочем, и многие другие советские военные и политические лидеры, включая самого Сталина.

13 июня 1941 года и в течение нескольких последующих дней в Советском Союзе были введены в действие все механизмы войны. Процесс развертывания советских фронтов зашел так далеко, что тысячи исполнителей уже были посвящены в секреты экстраординарной важности. В середине июня 1941 года Советский Союз уже проскочил критический рубеж, после которого война становится неизбежной. Если бы Гитлер решил проводить «Барбароссу» на несколько недель позже, то Красная Армия пришла бы в Берлин не в 1945 году, а раньше.

4

Перед тем как сделать шаг вперед, командир осматривает лежащую перед ним местность. Конечно, разведка уже многое узнала и многое доложила, конечно, командир верит своей разведке, но все же, перед тем как сделать шаг вперед, он еще раз осматривает всю местность своим командирским оком. Если вперед предстоит идти батальону, то местность долго и внимательно в бинокль осматривает лично командир батальона. А если вперед идти корпусу, что ж — местность осматривает лично командир корпуса. Это не традиция и не пустой ритуал. Перед тем как двинуть войска вперед, командир обязан лично увидеть и прочувствовать лежащее перед ним пространство: вон там лощинка — не увязли бы танки в грязи, вон там мостик — ах, не подпилены ли сваи, а вон из того лесочка жди контратаки.

Если командир лично не прочувствует лежащее перед ним пространство, если его воображение не сможет пройти все пространство впереди солдата пехоты и если командир не сможет перед боем мысленно оценить все трудности, которые выпадут на долю его солдат, то расплатой будет поражение. Вот почему каждый командир, независимо от ранга, перед наступательным сражением одевается в солдатскую форму и на животе ползает по грязи рядом с государственной границей или с передним краем, долгими часами осматривая пространство, лежащее впереди, и пытаясь до боя вообразить и предусмотреть все трудности, которые ждут завтра. Визуальное изучение противника и местности называется рекогносцировкой. Появление рекогносцировочных групп на границе — это не самый приятный сюрприз. Не очень хорошо, если на вас из-за границы в бинокль долгими часами смотрит командир советской танковой дивизии. Но представьте себе, что в районе ваших границ появился командующий советским военным округом, да не один, а в сопровождении члена Политбюро и не часами, а неделями отираются они на пограничных заставах. Что вы тогда подумаете?

Так было перед каждым «освобождением». Вот, например, еще в январе 1939 года командующий Ленинградским военным округом К.А. Мерецков и А.А. Жданов, ставший вскоре членом Политбюро, в одной машине объездили всю финскую границу. Их поездки продолжаются весной, летом, осенью. В самом конце осени они завершили свою работу, вернулись в Ленинград, и вот тут-то «финская военщина спровоцировала войну».

С начала 1941 года германские офицеры и генералы начинают понемногу, а затем все интенсивнее делать на германо-советской границе то, что совсем недавно Мерецков и Жданов делали на советско-финской границе. Над моим столом — знаменитая фотография: генерал

Г. Гудериан с офицерами своего штаба проводит последнюю рекогносцировку под Брестом в ночь на 22 июня 1941 года. Не только Гудериан, но все германские генералы смотрели в бинокли на советскую территорию. Чем ближе приближалась дата начала «Барбароссы», тем более важные германские генералы появлялись на советских границах. Советские генералы и маршалы отмечают все больше и больше рекогносцировочных групп. (Главный маршал авиации А.А. Новиков. В небе Ленинграда. С. 41). Германские рекогносцировочные группы прятались, маскировали свои действия всякими способами, одевались в форму пограничников и рядовых солдат, но опытный глаз, конечно, отличит рекогносцировочную группу от пограничного патруля. С советской границы сыпались доклады о том, что германские офицеры интенсивно ведут рекогносцировку. Это явный признак приближения войны.

Маршал Советского Союза М.В. Захаров (в то время генерал-майор, начальник штаба 9-й армии) сообщает, что начиная с апреля 1941 года возникла «новая обстановка» (выделено М.В. Захаровым), она характеризовалась тем, что «на реке Прут появились группы офицеров в форме румынской и германской армий. По всем признакам, они проводили рекогносцировку» («Вопросы истории». 1970. № 5. С. 43). Рекогносцировка — это подготовка к наступлению, и маршал Захаров это понимает в 1970 году, как понимал в 1941-м. Появление рекогносцировочных групп по ту сторону еще не означает начала войны, но определенно означает конец мира.

Что же делают советские командиры? Почему они не принимают срочных мер оборонительного характера для отражения агрессии, неизбежность которой подтверждается интенсивной работой рекогносцировочных групп противника? Советские генералы не реагируют на рекогносцировочные работы противника по простой причине. Советские генералы очень заняты — они сами проводят рекогносцировку.

Генерал-майор П.В. Севастьянов (в то время начальник политотдела 5-й стрелковой им. Чехословацкого пролетариата Витебской Краснознаменной дивизии 16-го стрелкового корпуса 11-й армии Северо-Западного фронта): «Наблюдая немецких пограничников в каких-нибудь двадцати—тридцати шагах, встречаясь с ними взглядами, мы и виду не подавали, что они существуют для нас, что мы ими хоть в малейшей степени интересуемся» (Неман—Волга—Дунай. С. 7).

Описание генерала Севастьянова означает, что он не один раз наблюдал германских пограничников в «двадцати — тридцати» шагах, это случалось регулярно. Вот и вопрос: товарищ генерал, а что вам-то, собственно, надо в такой близости от границы? Если ваша голова встревожена возможностью германского вторжения, то надо приказать натянуть рядов пять-шесть колючей проволоки вдоль границы, а чтоб неповадно никому было через ту проволоку лазить — понаставить мин-ловушек, да погуще. А позади проволочных заграждений настоящее минное поле устроить километра три глубиной, а за минными полями рвы противотанковые вырыть да фугасами огнеметными их прикрыть, а позади еще рядов двадцать — тридцать колючей проволоки натянуть, да на металлических кольях. Еще лучше не колья использовать, а рельсы стальные, и не просто так, а в бетон их, в бетон! А уж позади — еще минное поле. Ложное. А за ним — настоящее. И еще один ров противотанковый выкопать. А позади всего этого устроить лесные завалы и пр. и пр. Если генерал готовится к обороне, то ему совсем не надо германских пограничников в упор рассматривать. Ему нужно изучать не чужую территорию, а свою, и чем глубже, тем лучше. А у границ можно держать небольшие подвижные отряды, которые в случае нападения могут легко через секретные проходы уйти за полосу заграждений, минируя за собой пути отхода.

Примерно в таком духе готовилась к обороне Финляндия, и финским генералам совсем не надо было стоять на пограничной черте и рассматривать чужую территорию...

А вот Красная Армия заграждений на границах не строит, и советские генералы, точно как и их германские коллеги, неделями и месяцами пропадают на самом краешке своей территории, в нескольких шагах от государственной границы.

Полковник Д.И. Кочетков вспоминает, что командир советской танковой дивизии в Бресте (генерал-майор танковых войск В.П. Пуганов, командир 22-й танковой дивизии 14-го механизированного корпуса 4-й армии Западного фронта. — *В.С.*) выбрал такое место для штаба дивизии и такой кабинет в этом штабе, что «мы сидели с полковым комиссаром А.А. Илларионовым в кабинете комдива и из окна смотрели в бинокль на немецких солдат на противоположном берегу Западного Буга» (С закрытыми люками. С. 8).

Идиотство! — возмущаемся мы. Начнись война, в окно командира танковой дивизии можно просто из автомата стрелять с другого берега или лучше того — из пушки шарахнуть. По штабу дивизии можно стрелять из чего угодно: из пулеметов, из минометов, можно держать штаб под снайперским огнем, а из пушек по нему можно стрелять прямой наводкой даже без пристрелки — не промахнешься.

Не будем возмущаться. С оборонительной точки зрения такое расположение штаба танковой дивизии действительно, мягко говоря, не очень удачно. Но ведь танковая дивизия в Бресте «в непосредственной близости от границы» (Советские танковые войска. С. 27) не для обороны же находится! А если смотреть на ситуацию с наступательной точки зрения, то все правильно. Германская танковая группа Гудериана на той стороне тоже прямо к берегу придвинута. И сам Гудериан на противоположном берегу делает то же самое: из окошка в бинокль рассматривает советский берег.

Иногда Гудериан, маскируясь, появляется с биноклем у самой воды. А перед началом «Барбароссы» уже и маскироваться перестал: стоит в генеральской форме со своими офицерами и смотрит в бинокль точно так же, как и его советские противники. Не будем называть советских генералов идиотами. Мы же не усматриваем ничего идиотского в действиях германских генералов. Это просто обычная подготовка к наступлению. Так делается всегда и во всех армиях, включая советскую, включая германскую. Разница состояла только в том, что Советский Союз готовил операцию несравнимо большего размаха, чем германская операция «Барбаросса», поэтому советские командиры начали рекогносцировочные работы гораздо раньше, чем германские командиры, но намеревались ее завершить в июле 1941 года. Есть упоминания о том, что Баграмян, изучавший горные перевалы в Карпатах, одновременно «тщательно отрекогносцировал значительный участок границы» (ВИЖ. 1976. № 1). И было это в сентябре 1940 года.

Рекогносцировку с советской стороны проводят командиры всех рангов. Начальник инженерных войск Юго-Западного фронта генерал-майор А.Ф. Ильин-Миткевич в момент начала войны оказался на самой границе в Рава-Русской (Полковник Р.Г. Уманский. На боевых рубежах. С. 39).

По приказу генерала армии К.А. Мерецкова в июле 1940 года была проведена рекогносцировка на всей западной границе. В ней приняли участие тысячи командиров всех рангов, включая генералов и маршалов, занимавших высочайшие посты, а Мерецков, который недавно рассматривал финскую границу, делает то же самое теперь на румынской и германской границах. Товарищ Маршал Советского Союза, вам слово: «Я лично провел длительное наблюдение с передовых пограничных постов» (На службе народу. С. 202). «Затем я объехал пограничные части» (Там же. С. 203). Мерецков вместе с командующим Юго-Западным фронтом генерал-полковником М.П. Кирпоносом повторяют рекогносцировку на всем участке Киевского особого военного округа. «Из Киева я отправился в Одессу, где встретился с начальником штаба округа генерал-майором М.В. Захаровым... я вместе с ним поехал к румынскому кордону. Смотрим на ту сторону, а оттуда на нас смотрит группа военных». Тут надо заметить, что генерал Мерецков проводит рекогносцировку вместе с генералом Захаровым, тем самым Захаровым, который сообщает, что проведение группами германских генералов и офицеров рекогносцировочных работ создало в апреле 1941 года «новую ситуацию» А не задумывались ли вы, товарищи маршалы и генералы, над тем, что германские рекогносцировки, начатые в апреле 1941 года, были просто ответом на массированные советские рекогносцировки, проводимые еще с июля 1940 года?

Но вернемся к Мерецкову. Из Одесского военного округа он спешит в Белоруссию, где с генералом армии Д.Г. Павловым тщательно рекогносцирует советско-германскую границу и германскую территорию. Короткий визит в Москву, и Мерецков уже на Северном фронте. Попутно он сообщает, что командующего Северо-Западным фронтом он в штабе не застал, тот проводит много времени на границе. Командующего Северным фронтом генерал-лейтенанта М.М. Попова тоже нет в штабе — он на границе.

Ко всему этому добавим, что в 1945 году Сталин и его генералы тщательно подготовили и блистательно провели внезапный удар по японским войскам и захватили Маньчжурию, Северную Корею и некоторые провинции Китая. Подготовка к нанесению внезапного удара осуществлялась точно так же, как и подготовка удара по Германии летом 1941 года. На границе появился все тот же Мерецков. Он уже Маршал Советского Союза. Он появляется на маньчжурской границе тайно, под псевдонимом «генерал-полковник Максимов». Один из главных элементов подготовки — рекогносцировка. «Сам объездил на вездеходе, а где и верхом на лошади все участки» («Красная звезда», 7 июня 1987 г.).

Генерал-лейтенант инженерных войск В.Ф. Зотов (в то время генерал-майор, начальник инженеров Северо-

Западного фронта) подтверждает, что командующий Северо-Западным фронтом генерал-полковник Ф.И. Кузнецов почти весь июнь 1941 года вплоть до 22-го провел в районе штаба 125-й стрелковой дивизии. Военный совет фронта находился тут же. А штаб 125-й стрелковой дивизии находился так близко от границы, что «первый же снаряд в него угодил» (На Северо-Западном фронте. С. 173—174). Можно сказать: ах, какие эти русские дураки, так близко штабы к границе придвинули! Я так тоже говорил. А потом собрал сведения о расположении штабов советских дивизий и корпусов на турецкой и маньчжурской границах. Так вот там ничего подобного не было. Штабы дивизий там располагались минимум в 10 километрах от границ. А вот когда готовились «освободительные походы», тогда штабы вплотную придвигали к самой границе. И не только штабы дивизий, но и даже корпусов, армий, фронтов. Так Жуков выдвинул свой штаб вперед перед нанесением внезапного удара на Халхин-Голе. Так все советские генералы и маршалы поступали перед каждым наступлением. Гудериан, кстати, делал то же самое. И Манштейн. И Роммель. И Клейст.

Командиры советских дивизий и корпусов, расположенных в глубине советской территории, тоже посещали границу, и весьма интенсивно. Маршал Советского Союза К.К. Рокоссовский (в то время он был генерал-майором и командовал механизированным корпусом, но не у самых границ) вспоминает, что часто навещал И.И. Федюнинского, корпус которого был прямо на границе. Генерал армии И.И. Федюнинский в своих мемуарах вспоминает, что действительно коллеги навещали, вот, к примеру, Рокоссовский. Таких моментов в мемуарах советских маршалов и генералов мы найдем сотни и тысячи.

Маршал Советского Союза К.С. Москаленко (в то время генерал-майор артиллерии, командир 1-й противотанковой бригады РГК) прямо связывает Сообщение ТАСС с резким усилением рекогносцировочной активности советских командиров. Командующий 5-й армией генерал-майор танковых войск М.И. Потапов обсудил с генералом Москаленко Сообщение ТАСС и ставит задачу: «Подбери хороших, грамотных в военном отношении людей и пошли к границе, пусть проведут рекогносцировку местности и понаблюдают за немцами и их поведением. Да и для тебя это будет полезно» (На юго-западном направлении. С. 21).

Отметим для себя, что противотанковой бригаде на переднем крае в оборонительной операции делать нечего. Командующий армией вводит противотанковую бригаду в сражение только в самой критической ситуации, когда противник уже прорвал оборону батальонов, полков, бригад, дивизий и корпусов, когда возник кризис армейского масштаба и когда направление главного удара противника совершенно четко обозначилось. И это может случиться только далеко в глубине советской обороны. Но бригада генерала Москаленко не армейская и даже не фронтовая. Это бригада РГК — Резерва Главного Командования. В обороне ее можно вводить в сражение, когда оборона армий и даже фронтов уже прорвана и явно обозначился кризис стратегического масштаба. Чтобы стратегический кризис ликвидировать, бригада должна находиться не у границы, а в десятках и даже сотнях километров от границы, там, где стратегический кризис может возникнуть! При подготовке оборонительной операции командиру противотанковой бригады РГК у границ решительно нечего делать. А если готовится грандиозное советское наступление из Львовского выступа в глубину территории противника, то левый фланг самой мощной группировки войск, которая когда-либо до этого создавалась в истории человечества, будет прикрыт Карпатами (и горными армиями, которые там появятся), а правый фланг надо будет прикрыть сверхмощным противотанковым формированием, причем у самой границы. Именно там бригада и находится, и генерал Москаленко по приказу генерала Потапова лично отправляется на рекогносцировку территории противника. Если кто-то попытается объяснить советские рекогносциров-ки тем, что Советский Союз готовился к обороне и пото-му, мол, советские командиры смотрели через границу, я тогда напомню, что в составе советских рекогносциро-вочных групп было очень много саперов, включая сапе-ров самого высшего класса. Если готовится оборона, то саперу незачем смотреть на местность противника, ему на своей местности работы достаточно, и чем глубже от-ходишь на свою территорию, тем работы для сапера боль-ше и больше. Но советские саперы почему-то долгими часами рассматривали территорию противника.

Если советские рекогносцировки проводились с обо-ронительными целями, то их надо было проводить не на границе: километрах в ста от границ, в глубине своей территории, выбрать удобные для обороны рубежи и провести на них рекогносцировки, а потом начать ин-тенсивную подготовку этих рубежей к оборонительным сражениям. После этого всему высшему командному со-ставу следовало отойти на линию старой границы и вновь провести рекогносцировки на этих старых заброшенных рубежах, а затем отойти на линию Днепра и т.д.

А рекогносцировка с пограничных застав — это ре-когносцировка для агрессии.

5

21 июня 1941 года состоялось таинственное заседа-ние Политбюро. Советский историк В.А. Анфилов сооб-щает: «Руководители коммунистической партии и члены советского правительства в течение дня 21 июня находи-лись в Кремле и решали важнейшие государственные и военные вопросы» (Бессмертный подвиг. С. 185).

Известны только решения по четырем обсуждаемым вопросам, но неизвестно, сколько всего вопросов обсуж-далось в тот день и каковы были другие решения.

Вот то, что известно.

21 июня 1941 года решено принять на вооружение Красной Армии подвижную установку залпового огня БМ-13, развернуть серийное производство установок БМ-13 и реактивных снарядов М-13, а также начать формирование частей реактивной артиллерии. В ближайшие недели БМ-13 получит свое неофициальное имя «Катюша».

«21 июня Политбюро ЦК ВКП(б) приняло решение о создании на базе западных приграничных военных округов фронтовых объединений» (Генерал-лейтенант П.А. Жилин, член-корреспондент Академии наук СССР. Великая Отечественная война (1941—1945). С. 64).

Это решение в тысячи раз важнее первого. Конечно, фронты существовали и до этого, Политбюро просто задним числом оформляет уже принятые решения, и тем не менее это архиважно: **пять фронтов** созданы и юридически тайно оформлены **не после германского вторжения,** а до него.

Важность заключается вот в чем. Заседание Политбюро продолжалось весь день и завершилось глубокой ночью. Через несколько часов Жуков звонит Сталину и пытается убедить его в том, что на границе происходит что-то необычное. Этот момент описан многими очевидцами и историками. Нет сомнения, что не только Сталин, но и Молотов, и Жданов, и Берия в возможность германского вторжения отказываются верить. Нежелание верить в германскую агрессию подтверждено всеми действиями Красной Армии: зенитки не стреляют по германским самолетам, советским истребителям запрещено сбивать германские самолеты, у войск Первого эшелона отобраны патроны, а из Генерального штаба сыплются драконовские приказы: на провокации не поддаваться (Жуков и Тимошенко тоже в германскую агрессию не очень верили).

Вопрос: если высшие советские политические и военные руководители не верят в возможность германского вторжения, зачем же они только что создали фронты?

Ответ: ФРОНТЫ БЫЛИ СОЗДАНЫ НЕ ДЛЯ ОТ
РАЖЕНИЯ ГЕРМАНСКОГО ВТОРЖЕНИЯ, а для другой цели.

6

Вот еще решение, принятое в Политбюро 21 июня
1941 года: создана группа армий Резерва Главного Командования. Командующим группой назначен первый заместитель Наркома обороны Маршал Советского Союза
С.М. Буденный, начальником штаба группы — генерал-
майор А.П. Покровский (впоследствии генерал-полковник). В состав группы армий вошли семь армий Второго
стратегического эшелона, которые, как мы знаем, тайно
выдвигались в западные районы страны. Генерал-полковник А.П. Покровский в своих воспоминаниях называет новое объединение несколько по-другому: «группа
войск Резерва Ставки» (ВИЖ. 1978. № 4. С. 64). Такое
название указывает на то, что 21 июня была создана и
Ставка Главного командования — высший орган управления Вооруженными силами в ходе войны. По крайней
мере ее создание 21 июня уже было предрешено.

Вполне возможно, что решение о создании группы
войск Резерва Ставки было принято раньше, а 21 июня
на Политбюро решение только утверждается. Доказатель-
ством тому служат неоднократные указания, что германское вторжение застало генерал-майора А.П. Покровского
уже на боевом посту в западных районах страны (ВИЖ.
1978. № 11. С. 126).

В любом случае — ДО германского вторжения Второй стратегический эшелон представлял собой не семь
различных армий, а боевой механизм с единым руководством. Для чего это сделано? Для обороны? Нет. В оборонительной войне единое руководство армиями Второго
стратегического эшелона было совершенно не нужно и
было расформировано еще до того, как Второй стратегический эшелон встретился с противником. В мирное
время Второй стратегический эшелон вообще не нужен:

в европейской части страны его негде размещать и негде тренировать.

Если группа армий Резерва Ставки создавалась не для мирного времени и не для оборонительной войны, то тогда для чего?

«21 июня Политбюро ЦК ВКП(б) возложило на начальника Генерального штаба генерала армии Г.К. Жукова общее руководство Юго-Западным и Южным фронтами, а на заместителя наркома обороны генерала армии К.А. Мерецкова — Северным» (Генерал армии С.П. Иванов и генерал-майор Н. Шеховцев. ВИЖ. 1981. № 9. С. 11). Совсем недавно К.А. Мерецков командовал армией в ходе «освобождения» Финляндии. Теперь его туда же посылают представителем Ставки. Совсем недавно Г.К. Жуков командовал Южным фронтом в ходе «освобождения» восточных областей Румынии, теперь его посылают туда же представителем Ставки координировать действия двух фронтов.

Нас уверяют, что Сталин послал Жукова на румынскую границу, а Мерецкова — на финскую, чтобы готовить отражение германской агрессии. Пусть так. Странно другое: Сталин посылает Жукова и Мерецкова предотвращать события, в возможность которых сам он не верит.

Мерецков выехал немедленно. Жуков задержался на несколько часов в Москве, и «Барбаросса» застала его в Генеральном штабе. Но это случайность. Если бы «Барбаросса» началась на несколько часов позже, то и сам Жуков стал бы частью могучего ураганного потока, уносившего к западным границам генералов из Генштаба и комбригов из ГУЛАГа, зеков и их конвоиров, командиров из запаса и с дальних границ, слушателей академий и их преподавателей.

Советские историки говорят о германских командирах: «...в июне вплоть до вторжения в СССР Браучих и Гальдер совершали в войска одну поездку за другой» (В.А. Анфилов. Бессмертный подвиг. С. 65). А Жуков с Мерецковым себя вели как-то по-другому?

Действия двух армий просто похожи друг на друга. Не зная о действиях противника, Вермахт и Красная

Армия копируют друг друга даже в мельчайших деталях Да, советские командиры приближали командные пункты к границам, как их германские коллеги, и даже ближе. Да, Красная Армия концентрирует две сверхмощные группировки на флангах в выступах границ, точно как германская армия. Да, советские самолеты сосредоточены у самых границ, как германские. Да, советским летчикам запрещено сбивать германские самолеты до определенного момента, точно как германским летчикам запрещено сбивать советские самолеты, чтобы не вызвать конфликт раньше времени, чтобы удар был совершенно внезапным. Да, командный пункт Гитлера находится в Восточной Пруссии в районе Растенбурга, а советский Главный передовой командный пункт (ГПКП) находится в районе Вильнюса. Это та же самая географическая параллель, и находится советский командный пункт точно на таком же расстоянии от германской границы, как и германский — от советской. Если советский и германский главные командные пункты нанести на карту, а карту сложить по государственной границе, то командные пункты наложатся один на другой.

Но! Гитлер уже выехал на свой тайный командный пункт... а Сталин?

21 июня после заседания Политбюро многие его члены срочно разъезжаются на свои боевые посты. Жданов, который по линии Политбюро контролировал «освобождение» Финляндии, готовится 23 июня появиться в Ленинграде. Хрущев, который контролировал «освобождение» восточных областей Польши и Румынии, срочно несется в Киев (и, возможно, в Тирасполь). Андреев, который в Политбюро отвечает за воинские перевозки (Генерал армии А.А. Епишев. Партия и Армия. С. 176), спешит на Транссибирскую магистраль, чтобы ускорить выдвижение армий Второго стратегического эшелона, и уже на следующий день его появление будет отмечено в Новосибирске (Генерал-лейтенант С.А. Калинин. Размышления о минувшем. С. 131).

А как же Сталин? Неужели и он, как Гитлер, готовится отправиться на тайный командный пункт?

Решение Политбюро о тайном развертывании пяти фронтов на западных границах означало, что Советский Союз в 1941 году неизбежно должен был начать активные действия на западе. Причина чрезвычайно серьезная: каждый из советских фронтов, помимо прочего, в месяц съедал до 60 000 голов крупного рогатого скота (Маршал Советского Союза С.К. Куркоткин. Тыл Советских Вооруженных Сил в Великой Отечественной войне 1941—1945 гг. С. 325). Если ждать до следующего года, то пяти фронтам придется скормить более трех миллионов голов крупного рогатого скота. А кроме пяти фронтов надо кормить семь армий Второго стратегического эшелона и три армии НКВД, развернутые позади. Нужно кормить четыре флота, советские войска, которые готовятся «освобождать» Иран, авиацию, войска ПВО, но самое главное — военную промышленность, где едоков еще больше.

Ничего, скажут мне, опираясь на социалистическое сельское хозяйство, на наши колхозы... Не буду спорить. Вот сведения из советского Генерального штаба: «Несмотря на крупные успехи в области развития сельского хозяйства накануне войны, зерновая проблема в силу ряда причин не была решена. Государственные заготовки и закупки зерна не покрывали всех потребностей страны в хлебе» (ВИЖ. 1961. № 7. С. 102). Словом, успехи большие, но хлеба нет. А вот мнение сталинского Наркома финансов, члена ЦК А.Г. Зверева: «К началу 1941 года поголовье крупного рогатого скота у нас еще не достигло уровня 1916 года» (Записки министра. С. 188).

Уровень 1916 года — это не стандартный уровень России, а уровень, на который сельское хозяйство страны опустилось после двух лет опустошительной, разорительной войны. В «мирное время» поголовье скота в Советском Союзе было ниже, чем в России в разгар мировой войны! Уровень 1916 года — это, по стандартам предыдущих десятилетий, крайне низкий и почти катастрофический уровень, на котором возможны беспорядки, на котором ломается привычный уклад жизни и толпы народа могут высыпать на улицы.

Взлетев вверх на мутной волне беспорядков и захватив власть, коммунисты не улучшили продовольственного положения страны, но ухудшили его настолько, что страна и через четверть века все еще пыталась подняться до очень низкого уровня, на который хозяйство страны упало в результате Первой мировой войны. Сталин создал колоссальную армию и военную промышленность, но за это пожертвовал достоянием нации, которое накапливалось веками, и жизненным уровнем народа, опустив его ниже уровня, на котором живут люди во время мировой войны.

С начала 1939 года Сталин начал интенсивную перекачку ресурсов из и так катастрофически ослабленного сельского хозяйства в армию и в военную промышленность. Армия и промышленность стремительно наращивали вес, а сельское хозяйство становилось ужасающе легковесным. Процесс набирал скорость. Помните, 1320 железнодорожных эшелонов, груженных автомобилями у советских западных границ? Откуда они? Да из колхозов мобилизовали, не из военной же промышленности! Или вот в мае 1941 года в Красную Армию тайно мобилизовано 800 000 резервистов. За месяц количество едоков в армии увеличилось почти на миллион. А за счет кого армия растет? Мы уже знаем, что за счет зеков. Ну и, конечно, за счет мужиков. На военном заводе — бронь. А в колхозе?

Так вот, пять прожорливых фронтов, созданных **ДО** германского вторжения, и тайная мобилизация мужиков и техники в эти фронты **ДО** уборки урожая означали неизбежный голод в 1942 году даже без германского вмешательства. **Голод 1942 года был предрешен на заседании Политбюро 21 июня 1941 года.** Развернув прожорливые фронты, надо было неизбежно в том же году вводить их в дело. В противном случае в следующем, 1942 году врагами Сталина будут не только Гитлер, но и миллионы голодных вооруженных мужиков в сталинской собственной армии. А внезапный удар Красной Армии в 1941 году сулил захват новых богатых территорий и резервов продовольствия (например, в Румынии). Если этих запасов не хватит — не беда: голод, возникший в ходе войны, объясним и понятен.

Мы уже знаем, что армии Второго стратегического эшелона Сталин должен был неизбежно вводить в бой в 1941 году независимо от действий Гитлера просто потому, что в западных районах страны эти армии негде было размещать на зиму и зимой негде тренировать. Вот и еще одна причина, которая делала для Сталина войну неизбежной в 1941 году: если бы он не ввел в бой пять фронтов, семь армий Второго стратегического эшелона и три армии НКВД, то к весне 1942 года создалась бы ситуация, в которой всю эту массу войск было бы просто нечем кормить.

Единственный советский маршал, которому Сталин полностью верил, Б.М. Шапошников, еще в 1929 году высказал категорическое мнение о том, что мобилизовать сотни тысяч и миллионы людей и держать их в районе границ в бездействии длительное время невозможно (Мозг армии. Т. 3). Армию гораздо легче контролировать в ходе войны, чем контролировать миллионы мобилизованных вооруженных людей, которые изнывают от ожидания и безделья. Попробуйте эту массу вооруженных людей еще и не кормить. Что у вас получится?

Создав фронты, Сталин нарушил и без того неустойчивый баланс между гигантской армией и истощенным, разоренным сельским хозяйством. После этого создалась ситуация: все или ничего, и ждать до 1942 года Сталин уже никак не мог.

ГЛАВА 29

ОТЧЕГО СТАЛИН НЕ ВЕРИЛ ЧЕРЧИЛЛЮ

1

А почему Сталин должен верить Черчиллю?

Кто такой Черчилль? Коммунист? Большой друг Советского Союза? Ярый сторонник мировой коммунистической революции?

Получив письмо, содержащее не очень обычную информацию, мы с вами начинаем с вопроса о том, насколько серьезен источник информации. Думаю, Сталин тоже задал такой вопрос. Кто же такой Черчилль с точки зрения советских коммунистов? Черчилль — это самый первый политический лидер мира, который еще в 1918 году понял величайшую опасность коммунизма и сделал немало, чтобы помочь русскому народу избавиться от страшной заразы коммунизма. Этих усилий было недостаточно, но все же Черчилль сделал больше, чем все другие мировые лидеры, вместе взятые. Черчилль — враг коммунистов и никогда этого не скрывал. Черчилль в 1918 году выступил с идеей сотрудничать с Германией в борьбе против советской коммунистической диктатуры. Черчилль активно и настойчиво боролся против советских коммунистов во времена, когда Гитлера вообще не было, а был только ефрейтор Адольф Шикльгрубер.

Ленин определил Черчилля — «величайший ненавистник Советской России» (Т. 41. С. 350).

Если ваш величайший враг и ненавистник присылает вам письмо с предупреждениями об опасностях, сильно ли вы ему верите?

2

Для того чтобы понять отношение Сталина к письмам Черчилля, надо вспомнить политическую обстановку в Европе.

В дипломатической войне 30-х годов положение Германии было самым невыгодным. Находясь в центре Европы, она стояла и в центре всех конфликтов. Какая бы война ни началась в Европе, Германия почти неизбежно должна была стать ее участницей. Поэтому дипломатическая стратегия многих стран в 30-х годах сводилась к позиции: вы воюйте с Германией, а я постараюсь остаться в стороне. Мюнхен-38 — это яркий образец такой философии.

Дипломатическую войну 30-х годов выиграли Сталин и Молотов. Пактом Молотова—Риббентропа Сталин дал зеленый свет Второй мировой войне, оставшись «нейтральным» наблюдателем и готовя один миллион парашютистов на случай «всяких неожиданностей».

Великобритания и Франция дипломатическую войну проиграли и теперь вынуждены вести настоящую войну, Франция быстро выходит из войны. В чем же политический интерес Британии?

Если смотреть на ситуацию из Кремля, то можно представить только одно политическое стремление Черчилля: найти громоотвод для германского «блицкрига» и отвести германский удар от Британии в любую другую сторону. Во второй половине 1940 года таким громоотводом мог быть только Советский Союз.

Проще говоря, Британии (по мнению Сталина, которое он открыто выразил 10 марта 1939 года) хочется столкнуть Советский Союз с Германией, а самой отойти в сторону от этой драки. Не знаю, в этом ли было намерение Черчилля, но именно в таком аспекте Сталин воспринимал любое действие британского правительства и дипломатии.

Адмирал флота Советского Союза Н.Г. Кузнецов: «У Сталина, конечно, было вполне достаточно оснований считать, что Англия и Америка стремятся столкнуть нас с Германией лбами» (Накануне. С. 321).

Получив любое письмо Черчилля, Сталин, не читая его, мог догадаться о содержании. Что нужно Черчиллю? Что его беспокоит? Безопасность коммунистического режима в Советском Союзе или у Черчилля есть более важные проблемы? О чем может мечтать Черчилль в плане политическом? Только о том, как бы поменяться со Сталиным ролями: чтобы Сталин воевал с Гитлером, а Черчилль наблюдал драку со стороны.

В данной ситуации Черчилль — слишком заинтересованное лицо, чтобы Сталин мог верить его словам.

3

Чтобы понять отношение Сталина к письмам Черчилля, нужно вспомнить и стратегическую ситуацию в Европе. Главный принцип стратегии — концентрация. Концентрация мощи против слабости. В Первой мировой войне Германия не могла применить главный принцип стратегии, оттого что воевала на два фронта. Стремление быть сильным одновременно на двух фронтах вело к общей слабости, но попытки сконцентрировать усилия на одном фронте означали автоматически ослабление другого фронта, что противник немедленно использовал. Из-за наличия двух фронтов Германия была вынуждена отказаться от использования принципа концентрации усилий и, следовательно, от стратегии сокрушения, заменив ее единственной альтернативой — стратегией истощения. Но ресурсы Германии ограниченны, а ресурсы ее противников неограниченны. Поэтому война на истощение для Германии могла иметь только катастрофический конец.

Германский Генеральный штаб и сам Гитлер во Второй мировой войне отлично понимали, что война на два фронта — катастрофа. В 1939—1940 годах Германия фактически имела постоянно не более одного фронта.

Поэтому германский Генеральный штаб имел возможность применить принцип концентрации и блистательно его применял, концентрируя германскую военную мощь последовательно против одного, затем другого противника.

В чем главная задача германской стратегии? Не допустить войны на два фронта. Иметь только один фронт — значит иметь блистательные победы. Два фронта — это отказ от главного принципа стратегии, это переход от стратегии сокрушения к стратегии истощения, это провал блицкрига, это конец и катастрофа.

О чем может мечтать Черчилль в 1940 году в плане стратегическом? Только о том, чтобы война для Германии превратилась из войны на один фронт в войну на два фронта.

Сам Гитлер считал, что воевать на два фронта невозможно. На совещании высшего командного состава германских вооруженных сил 23 ноября 1939 года Гитлер говорил о том, что против Советского Союза можно начать войну только после того, как будет завершена война на Западе.

А теперь представьте, что это вам в 1940 году кто-то сообщает, что Гитлер намерен отказаться от использования великого принципа стратегии и вместо концентрации готовит распыление сил. Кто-то вам настойчиво в ухо шепчет, что Гитлер преднамеренно хочет повторить ошибку Германии в Первой мировой войне. Каждый школьник знает, что два фронта для Германии — самоубийство. Вторая мировая война потом подтвердит это правило еще раз, причем для Гитлера лично война на два фронта будет означать самоубийство в самом прямом смысле.

Если бы вам в 1940 году, после падения Франции, кто-то сказал, что Гитлер готовится к самоубийственной войне на два фронта, вы бы поверили? Я бы — нет.

Если бы такое сообщила советская военная разведка, то я бы посоветовал начальнику ГРУ генералу Голикову оставить свой пост, вернуться в академию и изучить еще раз причины поражения Германии в Первой мировой войне. Если бы новость о самоубийственной войне мне сообщил некий нейтральный человек со стороны, я бы ему ответил, что Гитлер — не идиот, это ты, дорогой друг, наверное, идиот, если считаешь, что Гитлер добровольно начнет войну на два фронта.

Черчилль — самый заинтересованный в мире человек в том, чтобы Гитлер имел не один, а два фронта. Если Черчилль вам скажет секретно, что Гитлер готовится к войне на два фронта, как вы отнесетесь к его сообщению?

<h1 style="text-align:center">4</h1>

Кроме чисто стратегической и политической обстановки, надо принимать во внимание и атмосферу, в которой Черчилль писал свои послания, а Сталин их читал.

21 июня 1940 года пала Франция. Разбой германских подводных лодок на морских коммуникациях резко усиливается. Над островным государством Великобританией, связанным со всем миром теснейшими торговыми связями, нависла угроза морской блокады, острейшего торгового, индустриального, финансового кризисов. Хуже того, германская военная машина, которая в тот момент многим кажется непобедимой, уже интенсивно готовится к высадке на Британских островах.

В этой обстановке 25 июня Черчилль пишет письмо Сталину. 30 июня германскими вооруженными силами захвачен британский остров Гернси. В тысячелетней истории Британии совсем не много случаев, когда противник высаживается на Британских островах. Что последует за этим? Высадка в самой Англии? Гернси захвачен без сопротивления. Как долго будет сопротивляться Британия?

Именно на следующий день после захвата Германией Гернси Сталин получает послание Черчилля.

Давайте спросим себя: в чем интерес Черчилля? Ему хочется спасти коммунистическую диктатуру в Советском

Союзе или Британскую империю? Я думаю, что именно британские интересы заставляют Черчилля писать письмо. Если мы с вами это понимаем, неужели Сталин не понимал? Черчилль для Сталина — это не нейтральный наблюдатель, который из дружественных чувств указывает на опасность, а попавший в тяжелое положение человек, которому нужна помощь, нужны союзники в борьбе против страшного врага. Поэтому Сталин очень и очень осторожно относится к письмам Черчилля.

Черчилль писал несколько писем Сталину. Но, по несчастью, все они приходили к Сталину именно в моменты, когда Черчилль сам находился в очень тяжелом положении. Вот самое известное письмо Черчилля из этой серии, полученное Сталиным 19 апреля 1941 года. Все советские и другие историки сходятся на мысли, что именно это письмо является главным предупреждением Сталину. Письмо обильно цитируется многими историками. Но давайте вначале обратим внимание не на текст письма, а на положение Черчилля. 12 апреля германская армия захватила Белград. 13 апреля Роммель подошел к границам Египта. 14 апреля Югославия сдается Германии. 16 апреля во время бомбардировки Лондона поврежден храм святого Павла. В апреле Греция — накануне сдачи, и британские войска в Греции находятся в катастрофическом положении. Вопрос в том, удастся их эвакуировать или нет. В этой обстановке Сталин получает самое важное письмо Черчилля.

У Сталина могли существовать подозрения не только относительно мотивов Черчилля, но и относительно источников информации. Черчилль написал Сталину письмо в июне 1940 года. Но почему тот же Черчилль не написал подобных писем правительству Франции и своим собственным войскам на континенте в мае того же года?

Черчилль пишет письмо Сталину в апреле 1941 года, а через месяц германские вооруженные силы проводят блистательную операцию по захвату Крита. Отчего британская разведка, мог подумать Сталин, так хорошо работает в интересах Советского Союза, но ничего не делает в интересах Великобритании?

Наконец, существует более серьезная причина, почему Сталин не верил «предупреждениям» Черчилля: Черчилль Сталина о германском вторжении не предупреждал.

Коммунистическая пропаганда сделала очень много, для того чтобы укрепить миф о «предупреждениях» Черчилля. С этой целью Хрущев цитировал послание Черчилля Сталину от 18 апреля 1941 года. Выдающийся советский военный историк (и тончайший фальсификатор) В.А. Анфилов цитирует это послание Черчилля во всех своих книгах. Маршал Советского Союза Г.К. Жуков это послание приводит полностью. Генерал армии С.П. Иванов делает то же самое. Официальная «История Великой Отечественной войны» настойчиво вбивает нам мысль о предупреждениях Черчилля и полностью цитирует его послание от 18 апреля. А кроме этого послание Черчилля мы найдем в десятках и сотнях советских книг и статей.

Вот сообщение Черчилля:

«Я получил от заслуживающего доверия агента достоверную информацию о том, что немцы, после того как они решили, что Югославия находится в их сетях, то есть 20 марта, начали переброску в южную часть Польши трех бронетанковых дивизий из пяти находившихся в Румынии. В тот момент, когда они узнали о сербской революции, это передвижение было отменено. Ваше превосходительство легко оценит значение этих фактов».

В таком виде послание Черчилля публикуют все советские историки, настаивая и уверяя, что это и есть «предупреждение». Лично я никакого предупреждения не вижу.

Черчилль говорит про три танковые дивизии. По стандартам Черчилля — это очень много. По стандартам Сталина — не очень. Сам Сталин в это время тайно создает 63 танковые дивизии, каждая из которых по количеству и качеству танков сильнее германской дивизии. Получив сообщение про три германские дивизии, Сталин должен был догадаться про вторжение?

Если сообщение о трех танковых дивизиях мы считаем достаточным «предупреждением» о подготовке агрессии, в этом случае не надо обвинять Гитлера в агрессивности: германская разведка передала Гитлеру сведения о десятках советских танковых дивизий, которые группировались у границ Германии и Румынии.

Черчилль предлагает Сталину самому «оценить значение этих фактов». Как же их можно оценить? Польша — это исторические ворота для всех агрессоров, идущих из Европы на Россию. Германские танковые дивизии Гитлер хотел перебросить в Польшу, но передумал.

Румыния в сравнении с Польшей — очень плохой плацдарм для агрессии: германские войска в Румынии тяжелее снабжать, чем в Польше; при агрессии из Румынии путь к жизненным центрам России для агрессора гораздо длиннее и тяжелее, агрессору придется преодолеть множество преград, включая Днепр в его нижнем течении.

Если бы Сталин готовился к обороне и если бы он поверил «предупреждению» Черчилля, то он должен был вздохнуть с облегчением и ослабить свои военные приготовления. Вдобавок Черчилль сообщает причину, почему германские войска не перебрасываются в Польшу, а остаются в Румынии: у немцев проблемы в Югославии вообще и в Сербии в частности. Другими словами, Черчилль говорит, что германские танковые дивизии оставлены в Румынии совсем не для агрессии на восток против Советского Союза, а наоборот — из Румынии они направлены на юго-запад, т. е. повернуты к Сталину спиной.

В это время Британия вела исключительно интенсивную дипломатическую и военную борьбу во всем бассейне Средиземного моря, особенно в Греции и Югославии. Телеграмма Черчилля имеет исключительную важность, но ее никак нельзя рассматривать как предупреждение. В гораздо большей степени это приглашение Сталину: немцы хотели перебрасывать дивизии в Польшу, но передумали — тебе нечего бояться, тем более что их дивизии в Румынии повернуты к тебе задом! Оцени эти факты и действуй!

В ходе войны Сталин, попав в критическую обстановку, сам посылал подобные послания Черчиллю и Рузвельту: Германия сосредоточила основные усилия против меня, повернувшись к вам спиной, самый для вас удобный момент! Ну, скорее же открывайте второй фронт! А потом настала вновь очередь западных союзников: открыв второй фронт и попав в тяжелое положение, западные лидеры в январе 1945 года обращались к Сталину с тем же посланием: не мог бы ты, Сталин, стукнуть посильнее!

Письма Черчилля мы не имеем права рассматривать как предупреждения: Черчилль написал свое первое большое письмо Сталину 25 июня 1940 года, когда плана «Барбаросса» еще не было! Письма Черчилля основаны не на знании германских планов, а на трезвом расчете. Черчилль просто обращает внимание Сталина на европейскую ситуацию: сегодня у Британии проблемы с Гитлером, а завтра они неизбежно будут и у Советского Союза. Черчилль призывает Сталина к объединению против Гитлера, т. е. к вступлению Советского Союза в войну на стороне Великобритании и всей покоренной Европы.

Выдающийся британский военный историк Б.Х. Лиддел Гарт провел блистательный анализ стратегической обстановки с точки зрения Гитлера. По свидетельству Йодля, на которое ссылается Лиддел Гарт, Гитлер неоднократно говорил своим генералам, что у Великобритании есть единственная надежда: советское вторжение в Европу (B.Liddell Hart. History of the Second World War. P. 151). Сам Черчилль 22 апреля 1941 года записал: «Советское правительство прекрасно знает... о том, что мы нуждаемся в его помощи» (D. Woodward. British Foreign Policy in the Second World War. P. 611). Какую же помощь ожидает Черчилль от Сталина? И как Сталин может ее оказать, кроме удара по Германии?

У Сталина достаточно оснований не верить Черчиллю. Но сам-то Сталин должен понимать, что после падения Великобритании он останется один на один с Германией. Понимает ли Сталин это? Конечно. И говорит об этом Черчиллю в ответе на послание от 25 июня 1940 года:

«...политика Советского Союза — избежать войны с Германией, но Германия может напасть на Советский Союз весной 1941 года, в случае если к этому времени Британия проиграет войну» (цитирую по книге: R.Goralski. World War II Almanac: 1931—1945. Р. 124).

По сталинскому ответу выходит, что Сталин намерен жить в мире, терпеливо дожидаться падения Великобритании и, оставшись один на один с Гитлером, дожидаться германского вторжения.

Ах, какой глупый Сталин, возмущаются некоторые историки. А мы не будем возмущаться: это послание адресовано не Черчиллю, а Гитлеру! 13 июля 1940 года Молотов по приказу Сталина передает запись беседы Сталина с британским послом Криппсом в руки германского посла графа фон Шуленбурга. Не правда ли, странный шаг: вести переговоры с Черчиллем (через посла Криппса) и тайно передавать секретные протоколы переговоров в руки Гитлера (через посла фон Шуленбурга)?

Кстати сказать, и тут Сталин лукавит: Гитлеру Сталин передает не оригинал меморандума, а тщательно отредактированную копию, которая сохраняет множество ненужных деталей в точности, но ключевые фразы полностью изменены. Я думаю, что в данном случае нужно говорить не о двух копиях одного меморандума, а о двух разных документах, в которых различий больше, чем сходства.

Если очистить сталинскую «копию» от дипломатической шелухи и посмотреть на меморандум в чистом виде, то этот документ говорит Гитлеру:

1. Адольф, воюй и не бойся за свой тыл, иди вперед и не оглядывайся назад, позади у тебя хороший друг Иосиф

Сталин, который хочет только мира и ни при каких условиях на тебя не нападет.

2. Тут, в Москве, были переговоры с британским послом, не бойся, эти переговоры не против тебя. Видишь, я тебе даже секретные протоколы беседы с Криппсом отправляю. А Черчилля я к чертовой матери отослал! (На самом деле не отослал.)

Можно ли верить сладким песням кремлевской сирены? Многие историки верят. А вот Гитлер не поверил и, подумав крепко над «копией» записи беседы Сталина и Криппса, 21 июля 1940 года отдает приказ начать разработку плана «Барбаросса». Другими словами, Гитлер решает воевать на два фронта. Это решение очень многим кажется непонятным и необъяснимым. Многие германские генералы и фельдмаршалы не поняли и не одобрили этого поистине самоубийственного решения. **Но у Гитлера выбора уже не было.** Он шел все дальше и дальше на запад, на север, на юг, а Сталин с топором стоял позади и пел сладкие песни о мире.

У Гитлера была непоправимая ошибка, но допустил он ее не 21 июля 1940 года, а 19 августа 1939 года. Дав согласие на подписание пакта Молотова—Риббентропа, Гитлер встал перед неизбежной войной против Запада, имея позади себя «нейтрального» Сталина. Именно с этого момента Гитлер имел два фронта. Решение начать «Барбароссу» на востоке, не дожидаясь победы на западе, — это не роковая ошибка, а только попытка Гитлера исправить ранее допущенную роковую ошибку. Но было уже слишком поздно. Война уже имела два фронта, и выиграть ее уже было невозможно. Даже захват Москвы не решал проблемы: позади Москвы лежало еще 10 000 километров бескрайней территории, гигантские индустриальные мощности, неисчерпаемые природные и огромные людские ресурсы. Начинать войну с Россией всегда легко, заканчивать — не очень. Воевать в европейской части СССР Гитлеру, конечно, было легко: ограниченная территория, множество дорог высокого качества, а зима мягкая. Был ли готов Гитлер воевать в

Сибири, на неограниченных бескрайних просторах, где действительно нет дорог, где действительно бывает грязь, где жестокость мороза близка к жестокости сталинского режима?

Сталин знал, что для Гитлера война на два фронта — самоубийство. Сталин считал, что Гитлер на самоубийство не пойдет и не начнет войну на востоке, не завершив ее на западе. Сталин терпеливо ждал последнего аккорда германо-британской войны — высадки германских танковых корпусов на Британских островах. Блестящую десантную операцию на Крите Сталин, да и не только он, расценивал как генеральную репетицию для высадки в Англии. Одновременно Сталин предпринимал все меры к тому, чтобы убедить Гитлера в своем миролюбии. Оттого советские зенитки не стреляли по германским самолетам, а советские газеты и ТАСС трубили о том, что войны между СССР и Германией не будет.

Если бы Сталину удалось убедить Гитлера в том, что СССР — нейтральная страна, то германские танковые корпуса были бы, несомненно, высажены на Британские острова. И тогда...

И тогда сложилась бы поистине небывалая ситуация. Польша, Чехословакия, Дания, Норвегия, Бельгия, Нидерланды, Люксембург, Югославия, Франция, Греция, Албания больше не имеют ни армий, ни правительств, ни парламентов, ни политических партий. Миллионы людей загнаны в нацистские концлагеря, и вся Европа ждет освобождения. А на европейском континенте только всего и осталось, что полк личной охраны Гитлера, охрана нацистских концлагерей, германские тыловые части, военные училища и... пять советских военно-воздушных корпусов, десятки тысяч быстроходных танков, созданных специально для действий на автострадах, десятки тысяч самолетов, пилоты которых не обучены ведению воздушных боев, но обучены нанесению ударов по наземным целям; дивизии и целые армии НКВД; армии, укомплектованные советскими зеками; сверхмощные формирования планерной авиации для быстрой высадки на территории противника; горные дивизии, обученные стремительным броскам к перевалам, через которые идет нефть — кровь войны.

Имел ли кто-нибудь в истории столь благоприятную ситуацию для «освобождения» Европы? А ведь эта ситуация не сложилась сама. Ее долго, упорно и настойчиво из маленьких кусочков, как тончайшую мозаику, складывал Сталин. **Это Сталин помогал привести Гитлера к власти и сделать из Гитлера настоящий Ледокол Революции. Это Сталин толкал Ледокол Революции на Европу. Это Сталин требовал от французских и других коммунистов не мешать Ледоколу ломать Европу. Это Сталин снабдил Ледокол всем необходимым для победоносного движения вперед. Это Сталин закрывал глаза на все преступления нацистов и радовался (газета «Правда»), «когда мир сотрясался в своих основах, когда гибли могущества и падали величия».**

Но Гитлер разгадал замысел Сталина. Вот почему Вторая мировая война закончилась катастрофически для Сталина: ему досталось только пол-Европы и кое-что в Азии.

7

И последний вопрос. Если Черчилль не предупреждал Сталина о подготовке вторжения, зачем же коммунисты так цепко держатся за эту легенду? Чтобы показать советскому народу, что Черчилль был хорошим человеком? Или чтобы доказать, что лидерам Запада надо верить? Конечно, не для этого.

Легенда о «предупреждениях» Черчилля нужна коммунистам для того, чтобы оправдать свои агрессивные приготовления: да, признают они, внезапный удар готовили. Но это не наш собственный замысел, это нас Черчилль предупредил.

ГЛАВА 30

ПОЧЕМУ СТАЛИН НЕ ВЕРИЛ РИХАРДУ ЗОРГЕ

1

Сталин очень серьезно готовился к войне. Особую заботу Сталин проявлял о советской военной разведке, которая в настоящее время известна под именем ГРУ. Достаточно прочитать список всех начальников ГРУ с момента создания этой организации до 1940 года, чтобы оценить всю глубину «трогательной заботы» Сталина о своих доблестных разведчиках.

Вот этот список:

Аралов — арестован, провел несколько лет под следствием с применением «мер физического воздействия»

Стигга — ликвидирован

Никонов — ликвидирован

Берзин — ликвидирован

Уншлихт — ликвидирован

Урицкий — ликвидирован

Ежов — ликвидирован

Проскуров — ликвидирован

Разумеется, что при ликвидации лидера военной разведки ликвидации подлежали и его первые заместители, заместители, советники, начальники управлений и отделов. А при ликвидации начальников отделов тень неизменно ложилась на оперативных офицеров и на агентуру, которой они руководили. Поэтому уничтожение главы военной разведки минимум дважды означало и уничтожение всей сети военной разведки.

Говорят, что такая забота Сталина о своих военных разведчиках имела катастрофические последствия. Не верьте слухам. ГРУ перед Второй мировой войной, в ходе ее и после было и остается самой мощной, самой эффективной разведывательной организацией мира. ГРУ резко превосходит по качеству добываемой секретной информации своего главного противника и соперника — советскую тайную полицию ЧК — КГБ. Постоянная, волна за волной, кровавая чистка советской военной разведки не ослабляла ее мощи. Наоборот, на смену одному поколению приходило новое, более агрессивное. Смена поколений — вроде как смена зубов у акулы. Новые зубы появляются целыми рядами, вытесняя предшествующий ряд, а за ним виднеются уже новые и новые ряды. Чем больше становится мерзкая тварь, тем больше зубов в ее отвратительной пасти, тем чаще они меняются, тем длиннее и острее они становятся.

В быстрой смене поколений разведчиков часто (очень часто) погибали и невинные (по коммунистическим стандартам) разведчики, но, как ни странно, советская акула от этого не становилась беззубой. Помните, как Гитлер истребил немало ярых фашистов в одной из самых массовых фашистских организаций — СА? Разве от этого режим Гитлера стал слабее?

Разница между Гитлером и Сталиным заключалась в том, что Сталин к войне готовился очень серьезно. Сталин устраивал ночи длинных ножей не только против своих коммунистических штурмовиков, но и против генералов, маршалов, конструкторов, разведчиков. Сталин считал, что получать от своей разведки портфели, набитые секретами, — очень важно, но еще важнее — не получить от своей разведки портфеля с бомбой. Он исходил не только из своего личного интереса, но и из государственного тоже. Устойчивость высшего государственного, политического и военного руководства в критических и сверхкритических ситуациях — это один из важнейших элементов готовности государства к войне.

Сталину никто в критической ситуации под стол не сунул бомбу, и это не случайность. Постоянным, целенаправленным террором против ГРУ Сталин не только добился очень высокого качества добываемой секретной информации, но и гарантировал высшее руководство **от** «всяких неожиданностей» в моменты кризисов.

Рихард Зорге — это шпион из того ряда зубов, который Сталин профилактики ради повелел вырвать 29 июля 1938 года.

2

Советская военная разведка не столь глупа, чтобы публиковать самые интересные сообщения Зорге. Но анализ даже относительно небольшого количества опубликованных сообщений Зорге ставит нас в тупик. Не перечисляя много посланий (они очень похожи друг на друга), приведу только три весьма характерных.

Январь 1940-го: «С благодарностью принимаю ваши приветы и пожелания в отношении отдыха. Однако, если я поеду в отпуск, это сразу сократит информацию».

Май 1940-го: «Само собой разумеется, что в связи с современным военным положением мы отодвигаем свои сроки возвращения домой. Еще раз заверяем вас, что сейчас не время ставить вопрос об этом».

Октябрь 1940-го: «Могу ли я рассчитывать вернуться домой после окончания войны?»

Не правда ли, странно: разведчик спрашивает в начале войны, позволят ли ему вернуться домой после нее! Кстати, после этого вопроса Зорге перечисляет свои многочисленные заслуги перед советской властью. Что за странная телеграмма? Каждый разведчик знает, что после войны ему разрешат вернуться домой. Зачем же лишний раз с таким вопросом выходить в эфир? Каждый выход совершенно секретной радиостанции с непонятным кодом в открытый эфир — это огромный риск для всей шпионской организации Зорге. Неужели агентурная радиостанция и высшей степени секретности коды созданы для того, чтобы Зорге задавал такие вопросы?

Еще более странной звучит третья телеграмма в сравнении в двумя первыми (повторяю, что таких телеграмм не две, а больше). ГРУ говорит Рихарду Зорге: приезжай, мол, в отпуск в любое время, забудь ты эту войну и кати сюда, отдохнешь! Зачем же спрашивать разрешения вернуться после войны, если ему настоятельно предлагают вернуться прямо сейчас, прямо во время войны?!

О Зорге в Советском Союзе написано множество книг и статей. И вот в некоторых звучит странная ему похвала: он был таким великим разведчиком, таким верным коммунистом, что даже свои личные деньги, добываемые нелегким трудом журналиста, тратил на свою нелегальную работу. Что за чепуха! Да неужели на Колыме зеки больше золото не роют? Да неужели ГРУ настолько обеднело, чтобы так унизить своего нелегального резидента!

И уж совсем интересное сообщение сделал журнал «Огонек» (1965. № 17) о том, что у Зорге были очень важные документы в руках, но передать их в Центр он не мог. Центр не присылал курьера. «Огонек» не говорит, почему же Центр не присылал курьера. И нас этот вопрос тоже озадачил.

А ларчик просто открывался.

В момент этих событий человек, завербовавший Рихарда Зорге, Ян Берзин, блистательный шеф советской военной разведки, после жесточайших пыток ликвидирован. Соломон Урицкий, другой шеф ГРУ, дававший лично указания Зорге, — ликвидирован. Советский нелегальный резидент Я. Горев, обеспечивший транзит Зорге из Германии, — сидит («Комсомольская правда», 8 октября 1968 г.). Тайная сотрудница Рихарда Зорге Айна Куусинен, жена заместителя начальника ГРУ, «Президента Финляндской Демократической республики», будущего члена Политбюро ЦК КПСС, — сидит. Жена Рихарда Зорге Екатерина Максимова — арестована, призналась в связях с врагами, ликвидирована. Нелегальный резидент ГРУ в Шанхае, бывший заместитель Зорге Карл Римм — вызван в «отпуск» в Москву, ликвидирован. Теперь Зорге получил приказ — прибыть в отпуск. Знает ли он настоящую причину вызова? Знает. И советские коммунистические источники не скрывают: «Зорге отказался ехать в СССР», «несомненно, Зорге догадывался, что его ждет в Москве». Публикаций на эту тему во время «оттепели» было немало.

Итак, в Москве считают Рамзая врагом и вызывают на расстрел. Зорге на упорные вызовы отвечает: на расстрел не приеду, не хочу прерывать интересную работу.

А теперь вдумаемся в слова советского историка-коммуниста: «...отказался вернуться в СССР». Как называется на коммунистическом жаргоне этакий фрукт? Правильно: невозвращенец. В те времена был придуман даже более точный термин — злостный невозвращенец. Вот почему он и платит агентам из своего кармана: Центр прекратил его финансировать. Вот потому и курьеры к нему не спешат. Не посылать же нелегального курьера к злостному невозвращенцу!

Не желая возвращаться на скорый суд и лихую расправу, Зорге продолжает работать на коммунистов, но теперь уже не в роли секретного сотрудника (сокращенно — сексот), а скорее, в роли энтузиаста-доносчика, который скрипит пером не денег ради, а удовольствия для. Расчет Рамзая точен: сейчас не поеду, а после войны разберутся, что я говорил только правду, простят и оценят. Центр тоже с ним до конца связи не теряет: принимает его телеграммы, но только, видимо, для того, чтобы в ответ сказать: вернись домой, вернись домой, вернись домой. На это Рамзай отвечает: очень занят, очень занят, очень занят...

Первый ответ на поставленный вопрос: Сталин не верил Рихарду Зорге потому, что Зорге — невозвращенец минимум с парой высших приговоров. Один ему явно врубили в 38-м по общему списку сотоварищи. А уж потом еще и за злостное невозвращенчество добавили. Сам товарищ Зорге не очень верит товарищу Сталину, оттого не возвращается. Как же товарищ Сталин может верить тому, кто Сталину не верит?

3

Кто-то сочинил легенду о том, что Рихард Зорге якобы сообщал ГРУ какие-то важные сведения о германском вторжении, а ему не поверили.

Зорге — великий разведчик, но по поводу германского вторжения он ничего важного не сообщал в Москву. Более того, Зорге стал жертвой дезинформации и питал ГРУ ложными сведениями.

Вот его телеграмма от 11 апреля 1941 года: «Представитель (германского. — *В.С.*) Генерального штаба в Токио заявил, что сразу после окончания войны в Европе начнется война против Советского Союза».

Гитлер — тоже коварный мужик. Он готовит вторжение, распространяя ложь, очень похожую на правду. Гитлер знает, что подготовки к вторжению в Советский Союз уже скрыть невозможно. Поэтому Гитлер говорит секретно (но так, чтобы все слышали): да, я хочу напасть на Сталина... после того как завершу войну на западе.

Если верить телеграмме Зорге от 11 апреля (и другим подобным телеграммам), то волноваться не надо. Война на западе продолжается, то угасая, то разгораясь с новой силой, а конец той войны не просматривается. Вот когда война на западе завершится, то тогда возможен перенос усилий германской военной машины на восток. Другими словами, Зорге говорит, что Гитлер намерен воевать только на одном фронте.

В ГРУ это понимают без Зорге. На основе глубокого изучения всех экономических, политических и военных аспектов сложившейся ситуации ГРУ сделало два вывода:

1. Германия не может выиграть войну на два фронта.

2. Поэтому Гитлер не начнет войну на востоке, не завершив ее на западе.

Первый вывод правильный. Второй — нет: иногда начинают войну без перспективы ее выиграть.

Еще до «предупреждения» Зорге новый начальник ГРУ генерал-лейтенант Ф.И. Голиков представил 20 марта 1941 года Сталину подробный доклад, который завершался выводом: «наиболее возможным сроком начала действий против СССР является момент после победы над Англией или после заключения с ней почетного для Германии мира».

А Сталин простую истину о том, что Гитлер не начнет войну на два фронта, знает без Голикова и без его доклада. Вот почему Сталин в ответ на письмо Черчилля от 25 июня 1940 года говорит, что Гитлер может начать войну против СССР в 1941 году при условии, что к этому моменту Британия прекратит сопротивление.

Но Гитлер, которого Сталин пактом Молотова—Риббентропа загнал в стратегический тупик, вдруг понял, что терять ему нечего, все равно у Германии не один фронт, а два, и начал воевать на двух фронтах. Этого не ожидал ни Голиков, ни Сталин. Это самоубийственное решение, но другого у Гитлера уже не было. Сталин просто не мог себе представить, что, попав в стратегический тупик, Гитлер пойдет на самоубийственный шаг. Начальник ГРУ генерал Голиков этого тоже не предполагал. А Зорге (и некоторые другие) своими ложными телеграммами только утверждали их в этом мнении.

Мне возразят, что потом, 15 июня, Зорге правильно назовет дату германского вторжения — 22 июня. Очень хорошо. Но позвольте, какому же Рихарду Зорге верить — тому, который говорит, что Гитлер на два фронта воевать не будет, или тому, который говорит про 22 июня, т. е. что Гитлер на два фронта воевать будет. Сообщения Зорге взаимно исключают друг друга. Кроме того, сообщения Зорге так и остаются сообщениями. ГРУ не верит НИКАКИМ сообщениям, и правильно делает. Нужны сообщения с доказательствами.

4

Зорге — великий разведчик XX века. И высшую степень отличия — звание Героя Советского Союза— ему посмертно присвоили не зря. Но величие Зорге лежит совсем в другой плоскости.

Главным объектом работы Зорге в Японии была не Германия, а Япония. Начальник ГРУ С. Урицкий лично ставит Р. Зорге задачу: «Смысл вашей работы в Токио — отвести возможность войны между Японией и СССР. Главный объект — германское посольство» («Огонек». 1965. № 14). Германское посольство — это только прикрытие, используя которое Зорге выполняет свою главную задачу. Обратим внимание на деталь: не предупредить о подготовке к вторжению, а отвести это вторжение, т. е. направить японскую агрессию в другое русло.

Хорошо известно, что осенью 1941 года Зорге сообщил Сталину о том, что Япония не вступит в войну против Советского Союза. Используя эту чрезвычайно важную информацию, Сталин снял с дальневосточных границ десятки советских дивизий, бросил их под Москву и тем самым изменил стратегическую ситуацию в свою пользу.

Менее известна причина, почему на этот раз Сталин поверил. А поверил он только потому, что Зорге представил не только сообщение, но и доказательства. Про доказательства советские историки предпочитают молчать, и это понятно: если Зорге говорит, что Япония не пойдет против Советского Союза, то доказать это можно, только указав на другого противника, против которого Япония готовит внезапный удар. Зорге указал точно, на кого Япония собирается нападать, и представил неопровержимые факты.

Коммунистическая пропаганда совершенно преднамеренно раздувает миф о «предупреждениях» Зорге перед германской агрессией. Делается это для того, чтобы отвлечь внимание от поистине потрясающих успехов Зорге в проникновении в высшие военно-политические сферы Японии. Деятельность Зорге никак не ограничивается тем, что он предупредил Сталина о том, что Япония не нападет на Советский Союз, и даже тем, что Зорге указал с доказательствами направление устремлений японского милитаризма. Его достижения в этой области гораздо выше. В соответствии с заданием ГРУ Зорге не только предсказывал события, но в ряде случаев их направлял. В августе 1951 года делом Зорге занимался Конгресс США. В ходе слушания было неопровержимо доказано, что советская военная разведка в лице нелегальной резидентуры «Рамзай» сделала очень много для того, чтобы Япония начала агрессивную войну в Тихом океане, и для того, чтобы эту агрессию направить против Соединенных Штатов Америки (Hearings on American Aspects of the Richard Sorge Spy Case. House of Representatives Eighty Second Congress. First Session. August 9, 22 and 23. Washington, 1951).

Не Зорге создал «японский ледокол», но Зорге сделал многое для того, чтобы повернуть его в нужную Сталину направление. Когда у Зорге появились доказательства его сообщений, Сталин им вполне поверил.

5

Разведка — самая неблагодарная в мире работа. Тот, кто ошибался, кто провалился, кого повесили, — тот знаменит. Как Зорге, например.

Но у Сталина, кроме неудачников, были военные разведчики поистине выдающиеся, которым светила удача, которые добились потрясающих результатов и при этом не стали знаменитыми, т. е. повешенными. Кто-то из советских разведчиков имел выход к настоящим секретам Гитлера. Маршал Советского Союза А.А. Гречко свидетельствует: «...через 11 дней после принятия Гитлером окончательного плана войны против Советского Союза (18 декабря 1940 года) этот факт и основные данные решения германского командования стали известны нашим разведывательным органам» (ВИЖ. 1966. № 6. С. 8).

Видимо, мы никогда не узнаем имя великого разведчика, совершившего этот подвиг. Не исключено, что это был тот же резидент ГРУ, который в 1943 году добыл план операции «Цитадель». Но это только мое предположение: у Сталина, повторяю, военная разведка стояла на очень высоком уровне, и это мог сделать и какой-то другой разведчик.

В декабре 1940 года начальник ГРУ генерал-лейтенант Ф.И. Голиков доложил Сталину о том, что, по подтвержденным сведениям, Гитлер принял решение воевать на два фронта, т. е. напасть на Советский Союз, не дожидаясь завершения войны на западе.

Этот документ чрезвычайной важности был обсужден в начале января в очень тесном кругу высшего советского командования в присутствии Сталина. Сталин не поверил документу и заявил, что любой документ можно подделать. Сталин потребовал от Голикова так построить работу советской военной разведки, чтобы в любой момент знать, действительно ли Гитлер готовится к войне или просто блефует. Голиков доложил, что такие меры он принял. ГРУ внимательно следит за целым рядом аспектов военных приготовлений Германии, по которым ГРУ точно определит момент, когда приготовления к вторжению начнутся. Пока никаких приготовлений нет. Сталин потребовал объяснить, насколько точно Голиков может это знать. Голиков ответил, что может это сообщить только одному Сталину лично и никому больше.

Впоследствии Голиков регулярно докладывал Сталину лично, сообщая каждый раз о том, что подготовка к вторжению пока не началась.

21 июня 1941 года состоялось заседание Политбюро. Голиков доложил о грандиозной концентрации германских войск на советских границах, об огромных запасах боеприпасов, о перегруппировке германской авиации, о германских перебежчиках и о многом-многом другом. Голикову были известны номера почти всех германских дивизий, имена их командиров, места их расположения. Было известно очень многое, включая название операции «Барбаросса», время ее начала и многие важнейшие секреты. После этого Голиков доложил, что подготовка к вторжению пока не начиналась, а без подготовки на-

чинать войну невозможно. На заседании Политбюро Голикову был задан вопрос, ручается ли он за свои слова. Голиков ответил, что отвечает головой за свою информацию и, если он ошибся, то Политбюро вправе сделать с ним именно то, что было сделано со всеми его предшественниками.

Через 10—12 часов после этого началась операция «Барбаросса». Что сделал Сталин с Голиковым? Не бойтесь, ничего плохого. Уже 8 июля Сталин доверяет Голикову поездку в Великобританию и США и лично его инструктирует. После успешного визита Голиков командует армиями и фронтами, а в 1943 году Сталин назначает Голикова на важнейший пост заместителя Наркома обороны (т. е. заместитель Сталина) по кадрам. К деликатному вопросу подбора и расстановки кадров Сталин допускал только самых проверенных людей. Берия, к примеру, не допускал.

Далее Голиков уже после смерти Сталина поднимается еще выше и становится Маршалом Советского Союза.

Понятно, что в своих мемуарах он ни слова не говорит о том, как он контролировал приготовления Германии к войне, как остался жив, почему после «Барбароссы» так стремительно пошел вверх.

Если вспомнить судьбу всех его предшественников, при которых не случилось ничего подобного германскому вторжению, и сравнить их судьбы с судьбой Голикова, то недоумению не хватит границ.

Лично меня загадка Голикова мучила давно, и в Академии ГРУ я нашел для себя ответ. Затем, работая в центральном аппарате ГРУ, я нашел подтверждения найденному мной ответу.

Голиков докладывал Сталину, что Гитлер не готовится к войне против Советского Союза. Оказывается, Голиков докладывал Сталину правду. Гитлер действительно к войне против Советского Союза не готовился.

Голиков знал, что Сталин документам не верит (Голиков тоже не верил), поэтому, считал Голиков, надо найти какие-то ключевые индикаторы, которые безоши-бочно покажут момент начала приготовлений Гитлера к войне против Советского Союза. Голиков такие индика-торы нашел. Всем резидентам ГРУ в Европе было при-казано следить за баранами, внедрить свою агентуру во все ключевые организации, прямо или косвенно связан-ные с «бараньей проблемой». В течение нескольких ме-сяцев были собраны и тщательно обработаны сведения о количестве баранов в Европе, об основных центрах их выращивания, о скотобойных центрах. Голиков дважды в день получал сведения о ценах на баранье мясо в Европе.

Кроме того, советская разведка начала настоящую охоту за грязными тряпками и промасленной бумагой, которую солдаты оставляют в местах чистки оружия. В Европе германских войск было много. Войска распола-гались в полевых условиях. Каждый солдат минимум раз в день чистит свое оружие. Тряпки и бумагу, которая используется при чистке оружия, обычно сжигают или закапывают в землю. Но, конечно, это правило не везде полностью соблюдалось, поэтому ГРУ имело достаточно возможностей получить огромное количество грязных тряпок.

Грязные тряпки в довольно больших количествах переправлялись через границу. Чтобы не вызывать подо-зрений, какую-то железяку заворачивали в тряпку и раз-ными путями переправляли в СССР. В случае любых осложнений полиция обращает внимание на металли-ческую деталь (обычно это совершенно безобидная же-лезяка), но не на грязную тряпку, в которую она была завернута.

Кроме того, через границу легально и нелегально в гораздо больших количествах, чем обычно, переправля-лись керосиновые лампы, керогазы, примусы, разного рода примитивные фонари и зажигалки.

Все это анализировалось сотнями советских экспер-тов и немедленно докладывалось Голикову, а Голиков информировал Сталина, что Гитлер подготовку к вторжению в СССР еще не начинал, а на всякие концентрации войск и на документы германского Генерального штаба внимания обращать не следует.

Голиков считал (совершенно обоснованно), что для войны против Советского Союза нужна очень серьезная подготовка. Важнейшим элементом готовности Германии к войне против Советского Союза являются бараньи тулупы. Их требуется огромное количество — не менее 6 000 000. Голиков знал, что в Германии нет ни одной дивизии, готовой воевать в СССР. Он тщательно следил за европейскими баранами. Он знал совершенно точно, что как только Гитлер действительно решит напасть на СССР, он должен отдать приказ на подготовку операции. Немедленно Генеральный штаб даст приказ промышленности начать производство миллионов тулупов. Этот момент неизбежно отразится на европейском рынке. Несмотря на войну, цены на баранье мясо должны дрогнуть и пойти вниз из-за одновременного уничтожения миллионов животных. В тот же момент цены на бараньи шкуры должны были резко пойти вверх.

Голиков считал, что для войны в СССР германская армия должна использовать новый сорт смазочного масла для своего оружия. Обычное германское ружейное масло застывало на морозе, части смерзались, и оружие не действовало. Голиков ждал, когда в германской армии будет сменен сорт масла для чистки оружия. Советская экспертиза грязных тряпок показывала, что Вермахт пользуется своим обычным маслом и нет никаких указаний к переходу на новое масло. Советские эксперты следили и за германским моторным топливом. Обычное германское топливо на морозе разлагалось на несгораемые фракции. Голиков знал, что если Гитлер решится, несмотря ни на что, на самоубийственный шаг воевать на два фронта, то он (или его Генеральный штаб) должен отдать приказ сменить марку производимого жидкого топлива и начать массовое производство топлива, которое не разлагается на морозе. Именно образцы германского жидкого топлива советская разведка переправляла через границу в зажигалках, фонарях и других подобных предметах. Было еще множество аспектов, которые находились под тщательным контролем ГРУ и которые должны были стать предупреждающим сигналом.

Но Гитлер начал операцию «Барбаросса» без всякой подготовки!

Почему Гитлер так поступил, наверное, навсегда останется загадкой. Германская армия была создана для войны в Западной Европе, но Гитлер ничего не сделал для подготовки своей армии к войне в России.

Сталину не за что было наказывать Голикова. Голиков сделал все, что было в человеческих силах, и даже больше, чтобы вскрыть подготовку к вторжению, но такой подготовки не было. Была только концентрация огромного количества германских войск. Голиков же приказал принимать во внимание не все германские дивизии, а только те, которые готовы к вторжению, т. е. такие дивизии, каждая из которых на своих складах имела по 15 000 бараньих тулупов. Таких, готовых к войне дивизий, во всем Вермахте не было.

Не вина Голикова в том, что он не увидел приготовлений к вторжению. Серьезных приготовлений, которых он ожидал, не было, поэтому он их и не увидел.

ГЛАВА 31

КАК ГИТЛЕР СОРВАЛ ВОЙНУ

> Нас вполне подготовили к агрессивной войне. И тут уж не наша вина, что агрессию совершили не мы.
>
> *Генерал-майор П.Г. Григоренко*

1

17 июня 1945 года группа советских военных следователей провела допрос высших военных лидеров фашистской Германии. В ходе допроса генерал-фельдмаршал В. Кейтель заявил: «Я утверждаю, что все подготовительные мероприятия, проводившиеся нами до весны 1941 года, носили характер оборонительных приготовлений на случай возможного нападения Красной Армии. Таким образом, всю войну на Востоке в известной мере можно назвать превентивной... Мы решили... предупредить нападение Советской России и неожиданным ударом разгромить ее вооруженные силы. К весне 1941 года у меня сложилось определенное мнение, что сильное сосредоточение русских войск и их последующее нападение на Германию может поставить нас в стратегическом и экономическом отношениях в исключительно критическое положение... В первые же недели нападение со стороны России поставило бы Германию в крайне невыгодные условия. Наше нападение явилось непосредственным следствием этой угрозы...»

Генерал-полковник А. Йодль — главный конструктор германских военных планов — стоял на том же. Советские следователи активно пытались сбить Кейтеля и Йодля с этой позиции. Не вышло. Кейтель и Йодль свою позицию не изменили, и по приговору так называемого «международного трибунала» в Нюрнберге были повешены в числе «главных виновников войны». Одно из основных обвинений против них — «развязывание неспровоцированной агрессивной войны» против Советского Союза.

Прошло 20 лет, и появились новые свидетельства. Мой свидетель — Адмирал Флота Советского Союза Н.Г. Кузнецов (в 1941 году — адмирал, Нарком ВМФ СССР, член ЦК, член Ставки Главного командования с момента ее создания). Вот его показания: «Для меня бесспорно одно: И.В. Сталин не только не исключал возможности войны с гитлеровской Германией, напротив, он такую войну считал... неизбежной... И.В. Сталин вел подготовку к войне — подготовку широкую и разностороннюю, — исходя из намеченных им самим... сроков. Гитлер нарушил эти расчеты» (Накануне. С. 321).

Адмирал совершенно открыто и ясно говорит нам, что Сталин считал войну неизбежной и серьезно к ней готовился. Но вступить в войну Сталин намеревался не в ответ на германскую агрессию, а в момент, который сам выбрал. Другими словами, Сталин готовился ударить первым, т. е. совершить агрессию против Германии, но Гитлер нанес упреждающий удар и все планы Сталина нарушил.

Адмирал Кузнецов — это свидетель самого высокого ранга. В 1941 году он занимал положение в советской военно-политической иерархии даже более высокое, чем Жуков. Кузнецов — Нарком, Жуков — заместитель Наркома; Кузнецов — член ЦК, Жуков — кандидат.

Никто из писавших мемуары не занимал в 1941 году столь высокого положения, как Кузнецов, и никто не был так близок к Сталину, как он. Поэтому Кузнецова я считаю самым важным своим свидетелем после Сталина, конечно. Кстати, то, что говорит Кузнецов после войны, полностью совпадает с тем, что он говорил до войны, например, в 1939 году на XVIII съезде партии. Это был съезд, который наметил новый путь: сократить террор внутри страны и перенести его на соседние страны: «то, что создано в СССР, может быть создано и в других странах!» На этом съезде «победителей», которые решили стать «освободителями», речь Кузнецова едва ли не самая агрессивная. Именно за эту речь Кузнецов в конце съезда становится членом ЦК, минуя уровень кандидата, и получает пост Наркома.

Все, что говорит Кузнецов открыто, за много лет до него Сталин говорил в своих секретных речах. Все, что говорит Кузнецов, подтверждается действиями Красной Армии и флота. Наконец, адмиралу Кузнецову в данном случае надо верить и потому, что книгу его читали все друзья и враги, читали политические и военные лидеры Советского Союза, читали маршалы, дипломаты, историки, генералы и адмиралы, читали платные друзья СССР за рубежом, и НИКТО никогда не пытался отрицать слова Кузнецова!

Сравним слова Кейтеля и Кузнецова.

Генерал-фельдмаршал В. Кейтель говорит: Германия не готовила агрессию против Советского Союза, агрессию готовил Советский Союз. Германия просто защищалась от неизбежной агрессии, применив упреждающий удар. Адмирал флота Советского Союза Н.Г. Кузнецов говорит то же самое: да, Советский Союз готовился к войне и неизбежно в нее вступил бы, но Гитлер своим ударом эти планы сорвал.

Мне понятно, что в Нюрнберге судьям из «международного трибунала» не хватило желания (и профессиональной честности) найти настоящих виновников войны. Но мне непонятно, почему те же «судьи» после признаний адмирала Кузнецова не собрались срочно в Нюрнберге и не сняли **часть** обвинений против Кейтеля, Йодля, германского Вермахта и вообще всей Германии?

Господа судьи, не могли бы вы нам объяснить свою странную позицию? Обвиняемые в Нюрнберге свою вину в агрессии против СССР не признали. «Потерпевшая» сторона признает, что никто против нее агрессию не совершал, наоборот, «потерпевший» сам готовился к удару. Почему же вы, господа судьи, так спешили повесить

Кейтеля и Йодля, но не спешите повесить Кузнецова, Жукова, Молотова?* Почему, господа судьи, вы сохраняете в силе ваши обвинения против Германии, но не спешите выдвинуть обвинений против СССР?

2

Советские маршалы и генералы не скрывают своих намерений. Начальник Академии Генерального штаба генерал армии С.П. Иванов с группой ведущих советских историков написали научное исследование — «Начальный период войны». В этой книге Иванов не только признает, что Гитлер нанес упреждающий удар, но и называет срок: «немецко-фашистскому командованию буквально в последние две недели перед войной удалось упредить наши войска» (С. 212).

Если Советский Союз готовился к обороне или даже к контрнаступлению, то упредить это нельзя. Если Советский Союз готовил удар, то этот удар можно упредить ударом, который наносится другой стороной чуть раньше. В 1941 году, как говорит Иванов, германский удар был нанесен с упреждением в две недели.

Таких признаний немало. Вот, только в качестве примера, еще одно. Взято из Военно-исторического журнала (1984, № 4). Журнал является органом Министерства обороны СССР и не может быть опубликован без виз министра обороны и начальника Генерального штаба (в то время — Маршалы Советского Союза С.Л. Соколов и С.Ф. Ахромеев). Военно-исторический журнал объясняет, зачем вблизи границы создавались запасы боеприпасов, жидкого топлива, продовольствия. Ответ простой — для наступательных действий.

На странице 34 открыто говорится, что германское нападение сорвало советские планы.

---

* Когда автор работал над книгой, эти советские деятели были еще живы. — *Ред.*

А ведь если бы Красная Армия готовилась к обороне или даже к контрнаступлению, то сорвать ее планы не так просто, наоборот, германское вторжение служит сигналом советским войскам начать выполнение намеченных планов. И только в том случае, если Красная Армия готовилась к наступлению, то германское вторжение может эти планы сорвать, т.к. войска вместо действий по планам вынуждены обороняться, т. е. импровизировать, делать то, что не предусмотрено.

3

А теперь вернемся в июнь 1941 года.

6 июня 1941 года германская разведка получила сведения о том, что советское правительство намерено перебраться в Свердловск.

В Германии об этом узнают только Гитлер и самые приближенные к нему люди. Доктор Геббельс в своем дневнике делает пометку, что такое сообщение получил. Геббельс очень нелестно отзывается о советском руководстве и его намерении сбежать подальше на восток.

И только спустя много десятилетий мы по достоинству можем оценить сообщение о переезде советского правительства. Сейчас-то мы знаем, что в Свердловске был создан **ложный командный пункт.** Только в ходе войны выяснилось, что в качестве запасной столицы был подготовлен не Свердловск, а Куйбышев, куда в критической обстановке перебрались многие правительственные учреждения Советского Союза и иностранные посольства. Но и Куйбышев — это не вся правда, а только полуправда. В Куйбышеве были сосредоточены те учреждения, потеря которых не оказывала влияния на устойчивость высшего военно-политического руководства страны. Верховный Совет с «президентом» Калининым, второстепенные наркоматы, посольства. Все важные учреждения находились рядом, но не в Куйбышеве, а в гигантских подземных тоннелях, вырубленных в скалах Жигулей. Перед войной строительство этого гиганта было замаскировано строительством другого гиганта — Куйбышевской ГЭС. Сюда гнали тысячи зеков, тысячи тонн строительных материалов и строительную технику, и всем ясно зачем — для строительства ГЭС. После войны всю гигантскую стройку передвинули вверх по течению Волги и возвели ГЭС на новом месте. Первое место строительства было выбрано там, где ГЭС построить нельзя, но где можно построить великолепный подземный, точнее — подскальный, КП.

В германских предвоенных архивах я не нашел никаких упоминаний о Куйбышеве как запасной столице, тем более ничего о подземном командном пункте в Жигулях. Германская разведка имела только сведения о переезде советского правительства на командный пункт в Свердловске. Но правительство не может переезжать на командный пункт, который не существует. Кто же распространяет сведения о переезде на ложный командный пункт? Это делать может только тот, кто этот ложный командный пункт выдумал, т. е. советское правительство, точнее — глава этого правительства И.В. Сталин. Ложный командный пункт для того и создается, чтобы однажды противник о нем узнал. Этот момент настал, и германская разведка получила «секрет», который сфабрикован специально для нее.

Сообщение германской разведки о намерении советского правительства переехать в Свердловск — это «секрет» из той же серии, что и речь Сталина, болтовня советских послов и Сообщение ТАСС.

Если германская разведка получила ложные сведения о намерениях советского руководства — значит, советское руководство именно в данный момент старается что-то скрыть. Нетрудно догадаться, о чем идет речь. Если советское руководство распространяет ложные сведения о своем намерении перебраться на восток, то, наверное, оно намерено сделать нечто противоположное.

Хитрость заключалась в том, что помимо мощного командного пункта в Жигулях, расположение которого хотя и трудно, но возможно было определить, существовал еще один правительственный командный пункт. Он представлял собой железнодорожный состав. В случае войны этот КП под прикрытием нескольких бронепоездов НКВД, в сопровождении трех поездов наркомата связи мог в любой момент появиться в районе боевых действий. Эта способность быть рядом с районом главных событий войны отражалась в названии поезда — ГПКП — Главный передовой командный пункт. Для этого КП было создано несколько тщательно укрытых и замаскированных стоянок, к которым еще в мирное время подведены линии правительственной связи. К линиям связи надо было просто подключить аппаратуру поездов.

Не надо объяснять, что подвижной КП предназначался для наступательной войны, для ситуации, когда войска стремительно уходят вперед, а командование со своими громоздкими средствами управления и связи должно поспевать за наступающими фронтами и армиями. В оборонительной войне проще, надежнее, безопаснее управлять из кремлевского кабинета, с подземной станции московского метро или из жигулевских тоннелей.

Если собрать малые кусочки информации и объединить их вместе, то мы с определенной долей уверенности сможем утверждать, что на железнодорожной магистрали Минск — Вильнюс (ближе к Вильнюсу) располагался или должен был располагаться командный пункт очень крупного калибра.

Через несколько дней после того, как германские руководители получили «секретное» сообщение о переезде советского правительства на восток, начался секретный переезд советского правительства к советским западным границам в районы Минска и Вильнюса.

Каждый военный человек знает, как перемещается крупный штаб на учениях или в боевой обстановке. Оперативный отдел выбирает место будущего штаба, вышестоящий командир это место утверждает и дает разрешение на перемещение. Лес, в котором будет располагаться штаб, оцепляют, не пропускают посторонних, затем тут появляются саперы и связисты, которые готовят укрытия и систему связи, затем появляется начальник связи данного формирования (дивизии, корпуса, армии, фронта) и лично проверяет, что с данного места связь надежно работает со всеми важными абонентами, и после этого, наконец, появляется сам штаб, офицерам которого остается только подключить свои телефоны и шифровальные машины к отлаженной и заранее проверенной системе связи.

Красная Армия в 1941 году работала как единый отлаженный механизм: в приграничных лесах появляются десятки начальников связи стрелковых и механизированных корпусов, вслед за ними начинается тайное развертывание командных пунктов этих корпусов. Немедленно вслед за этим в других лесах появляются начальники связи армий, их появление — признак, что скоро тут появятся штабы армий. Признак верный, и штабы действительно появляются. Вот прямо в день опубликования Сообщения ТАСС в укромных местах заповедных, хорошо охраняемых лесов появились начальники связи фронтов. Связь проверена, и штабы фронтов тайно вытягивают свои колонны на перемещение.

Настал момент и более крупному начальнику связи появиться в 150 километрах от границ Восточной Пруссии. Сюда, в Вильнюс, тайно едет Народный комиссар связи И.Т. Пересыпкин. Можем ли мы догадываться, для кого Пересыпкин едет проверять связь? У наркома Пересыпкина только один начальник — Председатель Совнаркома товарищ И.В. Сталин.

Нарком связи едет к границам Восточной Пруссии так, чтобы никто не мог знать об этом. Нарком едет обычным поездом, который идет по обычному расписанию, но к поезду сзади прицеплен дополнительный особый вагон, в котором и находится сам Пересыпкин и его заместители. Переезд Наркома связи — абсолютная тайна. Даже шифровки, которые Пересыпкин получает из Москвы, подписаны его же именем: «Пересыпкин», чтобы шифровальщики правительственной связи знали, что Пересыпкин все еще находится в Москве и никуда не уезжал.

Но лучше послушать самого И.Т. Пересыпкина. Товарищ маршал войск связи, вам слово:

«Буквально в самый канун войны И.В. Сталин поручил мне выехать в Прибалтийские республики. Это ответственное задание я почему-то связывал с надвигавшимися военными событиями. Вечером 21 июня 1941 года вместе с группой ответственных работников Наркомата связи я выехал в Вильнюс. Мы находились в пути, когда началась война...» («Связь». 1972. С. 17).

Утром 22 июня на станции Орша Пересыпкин получил из Москвы телеграмму: «СВЯЗИ ИЗМЕНЕНИЕМ ОБСТАНОВКИ НЕ СОЧТЕТЕ ЛИ ВЫ НУЖНЫМ ВЕРНУТЬСЯ В МОСКВУ. ПЕРЕСЫПКИН» (Там же. С. 32—33).

Пересыпкин едет по железным дорогам, которые не только полностью военизированы, но и несколько дней назад получили приказ перейти на режим военного времени и быть в готовности работать в боевой обстановке (В.А. Анфилов. Бессмертный подвиг. С. 184). Пересыпкин едет в районы, где войска гигантскими массами тайно сосредоточиваются к границам, имея приказ взять с собой «только необходимое для жизни и боя» (Там же). Пересыпкин едет на территорию военного округа, где уже существует фронт, где штаб **уже разослал** совершенно секретные данные тысячам исполнителей, данные, которые **до начала войны рассылать запрещено**. Пересыпкин едет в район, где тайно создается правительственный командный пункт. Пересыпкин едет по личному приказу Сталина и знает, что эта «поездка связана с надвигающимися военными событиями».

Но Гитлер напал, и вот Пересыпкин, бросив свой секретный вагон, на попавшейся под руку грузовой машине мчится в Москву.

Выходит, что если бы Гитлер не напал, то Нарком связи товарищ Пересыпкин прибыл бы на тайный командный пункт в районе Вильнюса и действовал бы в соответствии с «надвигавшимися военными событиями», т. е. координировал системы военной, правительственной и государственной связи в войне. Но оттого, что Гитлер напал, поездку на войну пришлось срочно отменить.

Сталин посылает Пересыпкина на войну, но нападение Гитлера — это полная неожиданность и для Сталина, и для Пересыпкина. Нападение Гитлера — это «изменение ситуации» настолько серьезное, что заставляет отменить многие важнейшие мероприятия советского правительства и заставляет импровизировать, вплоть до возвращения Наркома в Москву на первой попавшейся грузовой машине.

ЧЛЕНЫ СОВЕТСКОГО ПРАВИТЕЛЬСТВА УЖЕ ВЫЕХАЛИ НА ВОЙНУ ПРОТИВ ГЕРМАНИИ, НА ВОЙНУ, В КОТОРОЙ ГЕРМАНСКОЕ ВТОРЖЕНИЕ НЕ ПРЕДВИДЕЛОСЬ.

4

В ту же ночь по той же железной дороге Москва — Минск намечалось перемещение в западные районы страны руководящих лидеров Народного комиссариата обороны, НКВД, Наркомата государственного контроля и других важнейших правительственных учреждений Советского Союза. Цель поездки — война. К тайной поездке к западным границам готовились Народный комиссар внутренних дел, кандидат в члены Политбюро, генеральный комиссар государственной безопасности Л.П. Берия; член ЦК, Нарком государственного контроля, армейский комиссар 1-го ранга Л.З. Мехлис; кандидат

ЦК, Нарком обороны Маршал Советского Союза С.К. Тимошенко и другие лидеры сталинской империи. Не исключено, что к тайной поездке на запад готовился и сам товарищ Сталин.

Для каждого лидера была создана смешанная группа из высших представителей руководства наиболее важных в войне наркоматов. Утром 21 июня 1941 года создание оперативных групп было завершено. Каждая группа ждала только своего лидера, который находился в Кремле на последнем заседании Политбюро, чтобы тайно сопровождать его на войну. Все члены оперативных групп утром 21 июня знают, что они едут на войну. Правда, они знают место назначения — Минск (что тоже правильно), но не Вильнюс, до которого от Минска рукой подать.

Все члены групп знают, что Советский Союз уже вступил в войну против Германии, хотя об этом еще официально не объявлено и хотя боевые действия еще не начались. Для того группы и направляются тайно на запад, чтобы эти действия начать!

Но удивительная вещь: никто, включая и лидеров групп, которые заседают в Кремле, не подозревает о готовящемся германском вторжении. Более того, когда такие сведения вечером начинают поступать каскадом, высшие советские руководители отказываются в них верить. Из Кремля, из Наркомата обороны, из Генерального штаба сыплются на границу директивы и грозные телефонные окрики: на провокации не поддаваться!

Вот тут возникает вопрос: если советские руководители не верят в возможность германского вторжения, на какую же войну они собрались? Ответ один: на войну, которая должна начаться БЕЗ ГЕРМАНСКОГО ВТОРЖЕНИЯ.

Группы сопровождения лидеров проводят томительные часы в ожидании, и наконец в 6 утра 22 июня им сообщают, что поездка к западным границам отменяется, т. к. Гитлер сам начал войну.

Если советские лидеры собирались ехать на тайные командные пункты у западных границ, чтобы сдержать германское вторжение, то, получив сигнал о таком вторжении, они должны были поспешить на запад, но они отменяют свои поездки на войну. Они готовы были появиться у границ и руководить войной, но такой, которая начинается не по германским сценариям, а по советским. Гитлер их этого удовольствия лишил.

Вот стандартное свидетельство.

Я его выбрал из других только оттого, что оно самое свежее. Свидетель Д.И. Ортенберг на 21 июня 1941 года занимал пост заведующего организационно-инструкторским отделом Народного комиссариата государственного контроля. Он сам описывает свою должность: «по военным понятиям — вроде начальника штаба».

Генерал-майор Д.И. Ортенберг, вам слово:

«Иногда меня спрашивают:

— Ты когда на войну ушел?

— Двадцать первого июня.

— ?!

Да, это было так.

...Утром меня вызвали в Наркомат обороны и сказали, что группа работников Наркомата во главе с маршалом С.К. Тимошенко выезжает в Минск. Предупредили, что я поеду с ней. Предложили отправиться домой, переодеться в военную форму и явиться в Наркомат ...В приемной Наркома обороны полным-полно военного народа. С папками, картами, заметно возбужденные. Говорят шепотом. Тимошенко уехал в Кремль... 22 июня около пяти часов утра Нарком вернулся из Кремля. Позвал меня:

— Немцы начали войну. Наша поездка в Минск отменяется» (Д.И. Ортенберг. Июнь — декабрь сорок первого. С. 5—6).

Неизвестно откуда пришла легенда о том, что 22 июня 1941 года Гитлер начал войну на востоке, чуть ли не насильно втянув Советский Союз в войну. А если мы послушаем тех, кто находился действительно рядом с самыми главными советскими лидерами в те дни, часы и минуты, то все выглядит совсем по-другому: 22 июня 1941 года Гитлер сорвал сталинский план войны, Гитлер перенес войну на территорию, где она родилась 19 августа 1939 года. Гитлер не позволил советским лидерам вести войну так, как они намечали, заставив их импровизировать и делать то, к чему они не готовились: защищать свою собственную территорию. Гитлер, конечно, не мог остановить натиск мирового коммунизма, но осадил, задержал, ослабил его.

Все это не я придумал.

Так говорят сами советские генералы.

ГЛАВА 32

БЫЛ ЛИ У СТАЛИНА ПЛАН ВОЙНЫ

> Поскольку Сталин не разъяснял и не излагал своих точек зрения и планов, многие думали, что он их вообще не имел, — типичная ошибка болтливых интеллигентов.
>
> *Роберт Конквест*

1

«Стратегическая оборона являлась вынужденным видом боевых действий, она заранее не планировалась», — так говорят советские военные учебники (В.А. Анфилов. Бессмертный подвиг. С. 517). Но и без учебников мы знаем, что оборонительные действия Красной Армии летом 1941 года были чистой импровизацией. Красная Армия перед войной к обороне не готовилась, учений на оборонительные темы не проводила. В советских уставах об обороне в стратегическом масштабе нет ни слова. Красная Армия не только не имела оборонительных планов, но даже чисто в теоретическом плане проблемы ведения оборонительных операций не разрабатывались. Более того, к обороне советский народ и его армия были не готовы даже морально. Народ и армия готовились к выполнению оборонительных задач наступательными методами: «Именно интересы обороны потребуют от СССР вести широкие наступательные операции на территории врагов, и это ни в коей мере не противоречит характеру оборонительной войны» («Правда», 19 августа 1939 г.).

С первых часов германского вторжения Красная Армия пыталась переходить в наступление. В современных учебниках эти действия называются контрударами и контрнаступлениями. Но и это импровизация. Ни на одних предвоенных учениях проблема контрудара не отрабатывалась, более того, она не рассматривалась даже теоретически: «Вопрос о контрнаступлении... перед Великой Отечественной войной не ставился» (История Великой Отечественной войны Советского Союза. 1941—1945. Т. 1. С. 441).

Итак, перед войной советские штабы не разрабатывали планов обороны и не разрабатывали планов контрнаступлений. Может быть, они вообще ничего не делали? Нет, они усиленно работали. Они разрабатывали планы войны. Маршал Советского Союза А.М. Василевский свидетельствует, что в последний год перед войной офицеры и генералы Генерального штаба, штабов военных округов и флотов работали по 15—17 часов в сутки без выходных дней и отпусков. Об этом же говорят маршалы Баграмян, Соколовский, генералы армии Штеменко, Курасов, Маландин и многие другие. Есть сообщения, что генерал Анисов работал по 20 часов в сутки, то же самое говорят и о генерале Смородинове.

В феврале 1941 года начальником Генерального штаба стал генерал армии Г.К. Жуков. С этого момента Генштаб, по существу, перешел на режим военного времени. Жуков сам работал напряженно и никому не позволял расслабляться. Ранее, летом 1939 года, Жуков, тогда еще в ранге комкора, появился на Халхин-Голе. Он лично ознакомился с обстановкой, быстро составил планы и начал интенсивно их осуществлять. Малейшее небрежение в работе для любого подчиненного означало немедленную смерть. За несколько дней Жуков отправил под трибунал семнадцать офицеров с требованием смертной казни. Трибунал во всех случаях такие приговоры выносил. Из семнадцати, получивших высшие приговоры, один был спасен вмешательством вышестоящего командования, остальные расстреляны. В феврале 1941 года Жуков поднялся на огромную высоту, его власть увеличилась во много раз, и уже не было никого, кто мог бы спасти несчастного от его гнева. Ветераны Генерального штаба вспоминают правление Жукова как самый страшный период в истории, страшнее, чем великая чистка. В то время Генеральный штаб и все остальные штабы работали с нечеловеческим напряжением.

Как же могло случиться, что Красная Армия вступила в войну без планов? Непонятно и другое. Если Красная Армия вступила в войну без планов, то Сталин, узнав об этом, должен был расстрелять Жукова и всех, кто принимал участие в разработке планов. Этого не случилось. Наоборот, участники разработки советских планов: Василевский, Соколовский, Ватутин, Маландин, Баграмян, Штеменко, Курасов, начав войну в звании генерал-майора или даже полковника, завершили ее в маршальских званиях или минимум с четырьмя генеральскими звездами. Все они проявили себя в войне блистательными стратегами. Все они добросовестные и даже педантичные штабисты, которые не мыслят жизни без плана. Как же получилось, что Красная Армия в первые месяцы войны была вынуждена импровизировать? И почему Сталин не только не расстрелял Жукова и его планировщиков, но ни разу даже не упрекнул их?

На прямой вопрос, были ли планы войны у советского командования, Жуков отвечает категорически: да, были. Тогда возникает вопрос: если планы были, почему Красная Армия действовала стихийной массой без всяких планов? На этот вопрос Жуков ответа не дал. А ответ тут сам собой напрашивается. Если советские штабы работали очень интенсивно, разрабатывая планы войны, но это были не оборонительные и не контрнаступательные планы, то — какие тогда? Ответ: чисто наступательные.

Сталин не расстрелял Жукова и других планировщиков войны по очень простой причине: им никогда не ставилась задача разрабатывать планы на случай оборонительной войны. В чем же их обвинять? Жукову, Василевскому, Соколовскому и другим выдающимся стратегам

Сталин поставил задачу разработать какие-то другие планы. Это были очень хорошие планы, но с первого момента оборонительной войны они стали ненужными: как автострадные танки, как десантные корпуса.

2

Шила в мешке не утаишь.

Советское командование предприняло меры, чтобы уничтожить все, что относилось к советским довоенным планам войны. Но планы имели все фронты, флоты, десятки армий, более сотни корпусов, все боевые корабли, сотни дивизий, тысячи полков и батальонов. Кое-что да осталось.

Исследования Академии наук СССР показали, что советский Черноморский флот перед войной имел боевую задачу «на активные боевые действия против вражеских кораблей и транспортов у Босфора и на подходах к базам противника, а также содействие сухопутным войскам при их движении вдоль побережья Черного моря» (Флот в Великой Отечественной войне. С. 117).

Адмирал Флота Советского Союза С.Г. Горшков сообщает, что не только Черноморский, но и Балтийский и Северный флоты имели чисто оборонительные задачи, но их выполнение планировалось наступательными методами. Адмирал Горшков ничего не придумал. Так считалось и до войны. Так говорилось и на секретных совещаниях советского командования, и открыто в газете «Правда». «Вести оборонительную войну — это отнюдь не значит стоять на рубежах своей страны. Лучший вид обороны — стремительное наступление до полного уничтожения противника на его территории» (14 августа 1939 г.).

Действия советских флотов в первые минуты, часы и дни войны достаточно ясно показывают, что они имели планы, но это были не оборонительные планы. 22 июня

1941 года советские подводные лодки Черноморского флота немедленно вышли в море к берегам Румынии, Болгарии и Турции. В тот же день подводные лодки Балтийского флота вышли к берегам Германии, имея задачу «топить все корабли и суда противника по праву неограниченной подводной войны» (Приказ командующего Балтийским флотом от 22 июня 1941 года). Приказ не делал исключения даже для госпитальных судов под флагом Красного Креста (!).

Начиная с 22 июня авиация Черноморского флота вела активные боевые действия в интересах Дунайской военной флотилии с целью открыть ей путь вверх по течению реки. 25—26 июня надводные боевые корабли Черноморского флота появились в районе румынского порта Констанца и провели интенсивный артиллерийский обстрел с явным намерением высадки морского десанта. В то же время Дунайская военная флотилия начала десантные операции в дельте Дуная.

22 июня гарнизон советской военно-морской базы Ханко, расположенной на финской территории, не перешел к глухой обороне, а начал интенсивные десантные операции, захватив за несколько дней 19 финских островов. 25 июня, несмотря на огромные потери советской авиации в первые минуты и часы войны, 487 самолетов Балтийского и Северного флотов нанесли внезапный удар по аэродромам Финляндии. Несмотря на огромные потери, советская авиация вела себя дерзко и агрессивно. 22 июня 1-й авиационный корпус нанес массированный удар по военным объектам Кенигсберга. Это не импровизация. Утром 22 июня в 6.44 советская авиация получила приказ действовать по планам. Несколько дней она пыталась это делать. 26 июня 1941 года 4-й авиационный корпус начал бомбардировки нефтяных полей Плоешти в Румынии. За несколько дней бомбардировок добыча нефти в Румынии упала почти в два раза. Даже в условиях, когда практически вся советская авиация была подавлена на

своих аэродромах, у нее нашлось достаточно сил нанести огромный ущерб нефтяным промыслам Румынии. В любой другой ситуации советская авиация была бы еще более опасна и могла своими действиями по нефтяным промыслам полностью парализовать всю германскую военную, индустриальную и транспортную мощь. Гитлер слишком хорошо понимал угрозу и считал вторжение в СССР единственной для себя защитой. Правда, и это его не спасло...

3

Реакция Красной Армии на германское вторжение — это не реакция ежа, который ощетинился колючками, но реакция огромного крокодила, которому нанесли внезапный сверхмощный удар. Истекая кровью, советский крокодил пытается атаковать. Крокодил умеет осторожно красться к своей жертве и внезапно атаковать. В момент, когда крокодил крался к жертве, он сам получил жесточайший удар, но даже это не останавливает его, и вот крокодил атакует. Он не умеет делать ничего более, и он не меняет своего намерения. 22 июня 1941 года 41-я стрелковая дивизия 6-го стрелкового корпуса 6-й армии, не дожидаясь приказов сверху, действуя по предвоенным планам, перешла государственную границу в районе Рава-Русская. Утром 22 июня 1941 года командующий Северо-Западным фронтом генерал-полковник Ф.И. Кузнецов, не дожидаясь приказа Москвы, отдает приказ своим войскам нанести удар в направлении Тильзит в Восточной Пруссии. Для штаба Северо-Западного фронта, для командующих армиями и их штабов такое решение — не сюрприз: вариант удара на Тильзит за несколько дней до этого разыгрывался на штабных учениях «и был хорошо знаком командирам соединений и их штабам» (Борьба за Советскую Прибалтику. С. 67).

Действия командующего Северо-Западным фронтом — это не импровизация. Просто генерал-полковник Кузнецов ввел в действие предвоенный план. Вечером того же дня высшее военное командование, еще не зная о действиях генерала Кузнецова, приказывает ему делать именно то, что он уже делает: нанести удар на Тильзит в Восточной Пруссии. Соседнему Западному фронту высшее командование ставит задачу нанести сверхмощный удар в направлении польского города Сувалки. И для командующего Западным фронтом генерала армии Д.Г. Павлова это не сюрприз. Он и сам знает задачу своего фронта и задолго до московской директивы уже отдал приказ наступать на Сувалки. Правда, в условиях, когда германская авиация не подавлена внезапным ударом, наоборот, когда советский Западный фронт в первые часы войны потерял 738 самолетов, наступать — это совсем не лучший вариант.

Западный фронт, его командующий и штаб, командующие армиями и их начальники штабов задолго до войны знали, что их ближайшая задача — окружение германской группировки в районе польского города Сувалки. Советский удар в направлении Сувалки готовился задолго до войны. Боевая задача была определена всем советским командирам. Конечно, командиры тактического уровня этих задач знать не имели права, но эти задачи в вышестоящих штабах были четко определены и сформулированы, опечатаны в секретные пакеты и хранились в сейфах каждого штаба, до батальона включительно. Пример: разведывательный батальон 27-й стрелковой дивизии, сосредоточенный у границы в районе города Августов, готовился к ведению боевой разведки в направлении польского города Сувалки (Архив МО СССР. Фонд 181. Опись 1631. Дело 1. Лист 128). Задача разведывательного батальона — обеспечить стремительное наступление всей 27-й дивизии из района Августов на Сувалки. Из открытых источников мы знаем даже больше, чем из архивов. До войны в районе Августов были сосредоточены огромные советские силы.

Это именно то место, где советские пограничники режут колючую проволоку на своих границах. Это именно то место, где командующий 3-й армией генерал-лейтенант В.И. Кузнецов и представитель Главного командования генерал-лейтенант инженерных войск Д.М. Карбышев долгими часами с пограничных застав просматривают германскую территорию. Это то самое место, где генерал Карбышев готовит штурмовые группы для блокировки и нейтрализации железобетонных оборонительных сооружений противника. Но на советской территории нет и быть не может железобетонных оборонительных сооружений противника!

Задолго до войны в районе Августова были собраны чудовищные массы советских войск. Здесь, на советской территории, у самой границы и параллельно ей проходит Августовский канал. Если бы готовилась оборона, то войска следовало расположить позади канала, используя его в качестве необходимого противотанкового рва. Но советские войска переправились через канал на его западный берег и расположились на узкой полоске местности между границей, на которой уже снята колючая проволока, и каналом. На рассвете 22 июня тысячи советских солдат были тут истреблены внезапным губительным огнем. Войскам некуда было отходить: позади канал.

Может быть, это обычная русская глупость? Нет. Германские войска на той стороне границы тоже были собраны огромной массой у самой границы и тоже сняли свою проволоку. Если бы Красная Армия ударила на день раньше, то потери на той стороне были бы не меньшими. Расположение войск у самой границы исключительно опасно, в случае если противник нанесет внезапный удар, но такое расположение исключительно удобно для нанесения внезапного удара. Обе армии готовились ударить внезапно...

Советские генералы никогда не скрывали того, что перед ними ставились сугубо наступательные задачи.

Генерал армии К. Галицкий, говоря о концентрации советских войск в районе Августова, подчеркивает, что советское командование в возможность германского наступления не верило, а советские войска готовились к проведению наступательной операции.

Если советские фронты, направленные против Восточной Пруссии и Польши, готовились к наступлению, то фронты, сосредоточенные против Румынии, Болгарии, Венгрии и Чехословакии, и подавно должны были готовиться только к наступлению. Это не мое предположение. Советские генералы говорят то же самое.

Генерал-майор А.И. Михалев прямо признает, что Южный и Юго-Западный фронты советское командование не планировало использовать для оборонительных или контрнаступательных действий. «Стратегические цели предполагалось достичь переходом войск фронтов в решительное наступление» (ВИЖ. 1986. № 5. С. 49). Таких признаний вполне достаточно для того, чтобы в Нюрнберге вновь собрать трибунал и разобрать причины советско-германской войны еще раз. Германские генералы говорят, что Красная Армия готовилась к наступлению. Журнал, выпускаемый Министерством обороны СССР, говорит то же самое. В чем же вина германских генералов?

Мы можем верить или не верить советским публикациям, но действия Красной Армии в первые дни войны лучше всего говорят о советских намерениях. Жуков координировал действия Южного и Юго-Западного фронтов, нацеленных на Румынию, Болгарию, Венгрию, Чехословакию. До 30 июня 1941 года Жуков настаивал на наступлении и требовал от командующих фронтами только наступления. И только в июле он и его коллеги пришли к выводу, что крокодил, у которого почти смертельная рана, наступать не может.

Надо отдать должное советскому крокодилу, у него хватило сил отойти, залечить свою рану, не переставая отбиваться от противника, наносившего удары, набраться новых сил и дойти до Берлина. Как бы далеко пошел советский крокодил, если бы он не получил жестокого удара 22 июня, если бы не были потеряны сотни самолетов и тысячи танков, если бы не германская, а Красная Армия нанесла первый удар? Было ли у германской армии пространство для отступления? Были ли у нее неисчерпаемые людские ресурсы и время, чтобы восстановить свою армию после первого внезапного советского удара? Были ли у германских генералов оборонительные планы?

ГЛАВА 33

ВОЙНА, КОТОРОЙ НЕ БЫЛО

> Русское главное командование знает
> свое дело лучше, чем главное командо-
> вание любой другой армии.
>
> *Генерал фон Меллентин*

1

Гитлер считал советское вторжение неизбежным, но он не ожидал его в ближайшие недели. Германские войска отвлекались на проведение второстепенных операций, а начало «Барбароссы» откладывалось. 22 июня 1941 года операция наконец началась. Сам Гитлер явно не осознал, как крупно ему повезло. Если бы «Барбароссу» перенесли еще раз, например, с 22 июня на 22 июля, то Гитлеру пришлось бы покончить с собой не в 1945 году, а раньше.

Существует немало указаний на то, что срок начала **советской операции «Гроза» был назначен на 6 июля** 1941 года. Мемуары советских маршалов, генералов и адмиралов, архивные документы, математический анализ сведений о движении тысяч советских железнодорожных эшелонов — все это указывает на 10 июля как дату полного сосредоточения Второго стратегического эшелона Красной Армии вблизи западных границ. Но советская военная теория предусматривала переход в решительное наступление не после полного сосредоточения войск, а до него. В этом случае часть войск Второго стратегического эшелона можно было бы сгружать уже на территории противника и после этого вводить в бой.

Жуков (как и Сталин) любил наносить свои внезапные удары воскресным утром. 6 июля 1941 года — это последнее воскресенье перед полным сосредоточением советских войск.

Генерал армии С.П. Иванов прямо указывает на эту дату: «...германским войскам удалось нас упредить буквально на две недели».

2

Давайте представим себе, что Гитлер еще раз перенес срок начала «Барбароссы» на 3—4 недели... Давайте попытаемся представить себе, что случилось бы в данном случае. Нам не надо напрягать воображение — достаточно посмотреть на группировку советских войск, на неслыханную концентрацию войск, на аэродромы у самой границы, на десантные корпуса и автострадные танки, на скопления подводных лодок в приграничных портах и десантных планеров на передовых аэродромах. Нам достаточно открыть предвоенные советские уставы, учебники советских военных академий и военных училищ, газеты «Красная звезда» и «Правда».

Итак, германские войска ведут интенсивную подготовку к вторжению, которое назначено на... **22 июля** 1941 года. Идет сосредоточение войск. На станциях и полустанках разгружаются эшелоны, приграничные леса забиты войсками, ночами группы самолетов с дальних аэродромов перелетают на полевые аэродромы у самых границ, идет интенсивное строительство новых дорог и мостов. Одним словом, все, как в Красной Армии... Красная Армия на той стороне, кажется, никак не реагирует на германские приготовления.

6 июля 1941 года в 3 часа 30 минут по московскому времени десятки тысяч советских орудий разорвали в клочья тишину, возвестив миру о начале великого освободительного похода Красной Армии. Артиллерия Красной Армии по количеству и качеству превосходила артиллерию всего остального мира. У советских границ

были сосредоточены титанические резервы боеприпасов. Темп стрельбы советской артиллерии стремительно нарастает, превращаясь в адский грохот на тысячекилометровом фронте от Черного моря до Балтики. Первый артиллерийский залп минута в минуту совпал с моментом, когда тысячи советских самолетов пересекли государственную границу. Германские аэродромы расположены крайне неудачно — у самой границы, у германских летчиков нет времени поднять свои самолеты в воздух. На германских аэродромах собрано огромное количество самолетов. Они стоят крылом к крылу, и пожар на одном распространяется на соседние, как огонь в спичечной коробке.

Над аэродромами черными столбами дым. Эти черные столбы — ориентир для советских самолетов, которые идут волна за волной. С германских аэродромов успели подняться в воздух лишь немногие самолеты. Германским летчикам категорически запрещалось открывать огонь по советским самолетам, но некоторые летчики, вопреки приказу командования, вступают в бой, уничтожают советские самолеты, а расстреляв все патроны, идут на последнюю самоубийственную атаку лобовым тараном. Потери советских самолетов огромны, но внезапность остается внезапностью. Любая армия, включая советскую, германскую, японскую, под внезапным ударом чувствует себя не лучшим образом.

Артиллерийская подготовка набирает мощь. У самой границы поднятые по тревоге советские батальоны и полки получают водку. В приграничных лесах гремит громовое «ура», войскам читают боевой приказ Верховного главнокомандующего товарища Сталина: «Час расплаты наступил! Советская разведка вскрыла коварство Гитлера, и настало время с ним рассчитаться за все злодеяния и преступления! Чудо-богатыри, мир смотрит на вас и ждет освобождения!» В нарушение всех установленных норм и запретов солдатам объявляют количество советских войск, танков, артиллерии, самолетов, подводных лодок, которые примут участие в освободительном походе. Над лесными полянами и просеками вновь гремит «ура!» По лесным и полевым дорогам бесконечные танковые колонны, затмевая горизонт облаками пыли, выдвигаются к границам. «Не жалей огоньку, глухари»,— скалят зубы чумазые танкисты оглохшим артиллеристам. Грохот артиллерийской стрельбы нарастает и, достигнув критического уровня, вдруг обрывается. Звенящая тишина давит на уши, и тут же поля заполняют массы танков и пехоты. Лязг брони и яростный хриплый рев советской пехоты. Пороховой дым и ядовитый дым танковых дизелей смешан с тонким ароматом полевых цветов. А над головой волна за волной идут на запад сотни и тысячи советских самолетов. Артиллерия, замолкнув на минуту, снова, как бы неохотно, начинает свой могучий разговор. Артиллерия переходит от артиллерийской подготовки к артиллерийскому сопровождению. Заговорили батареи, сосредоточивая огонь на дальних целях. Медленно, но неумолимо темп стрельбы снова нарастает. В бой вступают все новые и новые артиллерийские полки, включаясь в многоголосый хор.

Советские войска, не ввязываясь в затяжные бои с разрозненными группами противника, устремляются вперед. Пограничные мосты в Бресте захвачены диверсантами полковника Старинова. Советские диверсанты удивлены: германские мосты были даже не заминированы. Чем объяснить такую вопиющую степень неготовности к войне?

Внезапность нападения действует ошеломляюще. Внезапность всегда ведет за собой целую цепь катастроф, каждая из которых тянет за собой другие: уничтожение авиации на аэродромах делает войска уязвимыми с воздуха, и они (не имея траншей и окопов в приграничных районах) вынуждены отходить. Отход означает, что у границ брошены тысячи тонн боеприпасов и топлива, отход означает, что брошены аэродромы, на которых противник немедленно уничтожает оставшиеся самолеты. Отход без боеприпасов и топлива означает неминуемую гибель. Отход означает потерю контроля со стороны командования. Командование не знает, что происходит в войсках, и потому не может принять целесообразных решении, а войска не получают приказов вообще или получают приказы, которые никак не соответствуют сложившейся обстановке. Повсеместно на линиях связи орудуют советские диверсанты, которые перешли границу заблаговременно. Они либо режут линии связи, либо подключаются к ним, передавая ложные сигналы и приказы войскам противника. Действия противника превращаются в отдельные разрозненные бои. Германские командиры запрашивают Берлин: «Что делать?» Вопрос серьезный. К обороне Вермахт не готовился. К ведению обороны войска подготовлены значительно хуже, чем к ведению наступления. Оборона на учениях не отрабатывалась, планов оборонительной войны нет. Что же делать? Наступать? Действовать по предвоенному плану «Барбаросса»? Без авиации? Без господства в воздухе?

3-я советская армия наносит внезапный удар на Сувалки. Ей навстречу идет 8-я армия из Прибалтики. С первых минут тут развернулись кровопролитные сражения с огромными потерями советских войск. Но у них преимущество: советские войска имеют новейший танк КВ, броню которого не пробивают германские противотанковые пушки. В воздухе свирепствует советская авиация. Позади германской группировки высажен 5-й воздушно-десантный корпус, 8-я, 11-я и 3-я советские армии увязли в затяжных кровопролитных боях со сверхмощной германской группировкой в Восточной Пруссии, но позади этого гигантского сражения советская 10-я армия, прорвав почти не существующую оборону, устремилась к Балтийскому морю, отрезая три германские армии, две танковые группы и командный пункт Гитлера от остальных германских войск.

Из района Львова самый мощный советский фронт наносит удар на Краков и вспомогательный — на Люблин. Правый фланг советской группировки прикрыт горами. На левом фланге разгорается грандиозное сражение, в котором Красная Армия теряет тысячи танков, самолетов и пушек, сотни тысяч солдат. Под прикрытием этого сражения две советские горные армии, 12-я и 18-я, наносят удары вдоль горных хребтов, отрезая Германию от источников нефти. В горах высажены советские десантные корпуса, которые, захватив перевалы, удерживают их, не позволяя перебрасывать резервы в Румынию.

Главные события войны происходят не в Польше и не в Германии. В первый час войны 4-й советский авиационный корпус во взаимодействии с авиацией 9-й армии и Черноморским флотом нанес удар по нефтяным промыслам Плоешти, превратив их в море огня. Бомбовые удары по Плоешти продолжаются каждый день и каждую ночь. Зарева нефтяных пожаров ночью видны на десятки километров, а днем столбы черного дыма застилают горизонт. В горах, севернее Плоешти, высажен 3-й воздушно-десантный корпус, который, действуя небольшими неуловимыми группами, уничтожает все, что связано с добычей, транспортировкой и переработкой нефти.

В порту Констанца и южнее высажен 9-й особый стрелковый корпус генерал-лейтенанта Батова. Его цель — та же: нефтепроводы, нефтехранилища, очистительные заводы. На просторы Румынии ворвалась самая мощная из всех советских армий — 9-я.

10-я советская армия не сумела выйти к Балтийскому морю. Она понесла чудовищные потери, 3-я и 8-я советские армии полностью уничтожены, а их тяжелые танки КВ истреблены германскими зенитными пушками, 5-я, 6-я и 26-я советские армии потеряли сотни тысяч солдат и остановлены на подступах к Кракову и Люблину. В этот момент советское командование вводит в сражение Второй стратегический эшелон. Разница заключалась в том, что германская армия имела только один эшелон и незначительный резерв. Красная Армия имела два стратегических эшелона и три армии НКВД позади них. Кроме того, к моменту начала войны в Советском Союзе объявлена мобилизация, которая дает советскому командованию пять миллионов резервистов в первую неделю войны на восполнение потерь и более трехсот новых дивизий в течение ближайших месяцев для продолжения войны.

Пять советских воздушно-десантных корпусов полностью истреблены, но на советской территории остались их штабы и тыловые подразделения; они принимают десятки тысяч резервистов для восполнения потерь, кроме того, завершается формирование пяти новых воздушно-десантных корпусов. Советские танковые войска и авиация в первых сражениях понесли потери, но советская военная промышленность не разрушена авиацией противника и не захвачена им. Крупнейшие в мире танковые заводы в Харькове, Сталинграде, Ленинграде не прекратили производство танков, а резко его усилили. Но даже не это главное.

В германской армии еще есть танки, но нет топлива для них. Еще остались бронетранспортеры в пехоте и тягачи в артиллерии, но нет топлива для них. Еще остались самолеты, но нет топлива для них. У Германии мощный флот, но он не в Балтийском море. Если он тут и появится, то не будет топлива для активных операций. В германской армии тысячи раненых, и их надо вывозить в тыл. Есть санитарные машины, но нет топлива для них. Германская армия имеет огромное количество автомобилей и мотоциклов для маневра войск, для их снабжения, для разведки, но нет топлива для автомобилей и мотоциклов...

Топливо было в Румынии, которую защитить обычной обороной было невозможно. Это понимал Сталин. Это понимал Жуков.

Гитлер, правда, это тоже понимал очень хорошо.

В августе 1941 года Второй стратегический эшелон завершил Висло-Одерскую операцию, захватив мосты и плацдармы на Одере. Оттуда начата новая операция на огромную глубину.

Войска идут за Одер непрерывным потоком: артиллерия, танки, пехота. На обочинах дорог груда гусеничных лент, уже покрытых легким налетом ржавчины; целые дивизии и корпуса, вооруженные быстроходными танками, вступая на германские дороги, сбросили гусеницы перед стремительным рывком вперед.

Навстречу войскам бесконечные колонны пленных. Пыль за горизонт. Вот они, угнетатели народа: лавочники, буржуазные врачи и буржуазные архитекторы, фермеры, служащие банков. Тяжела работа чекистов. На каждом привале — беглый опрос пленных. Потом НКВД разберется с каждым подробно и определит меру вины перед трудовым народом, но уже сейчас среди миллионов пленных надо выявить особо опасных: бывших социал-демократов, пацифистов, социалистов и национал-социалистов, бывших офицеров, полицейских, служителей религиозных культов.

Миллионы пленных нужно отправить далеко на восток и север, предоставив им возможность честным трудом искупить вину перед народом. Но железные дороги не принимают пленных. Железные дороги работают на победу. По железным дорогам гонят тысячи эшелонов с боеприпасами, топливом, подкреплениями.

Где пленников располагать? Вот в районе Освенцима 4-й механизированный корпус захватил концлагерь. Доложили наверх. Ждали разрешения использовать по прямому назначению. Нельзя. Приказали в Освенциме музей оборудовать. Приходится рядом новые концлагеря строить.

А на запад идут и идут колонны войск. От проходящих колонн комиссары берут по нескольку человек, везут в Освенцим, показывают: сами смотрите, да товарищам расскажите!

На машинах политотдела догоняют солдаты свои батальоны, рассказывают.

— Ну, как там, браток, в Освенциме?

— Да ничего интересного, — жмет плечами бывалый солдат в черном бушлате. — Все как у нас. Только климат у них получше.

Пьет батальон горькую водку перед вступлением в бой. Хорошие новости: разрешили брать трофеи, грабить разрешили. Кричит комиссар. Охрип. Илью Эренбурга цитирует: сломить гордость надменного германского народа!

Смеются черные бушлаты: это каким же образом гордость ломать будем, поголовным изнасилованием?

Всего этого не было? Нет, это не фантастика!

Нет, это было! Правда, не в сорок первом году — в сорок пятом. Разрешили тогда советскому солдату грабить, назвав это термином «брать трофеи». И «гордость немецкую ломать» приказали. И миллионы людей попали в лапы советской тайной полиции. И гнали их бесконечными колоннами туда, откуда не все вернулись.

И мало кто помнит, что лозунг «освободить Европу и весь мир» прозвучал впервые совсем не в 1945 году, а в конце 1938 года. Завершая великую чистку в Советском Союзе, Сталин переписал всю историю коммунизма и поставил новые цели. Это было сделано в книге **«История ВКП(б). Краткий курс»**. Она стала **главной книгой всех советских коммунистов** и всех коммунистов мира. Завершалась эта книга главой о том, что Советский Союз находится в капиталистическом окружении. Сталин ставит великую цель: заменить капиталистическое окружение социалистическим окружением. Борьба с капиталистическим окружением должна была продолжаться до тех пор, пока последняя страна мира не станет «республикой» в составе СССР.

Главной темой политических занятий Красной Армии стала: «СССР в капиталистическом окружении». Пропагандисты, комиссары, политработники и командиры подводили каждого бойца Красной Армии к простому и логическому сталинскому решению проблемы. И над железными батальонами Красной Армии гремела песня об освободительной войне, о войне, которая начинается сталинским приказом:

Разя огнем, сверкая блеском стали,
Пойдут машины в яростный поход.

Когда нас в бой пошлет товарищ Сталин.
И первый маршал в бой нас поведет.

Гитлер имел неосторожность поверить Сталину и повернуться к нему спиной, и тогда летом 1940 года набатом загремел призыв к великой освободительной войне, которая сделает все страны мира республиками в составе СССР. Один советский авиационный генерал описывает эту скорую и желанную войну: «Какое счастье и радость будут выражать взоры тех, кто тут, в Кремлевском дворце, примет последнюю республику в братство народов всего мира! Я ясно представляю: бомбардировщики, разрушающие заводы, железнодорожные узлы, мосты, склады и позиции противника; штурмовики, атакующие ливнем огня колонны войск, артиллерийские позиции; десантные корабли, высаживающие свои дивизии в глубине расположения противника. Могучий и грозный воздушный флот Страны Советов вместе с пехотой, артиллеристами, танкистами свято выполнит свой долг и поможет угнетенным народам избавиться от палачей» (Г. Байдуков. «Правда», 18 августа 1940 г.).

Георгий Байдуков — замечательный летчик и замечательный командир. Он — в первой десятке Героев Советского Союза, он дойдет до звания генерал-полковника авиации. Он отлично воевал. Но вот в 1940 году ему война виделась в совершенно ином свете. В огромной статье о будущей войне он ни словом не обмолвился о войне оборонительной, как не вспомнил и самолеты-истребители, которые ведут воздушный бой, защищая родное небо. Он помнит только о бомбардировщиках, штурмовиках и десантных самолетах, которые нужны для «освободительной» войны. Подобных публикаций в одной только «Правде» хватит на много томов. Польская коммунистка Ванда Василевская и американский коммунист Теодор Драйзер со страниц «Правды» возвещали о том, что недолго уже осталось палачам буржуазии пить рабочую кровь, недолго осталось пролетариату Запада греметь цепями.

Советские коммунисты открыто провозгласили свою цель: освободить весь мир, а Европу — в первую очередь. Эти планы активно осуществлялись. Пока Германия воевала на западе, к Советскому Союзу были присоединены пять новых «республик», и после этого ожидалось новое резкое увеличение числа «республик» в составе СССР, и это были не пустые слова. Гигантские силы были сконцентрированы для нанесения внезапного удара по Германии и Румынии. Но даже один удар по Румынии был бы для Германии смертельным...

1968—1981 гг.

СПИСОК ЦИТИРУЕМОЙ ЛИТЕРАТУРЫ

Авторханов А. Загадка смерти Сталина. — Франкфурт-на-Майне: Посев, 1976.

Авторханов А. Происхождение партократии. — Франкфурт-на-Майне: Посев, 1973.

Азаров И.И. Осажденная Одесса. — М.: Воениздат, 1962.

Антипенко Н.А. На главном направлении: Воспоминания зам. командующего фронтом. — М.: Наука, 1967.

Антонов-Овсеенко А. Портрет тирана. — Нью-Йорк: Хроника, 1980.

Анфилов В.А. Бессмертный подвиг. — М.: Наука, 1971.

Анфилов В.А. Провал «блицкрига». — М.: Наука, 1974.

Баграмян И.Х. Так начиналась война. — М.: Воениздат, 1971.

Баграмян И.Х. Так шли мы к Победе. — М.: Воениздат, 1977.

Бажанов В. Воспоминания бывшего секретаря Сталина. — Париж: Третья волна, 1980.

Басов А.В. Флот в Великой Отечественной войне. 1941—1945. — М.: Наука, 1980.

Бирюзов С.С. Когда гремели пушки.— М.: Воениздат, 1962.

Битва за Ленинград. 1941—1944 /Под ред. С.П. Платонова. — М.: Воениздат, 1964.

Болдин И.В. Страницы жизни. — М.: Воениздат, 1961.

Борьба за Советскую Прибалтику. — Таллинн: Ээсти раамат, 1980.

Брежнев Л.И. Малая земля. — М.: Политиздат, 1978.

Василевский А.М. Дело всей жизни.— М.: Политиздат, 1973.

Ваупшасов С.А. На тревожных перекрестках: Записки чекиста.— М.: Политиздат, 1971.

Великая Отечественная война (1941—1945): Краткий науч.-попул. очерк/ Под ред. П.А. Жилина.— М.: Политиздат, 1973.

Великая Отечественная война 1941—1945. Энциклопедия. — М.: Советская энциклопедия, 1985.

Военная стратегия/ Под ред. В.Д. Соколовского.— М. Воениздат, 1962.

Вознесенский Н.А. Военная экономика СССР в период Великой Отечественной войны.— М.: Госполитиздат, 1947.

Вопросы стратегии оперативного искусства в советских военных трудах 1937—1940 гг.— М.: Воениздат, 1965.

Воронов Н.Н. На службе военной.— М.: Воениздат, 1963.

Восемнадцатая в сражениях за Родину: Боевой путь 18-й армии.— М.: Воениздат, 1982.

Галицкий К.Н. Годы суровых испытаний.— М.: Наука, 1973.

Галлай М.Л. Третье измерение.— М.: Советский писатель, 1979.

Гальдер Ф. Военный дневник. Ежедневные записи начальника Генерального штаба сухопутных войск. 1939— 1942 гг./ Пер. с нем. — М.: Воениздат, 1968—1971.

Горбатов А.В. Годы и войны.— М.: Воениздат, 1965.

Григоренко П.В. В подполье можно встретить только крыс.— Нью-Йорк: Детинец, 1981.

Демин М. Блатной. — Нью-Йорк: Русика, 1981.

Дозорные западных рубежей: Документальные очерки по истории войск Западного Краснознаменного пограничного округа /Авт. коллектив.— Киев: Политиздат Украины, 1972.

Еременко А.И. В начале войны.— М.: Наука, 1964.

Жолудев Л.В. Стальная эскадрилья.— М.: Воениздат, 1972.

Жуков Г.К. Воспоминания и размышления.— М.: АПН, 1969.

Забайкальский военный округ: Краткий военно-истор. очерк. — Иркутск: Вост.-Сиб. книж. издательство, 1972.

Захаров Г.Н. Повесть об истребителях. — М.: ДОСААФ, 1977.

Зверев А.Г. Записки министра.— М.: Политиздат, 1973.

Здравствуй, небо: Сборник.— М.: Воениздат, 1966.

Иссерсон Г.С. Новые формы борьбы.— М.: Воениздат, 1940.

Иссерсон Г.С. Эволюция оперативного искусства.— М.: Воениздат, 1937.

Итоги второй мировой войны: Сборник статей/ Пер. с нем. — М.: Иностранная литература, 1957.

Казаков М.И. Над картой былых сражений.— М.: Воениздат, 1971.

Калинин С.А. Размышления о минувшем.— М.: Воениздат, 1963.

Кербер Л.Л. След в небе.— М.: Политиздат, 1971.

Кербер Л.Л. Ту — человек и самолет.— М.: Советская Россия, 1973.

Киевский Краснознаменный: История Краснознаменного Киевского военного округа. 1919—1972.— М.: Воениздат, 1974.

Ковалев И.В. Транспорт в Великой Отечественной войне 1941— 1945 гг.— М.: Наука, 1981.

Кожевников М.Н. Командование и штаб ВВС Советской Армии в Великой Отечественной войне 1941—1945 гг. — М.: Наука, 1977.

Конев И.С. Сорок пятый.— М.: Воениздат, 1966.

Кочетков Д.И. С закрытыми люками.— М.: Воениздат, 1962.

КПСС о Вооруженных Силах Советского Союза: Документы 1917—1968. — М.: Воениздат, 1969.

Краснознаменный Белорусский военный округ.— Минск: Беларусь, 1973.

Краснознаменный Уральский. История Краснознаменного Уральского военного округа.— М.: Воениздат, 1983.

Красовский С.А. Жизнь в авиации.— М.: Воениздат, 1968.

Кривошеин С.М. Ратная быль.— М.: Молодая гвардия, 1962.

Кузнецов В.А. Серебряные крылья.— М.: Воениздат, 1972.

Кузнецов Н.Г. Накануне.— М.: Воениздат, 1966.

Кузьмина Л.М. Генеральный конструктор Павел Сухой.— М.: Молодая гвардия, 1983.

Куманев Г.А. Советские железнодорожники в годы Великой Отечественной войны (1941—1945). — М.. АН СССР, 1963.

Курочкин П.М. Позывные фронта.— М.: Воениздат, 1969.

Лапчинский А.Н. Воздушная Армия.— М.: Воениздат, 1939.

Лобачев А.А. Трудными дорогами.— М.: Воениздат, 1960.

Людников И.И. Дорога длиною в жизнь.— М.: Воениздат, 1969.

Людников И.И. Сквозь грозы: Автобиографический очерк.— Донецк: Донбасс, 1973.

Майский И.М. Кто помогал Гитлеру: Из воспоминаний советского посла.— М.: ИМО, 1962.

Меликов В.А. Проблемы стратегического развертывания по опыту мировой и гражданской войны. Изд. Военной Академии РККА им. М.В. Фрунзе. М., 1935.

Мерецков К.А. На службе народу: Страницы воспоминаний.— М.: Политиздат, 1968.

Миддельдорф Э. Тактика в русской кампании/Пер. с нем. — М.: Воениздат, 1958.

Москаленко К.С. На юго-западном направлении: Воспоминания командарма.— М.: Наука, 1969.

На Северо-Западном фронте (1941—1943): Сборник статей участников боевых действий/Под ред. П.А. Жилина. — М.: Наука, 1969.

Начальный период войны/Под ред. С.П. Иванова. — М.: Воениздат, 1974.

Новиков А.А. В небе Ленинграда: Записки командующего авиацией.— М.: Наука, 1970.

Озеров Г. Туполевская шарага. — Франкфурт-на-Майне: Посев, 1973.

Ордена Ленина Забайкальский. — М.: Воениздат, 1980.

Ордена Ленина Московский военный округ. — М.: Московский рабочий, 1985.

Ортенберг Д.И. Июнь — декабрь сорок первого.— М.: Советский писатель, 1984.

Пантелеев Ю.А. Морской фронт.— М.: Воениздат, 1965.

Партия и Армия/ Под ред. А.А. Епишева.— М.: Политиздат, 1980.

Пересыпкин И.Т. Связисты в годы Великой Отечественной. — М.: Связь, 1972.

Пласков Г.Д. Под грохот канонады. — М.: Воениздат, 1969.

По приказу Родины: Боевой путь 6-й гвардейской армии в Великой Отечественной войне 1941—1945 гг.— М.: Воениздат, 1971.

Пограничные войска СССР. 1939 — июнь 1941: Сборник документов и материалов.— М.: Наука, 1970.

Покрышкин А.И. Небо войны.— М.: Молодая гвардия, 1968.

Пономарев А.П. Покорители неба.— М.: Воениздат, 1980.

Развитие тыла Советских Вооруженных Сил. 1918—1988.— М.: Воениздат, 1989.

Решин Е.Г. Генерал Карбышев.— М.: ДОСААФ, 1971.

Рокоссовский К.К. Солдатский долг.— М.: Воениздат, 1968.

Рослый И.П. Последний привал — в Берлине.— М.: Воениздат, 1983.

Рябчиков Е.И., Магид А.С. Становление.— М.: Знание, 1978.

Сандалов Л.М. На московском направлении. — М.: Наука, 1970.

Сандалов Л.М. Пережитое. — М.: Воениздат, 1966.

Свиридов А.А. Батальоны вступают в бой. — М.: Воениздат, 1967.

Севастьянов П.В. Неман—Волга—Дунай.— М.: Воениздат, 1961.

Сивков Г.Ф. Готовность номер один.— М.: Советская Россия, 1973.

Сикорский В. Будущая война. Ее возможности, характер и связанные с ними проблемы обороны страны/ Пер. с польск. — М.: Воениздат, 1936.

Сквозь огненные вихри: Боевой путь 11-й гвардейской армии в Великой Отечественной войне 1941—1945 гг.: Сборник.— М.: Воениздат, 1987.

След в небе: Сборник.— М.: Политиздат, 1971.

Советские Вооруженные Силы.— М.: Воениздат, 1978.

Советские танковые войска.— М.: Воениздат, 1973.

Соколовский В.Д. Военная стратегия.— М.: Воениздат, 1963.

Старинов И.Г. Мины ждут своего часа.— М.: Воениздат, 1964.

Стефановский П.М. Триста неизвестных.— М.: Воениздат, 1968.

Триандафиллов В.К. Размах операций современных армий.— М.: Воениздат, 1932.

Триандафиллов В.К. Характер операций современных армий.— М.; Л.: Госиздат, 1929.

Тухачевский М.Н. Избранные произведения.— М.: Воениздат, 1964.

Тыл Советских Вооруженных Сил в Великой Отечественной войне 1941—1945 гг./ Под ред. С.К. Куркоткина.— М.: Воениздат, 1977.

Тюленев И.В. Через три войны.— М.: Воениздат, 1960.

Уманский Р.Г. На боевых рубежах. — М.: Воениздат, 1960.

Устинов Д.Ф. Во имя победы: Записки наркома вооружения.— М.: Воениздат, 1988.

Федюнинский И.И. Поднятые по тревоге.— М.: Воениздат, 1964.

Фрунзе М.В. Избранные произведения. В 2 т.— М.: Воениздат, 1957.

Хизенко И.А. Ожившие страницы: Дневник политработника 80-й ордена Ленина стрелковой дивизии.— М.: Воениздат, 1963.

Хренов А.Ф. Мосты к победе.— М.: Воениздат, 1982.

Часовые советских границ: Краткий очерк истории пограничных войск СССР.— М.: Политиздат, 1983.

Шавров В.Б. История конструкций самолетов в СССР 1938— 1950 гг.— М.: Машиностроение, 1988.

Шапошников Б.М. Мозг армии. В 3 кн.— М.; Л.: Гос-издат (отдел военной литературы), 1927—1929.

Шебунин А.И. Сколько нами пройдено...— М.: Воениздат, 1971.

Штеменко С.М. Генеральный штаб в годы войны.— М.: Воениздат, 1968.

Шумихин В.С. Советская военная авиация. 1917—1941.— М.: Наука, 1986.

Эстонский народ в Великой Отечественной войне Советского Союза. 1941—1945.— Таллинн: Ээсти раамат, 1973.

Язов Д.Т. Верны Отчизне. — М.: Воениздат, 1988.

Яковлев А.С. Цель жизни: Записки авиаконструктора.— М.: Политиздат, 1968.

История Великой Отечественной войны Советского Союза. 1941—1945. В 6 т.— М.: Воениздат, 1960—1965.

История второй мировой войны (1939—1945). В 12 т. — М.: Воениздат, 1973—1982.

Собрание сочинений В.И. Ленина.

Собрание сочинений К. Маркса и Ф. Энгельса.

Собрание сочинений И.В. Сталина.

Советская военная энциклопедия. В 8 т.— М.: Воениздат, 1976—1980.

Газеты «Известия», «Комсомольская правда», «Красная звезда», «На страже», «Правда».

Журналы «Бюллетень оппозиции», «Военный вестник», «Война и революция», «Вопросы истории», «Военно-исторический журнал», «Коммунист», «Международная жизнь», «Мобилизационный сборник», «Новое время», «Огонек», «Проблемы экономики».

Combat Aircraft of the World. — London: Ed. and comp. by John W.R.Taylor. 1969.

Goralski R. World War II Almanac. 1931—1945. — London: Hamish Hamilton, 1981.

Gregory B., Batchelor D. Airborne Warfare 1918—1941. — Leeds: Petty & Sons, 1978.

Hearing on American Aspects of the Richard Sorge Spy Case. House of Representatives Eighty Second Congress. First Session. August 9, 22 and 23.— Washington, 1951.

Hitler A. Mein Kampf. München: Zentralverlag der NSDAP, Eher, 1940.

Kesselring A. Gedanken zum Zweiten Weltkrieg. — Bonn, 1955.

Le Bon G. Psychologies des foules. — Paris, 1895.

Liddell Hart B. History of the Second World War. — London: PAN. 1978.

Mallory K. and Ottar A. Architecture of Aggression. — Architectural Press: Wallop G.B., 1973.

Müller-Hillebrand B. Das Heer, 1933—1945. — Frankfurt/Main, 1954—1956.

Nemecek V. The History of Soviet Aircraft from 1918. — London: Willow Books, 1986.

Price A. World War II Fighter Conflict. — London: Macdonald and Jane's, 1975.

Sutton A. National Suicide; Military Aid to the Soviet Union. — New Rochelle (NY): Arington House, 1973.

ОГЛАВЛЕНИЕ

В. Буковский. Монумент человеческой слепоте 3

Кто начал Вторую мировую войну? 11

Глава 1. Путь к счастью 15

Глава 2. Главный враг 24

Глава 3. Зачем коммунистам оружие 31

Глава 4. Зачем Сталин разделил Польшу 43

Глава 5. Пакт и его результаты 50

Глава 6. Когда Советский Союз вступил во Вторую мировую войну 56

Глава 7. «Расширение базиса войны» 67

Глава 8. Зачем чекистам гаубичная артиллерия 78

Глава 9. Почему полоса обеспечения была уничтожена накануне войны 89

Глава 10. Почему Сталин уничтожил «Линию Сталина» .. 107

Глава 11. Партизаны или диверсанты? 129

Глава 12. Зачем Сталину десять воздушно-десантных корпусов 138

Глава 13. О крылатом танке 147

Глава 14. До самого Берлина! 153

Глава 15. Морская пехота в лесах Белоруссии 164

Глава 16. Что такое армии прикрытия 168

Глава 17. Горные дивизии в степях Украины 187

Глава 18. Для чего предназначался Первый стратегический эшелон 200

Глава 19. Сталин в мае 204

Глава 20. Слово и дело 223

Глава 21. Зубастое миролюбие 230

Глава 22. Еще раз о Сообщении ТАСС 238

Глава 23. О брошенных военных округах 279

Глава 24. Про черные дивизии 287

Глава 25. Про комбригов и комдивов 295

Глава 26. Зачем был создан Второй стратегический эшелон 301

Глава 27. Необъявленная война 320

Глава 28. Зачем Сталин развернул фронты 331

Глава 29. Отчего Сталин не верил Черчиллю 359

Глава 30. Почему Сталин не верил Рихарду Зорге 372

Глава 31. Как Гитлер сорвал войну 386

Глава 32. Был ли у Сталина план войны 399

Глава 33. Война, которой не было 409

Список цитируемой литературы 420

Суворов Виктор

Л Е Д О К О Л

Кто начал Вторую мировую войну?

Художественный редактор О.Н. Адаскина
Компьютерный дизайн: С.В. Шумилин
Технический редактор О.В. Панкрашина

Подписано в печать с готовых диапозитивов 07.02.00.
Формат 84×108^1/$_{32}$. Печать высокая с ФПФ. Бумага
типографская. Усл. печ. л. 22,68. Тираж 5000 экз.
Заказ 279.

Налоговая льгота – общероссийский классификатор продукции
ОК-00-93, том 2; 953000 – книги, брошюры

Гигиенический сертификат
№ 77.ЦС.01.952.П.01659.Т.98 от 01.09.98 г.

ООО "Фирма "Издательство АСТ"
ЛР № 066236 от 22.12.98.
366720, РФ, Республика Ингушетия,
г.Назрань, ул.Московская, 13а
Наши электронные адреса:
WWW.AST.RU
E-mail: astpub@aha.ru

При участии ООО «Харвест». Лицензия ЛВ № 32 от
27.08.97. 220013, Минск, ул. Я. Коласа, 35-305.

Ордена Трудового Красного Знамени полиграфкомбинат
ППП им. Я. Коласа. 220005, Минск, ул. Красная, 23.